작자 미상, 〈푸치니〉

파비오 치폴라, 〈미미의 죽음〉(〈라 보엠〉의 한 장면)

푸치니가 영감을 얻었던 마사추콜리 호수

푸치니 생애와 예술의 공간

3 달베르메 극장

4 스칼라 극장

밀라노

토리노

제노바

8 푸치니 저택

7 푸치니 빌라

푸치니의 이탈리아는 그가 영감을 받고 성장했던 곳과 작품의 배경이 되었던 곳으로
크게 나뉜다. 루카에서 태어나 밀라노에서 데뷔한 후 잇따른 대작으로 성공하기까지,
그는 두 도시에서 사람들과 교류하며 거장으로 발돋움한다. 반평생의 거주 공간이자
〈라 보엠〉과 〈나비 부인〉의 탄생지 토레델라고를 거치면 〈잔니 스키키〉와 〈토스카〉의 영광이
고스란히 남은 피렌체와 로마에 도착한다. 푸치니가 그곳들에서 체험한 것은
그의 오페라에 '멜랑콜리'와 '새벽'이라는 구체적인 감정과 시간으로 남아 있다.

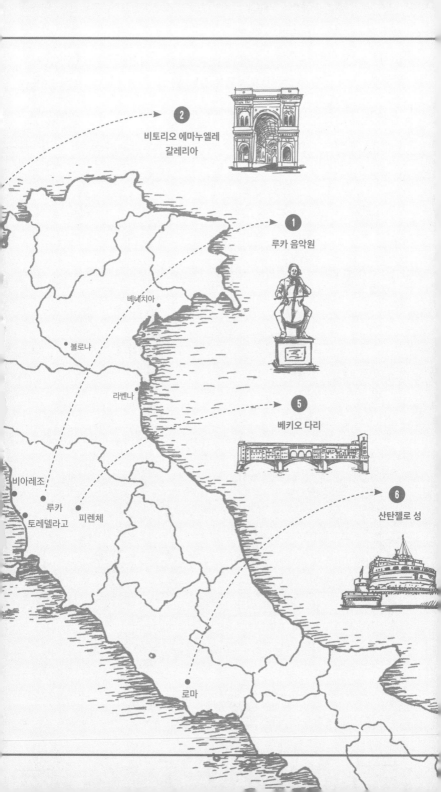

비토리오 에마누엘레
갈레리아

루카 음악원

베키오 다리

산탄젤로 성

베네치아

볼로냐

라벤나

비아레조

루카

토레델라고

피렌체

로마

❶ 루카 음악원 루카

"음악가 푸치니 집안의 전통"

푸치니 선대의 음악 전통과 루카로의 정착은 이 도시를 음악적인 도시로 거듭나게 했다. 피렌체에 비해 다양한 문화가 꽃피지 않았을 뿐이지, 음악만은 루카 사람들에겐 일상이었다. 여러 개였던 사설 음악원을 합쳐 1847년 창립한 루카 음악원은 토스카나 일대에서 높은 권위를 인정받았고, 푸치니 역시 루카에서 유년을 보내며 여러 친지와 교사로부터 음악적 수혜를 받을 수 있었다.

❷ 비토리오 에마누엘레 갈레리아 밀라노

"작곡가의 산책로이자 담소의 공간"

푸치니가 밀라노 음악원에 다니면서 어머니에게 쓴 편지에 자주 등장하는 산책로다. 건물들 사이를 유리 지붕으로 연결해 비를 맞지 않도록 만든 상점가를 뜻하는 갈레리아의 악보점에서 푸치니는 아르바이트를 하기도 했고 카페에서 커피를 마시기도 했다. 갈레리아에서 경험한 자유분방한 사교는 후에 〈라 보엠〉 속 장난스러운 젊은이들의 모습으로 투사됐다.

❸ 달베르메 극장 밀라노

"오페라 작곡가로 데뷔하다"

1884년 5월 31일 청년 작곡가 푸치니의 첫 오페라 〈빌리〉가 초연된 극장이다. 제2차 세계대전 당시 폭격에 무너졌으나 복구되었다. 1991년 개보수 후 오케스트라 콘서트홀로 개조되어 지금은 당시의 모습이 남아 있지 않으나, 완숙기의 히트작에서 선보일 정형이 〈빌리〉에 이미 나타나고 있다는 점에서 신예 작곡가의 출발을 알린 극장으로서 여전히 중요한 공간이다.

❹ 스칼라 극장 밀라노

"대작 〈나비 부인〉과 〈투란도트〉의 향연"

세계 최고 권위의 오페라 극장으로, 푸치니의 대작 〈나비 부인〉이 초연된 곳이다. 성공을 기대했던 첫 번째 공연에서 청중의 야유가 터져나왔다. 이에 푸치니는 〈나비 부인〉 개작을 단행해서 대성공을 거둔다. 푸치니의 갑작스러운 사망 후 스칼라 극장은 〈투란도트〉 초연을 연기했으나 2년 뒤 토스카니니의 지휘로 미완의 대작 〈투란도트〉가 이틀에 걸쳐 초연되었다.

❺ 베키오 다리 피렌체

"라우레타의 위험한 고백"

〈잔니 스키키〉의 아리아 '오 사랑하는 나의 아버지'에서 라우레타는 아버지에게 리누치오와 결혼하지 못하면 목숨을 버리겠다고 한다. "베키오 다리에 가서 아르노 강으로 뛰어들 거예요!" 베키오 다리는 피렌체 한가운데를 흐르는 아르노 강을 잇고 있다. 푸치니는 독일, 벨기에, 파리, 일본을 무대에 올리다가 60세에 발표한 〈잔니 스키키〉에서 처음으로 고향인 토스카나 주도 피렌체를 배경으로 삼았다.

❻ 산탄젤로 성 로마

"새벽이 밝아오는 천사성"

'천사의 성'으로 불리는 산탄젤로 성에서 펼쳐지는 〈토스카〉 제3막의 음악은 천년 고도의 새벽을 스산하게 일깨운다. 시간적 배경은 1800년, 로마는 영화와 몰락이 공존하는 도시였고 산탄젤로 성은 실제 처형장으로 사용됐다. 처형을 앞둔 카바라도시의 짧은 행운과 긴 비극을 표현하기 위해, 푸치니는 새벽에 성 부근을 거닐며 종소리까지 오선지에 옮겼다.

❼ 푸치니 빌라 토레델라고

"〈라 보엠〉과 〈나비 부인〉의 선율이 흐르다"

마사추콜리 호숫가에 면한 이곳에서 푸치니는 오페라 역사에 남을 걸작들을 작곡했다. 토레델라고는 푸치니를 위해 존재하는 듯 대부분의 골목길 이름이 그의 오페라 제목들과 동일하다. 야외에서 자신의 오페라가 공연되길 바랐던 소망대로 푸치니 사후 〈라 보엠〉 공연이 열렸고 1949년부터는 매년 오페라 축제가 개최되고 있다.

❽ 푸치니 저택 비아레조

"최후의 작품, 최후의 날"

푸치니는 실러의 『투란도트』 번역본을 읽고 매료되어, 마지막 안식처로 삼은 해변 마을 비아레조에서 〈투란도트〉 작곡에 착수한다. 비아레조에는 예나 지금이나 많은 사람이 오간다. 그는 이곳에서 당대의 혁신적인 조류와 자신의 고유한 작법을 결합한, 완전히 새로운 작품을 만들어냈다. 그러나 결국 건강 악화로 초연을 앞두고 돌연 숨을 거두었다.

일러두기

1. 이 책에 나오는 푸치니의 편지, 일기, 지인의 직접 증언 등의 인용문은 Mary Jane Phillips-Matz, *Puccini: A Biography*(Northeastern University Press, 2002)에서 필자가 발췌 번역한 것으로, 본문에 별도로 밝히지 않았다.
2. 푸치니의 오페라를 비롯해 음악, 미술, 영화 등의 작품명은 〈 〉, 작품의 삽입곡은 ' ', 신문과 잡지는 《 》, 단행본과 장편소설은 『 』, 칼럼과 단편소설은 「 」로 표기했다.
3. 외래어 표기는 국립국어원의 외래어표기법을 따랐으나 통용되는 일부 표기는 허용했다.

푸치니

×

유윤종

토스카나의 새벽을 무대에 올린
오페라의 제왕

arte

담배를 문 말쑥한 정장 차림의 푸치니. 담배와 정장은 그가 가장 좋아하는 아이템이었다.

CONTENTS

꿈꾸는 자의 세계는
얼마나 확장될 수 있는가

선뜩 잠을 깬 새벽, 창을 연다. 도시의 하늘에 사념만큼이나 많은 별이 반짝인다. 소슬바람이 방 안으로 흘러들어온다.

바람을 머금은 코끝에서 허밍이 흘러나온다. 〈토스카〉의 '별은 빛나건만', 〈나비 부인〉의 간주곡, 〈라 보엠〉의 이별의 4중창을 흥얼거리고 나면, 〈마농 레스코〉의 출항 장면, 푸치니의 첫 오페라 〈빌리〉에서부터 마지막인 열두 번째 오페라 〈투란도트〉에 이르기까지 무대를 채웠던 달콤한 관현악 반주가 떠오른다. 모두 나의 새벽을 채우는 선율들이다.

어린 시절부터 여러 시대와 장르의 음악을 마음껏 찾아 들을 수 있었던 내게, 푸치니의 음악은 가장 매혹적인 날줄과 씨줄의 교차점이었다. 푸치니가 활약한 19~20세기 전환기는 음악에 있어 개인의 열정, 욕망, 두려움, 환희, 슬픔을 정밀하게 표현하는 데 특별한 가치를 둔 시기였다. 그러한 '시대정신'이 내게 하나의 날줄이었다면, 어떤 악기보다도 연주자 각각의 음색과 표현양식을 뚜렷이 드러내어 특별한 재미를 선사한 '성악' 또는 '오페라'라는 장르는 그 날줄과 만나는 씨줄이었다. 그 교차점을 대표하는 총아이면서 그 만남을 가장 빛나게 구현한 주인공이 바로 푸치니였고, 그는 내가 가장 사랑하는 작곡가가 되었다.

"푸치니를 좋아하십니까?" 가장 흔한 대답은 "생각해보지 않았다"일 것이다. 우리에게 푸치니, 그리고 오페라란 더없이 친숙한 대상일 수도 있는 한편 그렇지 않을 수도 있다. 많은 사람에게 오페라는 멀찌감치 물러선 시대의 낯선 여흥 또는 별난 관심거리로 여겨질 것이다. 한때 유럽 사회의 사랑과 추앙을 받았던 오페라 명장들은 이제 기억 속에 호명되지 않는 과거의 기호일까.

오페라는 오늘날 '가진' 사람들의 '기묘한' 취미로 치부되곤 하지만, 한 세기 전만 해도 저녁나절을 보내는 가장 멋진 방법은 오페라 관람이었다. '서구사회'라고 한정을 하든 아니든 말이다. 도시의 가장 중요하고 접근하기 쉬우며 근사한 장소에 오페라 극장이 자리했고, 잘 차려입은 남녀들이 몰려들어 장려하고도 세속적이며, 사랑과 분노와 질투로 물든 이 격정의 드라마들에 심취했다. 당대 최고의 문학작품, 최고의 의상, 최고의 무대미술, 최고의 음악, 세련된 오케스트라, 이에 더해 평생 노래를 연마한 최고의 성악가들이 그 저녁 그 자리에 함께했다.

그 오페라 전통의 최후의 절정을 서쪽 하늘의 주홍빛 노을처럼 찬란하게 물들인 인물이 바로 자코모 푸치니였다. 그는 이탈리아 오페라 전통의 대명사였던 주세페 베르디의 손에서 왕관을 물려받았다. 당대의 음악계와 평단과 언론이 한목소리로 공감했다. 그러나 왕관의 빛깔은 달랐다. 푸치니는 베르디의 음악을 좇지 않았다. 그는 한 세대 위의 독일 거장 바그너, 프랑스 인기 오페라 작곡가 마스네를 비롯한 수많은 선배 작곡가들의 장점들을 욕심껏 따서 자기 것으로 소화했다.

불운했던 여느 작곡가와 달리 푸치니는 살아생전에 자신의 재능에 대한 보상을 충분히 받았다. 유럽 전역은 물론 아메리카 대륙의 미국과 우루과이에서 열린 '푸치니 전작 페스티벌'을 푸치니는 목격했다. 부와 명예를 한껏 누린 인생이었다. 영광이 밝을수록 그를 끌어내리려는 소음도 정비례해서 커졌지만, 최고의 영향력을 가진 신문《코리에레 델라 세라》와 같은 미디어들은 그를 '베르디의 권좌를 잇는 이탈리아 오페라의 살아 있는 왕'으로 추어올리기를 주저하지 않았다.

19세기 중반 베르디가 누렸던 이탈리아 오페라의 왕위를 푸치니가 계승할 수 있었던 데에는 일종의 전략도 작용했다. 1880년대 초, 이미 노경에 들어선 베르디의 작품 활동이 뜸해지자, 그의 흥행사인 악보출판사 리코르디는 '베르디의 후계자'로서 상징성을 지닐 신인을 찾아 나섰고, 밀라노 음악원을 갓 졸업한 신예 푸치니를 발견한 뒤에는 지속적인 투자와 후원을 통해 흔들림 없는 '새 오페라 왕'의 지위에 그를 올려놓았다. 물론 그 과정에는 '선왕' 베르디의 추인이 있었다.

당대 비평가들은 이 '미심쩍은 후계자'에 대한 공격을 쏟아냈으며, 이는 푸치니가 세상을 떠날 때까지 사라지지 않았다. '베르디처럼 남성적이지 않다' '눈물 짜는 여성 취향만 반복한다' '애국심이라곤 없이 외국 작곡가들을 모방한다'……. 숱한 공격과 폄훼에 시달렸지만 푸치니는 침몰하지 않았다. 오히려 공격을 거울삼아 자기갱신을 이어나갔다.

자신의 장기라 할 수 있는 애절한 감성과 특유의 멜로디 스타일을 유지하면서도, 그의 극은 점점 세련되어갔고, '현대'에 적응했으며, 동시대의 다양한 스타일을 소화했고, 끝없이 다양해져가는 청중의 취향을 만족시켰다. 〈라 보엠〉〈토스카〉〈나비 부인〉의 초대형 히트 이후 이에 버금가는 후속타는 없을 거라 여겨졌지만, 정작 오늘날 세계인에게 가장 익숙한 테너 아리아와 소프라노 아리아는 그 이후에 탄생했다.

푸치니의 시대는 수많은 작곡가가 경쟁하며 오페라의 아름다운 꽃을 피운 시기였다. 〈카발레리아 루스티카나〉의 마스카니, 〈팔리아치〉의 레온카발로, 〈라 왈리〉의 카탈라니, 〈안드레아 셰니에〉의 조르다노, 〈아드리아나 르쿠브뢰르〉의 칠레아 등 동시대인이 화려하게 만개한 오페라의 전통 위에서 제각기 자신의 향기를 내고자 노력했고, 개성 넘치는 명작들을 쏟아냈다. 그 상당수가 베르디의 왕관을 계승하려 애쓴 인물들이다. 그러나 어느 누구도 푸치니의 위상과 인기를 넘어서지 못했다.

그리하여 푸치니는 오늘날 전 세계 오페라 극장의 친절한 후원자요 구원자가 되었다. 오페라 극장들과 연합체들이 내놓는 '가장 자주 공연되는 오페라' 목록에는 〈라 보엠〉 〈토스카〉 〈나비 부인〉 등 푸치니의 3대 흥행 거작이 베르디의 〈라트라비아타〉, 비제의 〈카르멘〉, 모차르트의 〈피가로의 결혼〉과 함께 1~6위에 오른다. 북미 오페라 공연 일수의 4분의 1이 푸치니의 〈라 보엠〉 〈토스카〉 〈나비 부인〉 단 세 작품으로 채워진다는 통계도 있다. "이번 시즌에는 창작 오페라를 올리자. 그래야 '레퍼토리가 뻔하다'는 질타를 피할 수 있지." 세계 오페라 극장장들의 농담도 매년 레퍼토리가 뻔하다. "그러면 관객이 들어오지 않아 적자가 될 거라고? 괜찮아. 다음 시즌에 푸치니를 올리면 다 만회할 수 있어."

푸치니가 가진 또 하나의 특별한 점은 그가 오페라 전통의 마지막을 화려하게 장식했던 데 멈추지 않고 문화의 주도권을 넘겨받은 현대의 대중 속에서도 끊임없이 향유되며 나아가 새롭게 재생산되고 있다는 점이다.

한때 전 세계적으로 돌풍이 불었던 오디션 프로그램에서 마이클 잭슨이나 머라이어 캐리의 노래와 함께 푸치니 〈투란도트〉의 테너 아리아 '잠들지 말라'나 〈잔니 스키키〉의 소프라노 아리아 '오, 사랑하는 나의 아버지'가 불리는 장면을 상상해보자. 이상한가? 이상하지 않다.

휴대전화 판매원이었던 영국의 테너 폴 포츠가 부른 '잠들지 말라'는 루치아노 파바로티 이후 다시금 이 노래의 인기를 한껏 높였다. 세계 최고의 인기를 누리는 영국 록밴드가 서울에서 공연할 때는 자신들의 노래에 앞서 소프라노 마리아 칼라스가 불렀던 '오, 사랑하는 나의 아버지'로 분위기를 고조시킨다. 다른 작곡가의 오페라 아리아가 비슷한 대접을 받은 일이 있었던가.

'잠들지 말라'를 흥얼거리거나 '오, 사랑하는 나의 아버지' 첫 소절만이라도 따라할 수 있다면, 당신은 이미 푸치니를 알고 있는 것이다. 단지 그의 이름을 아는 것이 아니라, 그의 음악 세계 일부가 당신의 세계에 침투해 있는 것이다.

푸치니와 다른 작곡가의 세계를 가르는 벽 같은 것은 없다. 그렇지만 푸치니의, 자연스러움을 표방한 듯하면서도 정교하게 설계된 선율들은 시대를 초월해 모든 세대 청중의 심장을 가격하는 충격파를 품고 있다. 푸치니의 영향을 받은 여타 문화예술 장르 또한 적지 않다. 〈나비 부인〉은 오늘날 뮤지컬 〈미스 사이공〉과 영화 〈M 버터플라이〉에 그 의미적 유전자(밈)를 싹틔웠다. 〈라 보엠〉은 뮤지컬 〈렌트〉로, 그리고 TV드라마 〈프렌즈〉에서 〈빅뱅이론〉에 이르기까지 젊은이들의 기발한 에피소드로 그 상상력을 이어나가고 있다.

그리하여 그는 오페라 장르에 국한되지 않고 음악사상 가장 인기 있는 작곡가 중 하나가 되었다. 생전에 이미 그랬다. 음악으로 부를 축적한 인물로서도 한 세기 전 오페라계 선배였던 로시니 외에 그와 비견될 만한 주인공은 없다. 그는 20세기 초에 자동차를 수시로 갈아치우고 요트와 모터보트를 사 모으고, 홈 비디오를 촬영하고, 알프스 자락에서 열리는 에어쇼를 구경하고 다녔던 '부유한 셀러브리티'였다.

그의 오페라 초반에 짧고도 강렬한 사랑을 불태운 연인들은 마지막 막에서 불운한 운명 앞에 비탄을 노래한다. 극 초반에 나온 음악적 모티프들은 오케스트라에, 가수들의 노래에 조각조각 회상되고, 관객 또한 극 초반의 에피소드들을 회상하며 꿈과 같은 긴 시간의 길이로 이를 받아들인다. 가슴에 절절하게 스며드는 매혹의 선율들이 터져 나온다.

관객의 마음을 울리는 애절한 슬픔과 처연함은 어쩌면 작곡가 자신의 삶에서 그 근원을 찾을 수 있을 것이다. 푸치니가 거의 평생을 보냈던 토레델라고 마을의 친구들은 그가 "명랑하다가도 어느 순간 먼 곳을 바라보면서 눈물이 그렁그렁해지곤 했다"고 회상했다. 스스로도 "평생 노스텔지어의 짐을 지고 살고 있다"고 말했다.

사실 궁핍했던 청년 시절에도 늘 유쾌하고 장난기가 많았기에 그의 프로필에 우울함이 자리할 구석은 없어 보인다. 무릇 사랑받는 예술가라면 슬픔이 있어야 한다. 일찍 세상을 떠나거나, 궁핍하거나, 죽을 때까지 인정받지 못하거나, 오해를 받아 자리에서 쫓겨나거나, 평생 지병에 시달려야 한다. 실연의 상처가 있다면 금상첨화일 것이다. 하지만 푸치니는 아니었다. 실연은커녕 친구의 아내를 빼앗았고 평생 바람기를 멈추지 않았다. 그 바람에 애꿎은 젊은 처녀가 목숨을 잃기도 했다. 한마디로 그의 삶을 살펴나가다보면 이 뻔뻔한 인물을 사랑해줄 마음이 좀처럼 일지 않는다.

그런 푸치니의 내면에 자리한 노스텔지어와 센티멘털리즘의 근원은 무엇일까. 혹 젊어서 남편을 잃은 뒤 장남인 자코모 푸치니에게 평생 정성을 쏟다가 아들의 성공이 눈에 보이는 순간 눈을 감은 어머니에 대한 죄의식 때문이었을까, 아니면 단지 이 작곡가가 지닌 '기질'의 문제였을까. 어느 쪽이건, 노스탤지어와 센티멘털리즘은 그에게 짐이 아니라 동력이자 자산이었다.

이런 마법으로 이 '감상주의자'는 사람들을 매혹했다. 강철 같은 집중력의 이미지로 각인된 헤르베르트 폰 카라얀, 음악사적 지식으로 무장한 지휘자 안토니오 파파노, 가장 지적인 테너이자 끊임없이 자기 갱신을 이루어나간 플라시도 도밍고를 비롯한 음악계의 별들이 이 '감상주의 마법사'에 대한 열렬한 애정을 고백했다. 푸치니 당대에도 독일어권을 대표하는 오페라 작곡가였던 리하르트 슈트라우스는 푸치니를 애써 듣지 않는다며 그 이유를 말했다. "그의 선율이 너무나 매혹적이어서, 계속 듣다가는 내가 '푸치니 스타일의 슈트라우스'가 되어버릴까 두렵기 때문이다." 베를린 필하모닉 오케스트라 수석지휘자이자 음악 텍스트 분석의 대가이며 현대음악의 전도사인 사이먼 래틀도 가장 사랑하는 작곡가 일곱 명 가운데 놀랍게도 푸치니를 집어넣었다. 그리고 고백했다. "푸치니의 유혹은, 죄의식을 부르는 달콤한 유혹이다."

바로 그 유혹에 중독된 사람 중 하나로, 나 또한 예외가 되지 못했다. 먼 유년의 시절, 〈마농 레스코〉의 간주곡을 들으며 나의 의식은 먼 남유럽의 물결 속을 항해했고, 학창 시절 〈토스카〉의 '별은 빛나건만'을 들으며 비밀로 가득 찬 이 세상의 아름다움에 한껏 설렜으며, 얼마간 나이 먹어서는 〈라 론디네〉를 통해 19세기 아르누보 시대의 종말을 달콤하게 공감했고, 〈투란도트〉에 갈채를 보냈다. 그의 선율은, 토스카니니 지휘의 〈라 보엠〉 전곡판에서 시작해 내 의식의 아득한 시초부터 늘 나의 일상에 동반했다.

이토록 큰 선물을 내게 준 사람에 대해 이야기할 수 있다는 것은 분명 기쁨이지만, '이렇게나 위대한 삶을 본받으라'고 힘주어 말할 자신은 없다. 소년기 혹은 청년기에 푸치니의 삶은 터무니없이 부산하면서도 게을러서, 과연 이 인물이 위대한 예술가는커녕 한 사람의 건전한 사회인으로 살아갈 수 있을지 의심이 들 정도다.

푸치니의 특별함은 그러나, 말썽 많았던 인생 초반기 그의 내면에 이미 그 싹을 품고 있었다. 그는 자신의 마음속 풍향에 늘 충실했으며 그 바람에 거역하는 일에는 본능적으로 일절 타협하지 않았다. 게을렀던 학생 시절에도 동시대 예술계의 기류를 연구하고 파악하는 데 그는 누구보다 빨랐다. 인정받는 작곡가가 된 뒤엔 그와 절친했던 대본작가들이 두 손을 들고 '일 못 하겠다'며 거듭 '사퇴 파동'을 일으킬 정도로, 오페라의 정묘한 디자인과 완결성에 대한 푸치니의 집념은 투철했다.

그 고집이 늘 자기 갱신의 열망 속에서 발휘되었다는 점이 바로 푸치니 성공의 열쇠였다. 그의 시대에는 극장에서의 하룻저녁에 자존심까지 건 대중의 힘이 강력했고, 한편 대중을 건드리는 평론가의 영향력도 강력했으며, 그 상반된 두 힘은 이 잘나가는 작곡가를 양쪽에서 잡아 찢으려 했다. 한쪽에서는 '푸치니가 자신의 장기만 반복한다'고 질타했고, 다른 한쪽에서는 '잘할 수 없는 영역까지 실험하려 한다'고 눈살을 찌푸렸다.

그런 양극단의 요구에 발맞추어 푸치니는 자신의 장기를 탄탄히 다지는 동시에, 시대와 발맞추어 변화하는 팬들의 기호에도 능수능란하게 대응했다. 자신의 고유한 세계를 양보하는 일이 아니었다.

오히려 주변의 세계로 자신을 확장하는 일이었다. 그는 무대 기술의 획기적인 발전에 매료되어 이에 가장 잘 맞는 음악을 작곡하기도 했고, 변덕스러운 대중의 기호에 맞추고자 상반된 두 히로인이 한 작품에 등장하는 '하이브리드 극'까지 쓰면서 자신의 고유한 매력과 지극히 현대적인 음악어법을 한 작품에 선보였다.

그렇게 치밀한 산고의 결과로 악보에 심어놓은 마법들에 대해 당대 청중은 때로 눈을 흘기거나 주저하며 애정 고백을 거부했지만, 시대가 흐르면서 작품에 대한 그의 진정성과 치밀함은 이제 열광적인 성악팬뿐 아니라 오페라에 대한 경험조차 없는 이들의 마음까지 사로잡고 있다.

이 책에서 나는 푸치니가 살았고 애정을 쏟았던 마을과 도시들을 찾아가 그의 삶과 작품을 돌이켜보면서 그가 세상을 바라보던 시선에 나의 시선을 맞추어보려 한다.

1장 '음표로 삶의 설계도를 그리다'에서는 그가 태어난 토스카나주의 중세 고도 루카와 음악원 시절을 보낸 북부 이탈리아의 중심 밀라노가 주요 공간이다. 일찍이 남편을 잃고 고단한 삶을 살았던 어머니의 무조건적인 헌신, 음악에의 헌신을 '무조건적 명령'으로 강요받았던 말썽꾸러기가 음악을 차차 또렷한 내면의 열정으로 키워나간 과정을 볼 수 있다.

2장 '오페라의 별에 닿다'에서는 오페라 작곡가로 세상에 나와서 이렇다 할 성공을 거두지 못한, 앞날이 불투명하여 내적으로도 혼돈에 빠진 젊은이를 만날 수 있다. 당시 그는 주거마저도 분명하지 않은 상황이었다.

3장 '만나고 헤어지고 다시 만나다'에서의 푸치니는 사뭇 다른 모습이다. 지금도 전 세계에서 최고의 오페라 흥행물로 꼽히는 〈라 보엠〉을 내놓으면서 시대를 대표하는 작곡가 중 하나로 자리하게 되고, 고향에서 가까운 호숫가 토레델라고 마을에 새 집을 마련한다. 여기서 그는 생애의 대부분을 보낸다. 눈여겨보아야 할 것은, 호숫가에서의 삶이 〈라 보엠〉과 〈나비 부인〉에 투사되었다는 점이다. 〈라 보엠〉에는 마을 화가며 사냥꾼과의 시끌벅적한 교유가, 〈나비 부인〉에는 물새를 쫓아다니던 호수의 새벽 정경이 반영되어 있다. 자연히, 그 장소들을 돌아본 후에 이 명작들을 다시 듣는 내 마음속의 무대는 이전과 비할 수 없이 광대하고 풍요롭다.

4장 '무대에 담긴 영원의 도시들'에서는 푸치니 실제 삶의 무대에 가까이 있으면서 그의 작품 무대가 된 이탈리아 도시들을 찾아갈 것이다. 푸치니는 일찍이 외국 지향적이고 알프스 북쪽 지향적이라는 질타를 받을 정도로 프랑스와 독일 작곡가의 영향을 짙게 받았으며, 작품의 무대도 대부분 프랑스나 다른 나라, 심지어 일본과 중국이었다. 그런 작품에 이탈리아 도시 두 곳이 펼쳐진다. 〈토스카〉는 푸치니 시대보다 100년 앞선 로마를 세밀화처럼 그려냈고, 〈잔니 스키키〉는 르네상스의 산실 피렌체가 무대다. 동향의 예술계 대선배 단테에 대한 찬미도 이 작품에서 만나볼 수 있다.

5장 '폭풍의 시대에 날아오른 나비'에서는 토레델라고에 돌아온, 백만장자가 된 작곡가의 새로운 위기를 살펴볼 것이다. 그의 오페라에 나타난 여성의 희생처럼, 푸치니 인생 속에서도 여성의 희생이 있었다. 이 시기를 두 번째 히트작인 〈나비 부인〉이 함께한다.

　마지막 6장 '얼음이 빛나는 마지막 순간'에서 무대는 또 한 번 변화한다. 제1차 세계대전의 소음 속에서 생의 마지막 안식처로 결정한 토레델라고 근처 해변가의 유원지 마을 비아레조다. 이곳에서 야심찬 대작 〈투란도트〉에 착수한 푸치니는 차차 자신을 옥죄어오는 최후의 그림자와 마주한다.

　광대한 기억이 긴 그림자를 드리운 채 펼쳐져 있다. 66년에 달하는 푸치니의 생애가 남긴 기억, 이제는 그 시간과 비슷해져가는 나의 푸치니에 대한 기억, 그리고 세 차례에 걸쳐 그의 체취를 찾아갔던 이탈리아 각지에 대한 기억이다. 이제 이 기억들을 조심스럽게 맞춰보고자 한다.

01

음표로 삶의 설계도를 그리다

루카의 푸치니

루카 시내의 개울

노스탤지어의 시작

1884년 6월 8일 밤 10시.

밀라노를 출발해 이탈리아 중북부 토스카나의 중세 고도古都 루카Lucca에 닿은 열차가 만 스물다섯 살의 청년 작곡가 자코모 푸치니를 플랫폼에 내려놓았다.

여드레 전, 그의 첫 오페라 〈빌리Le Villi〉가 밀라노에서 초연되었고, 여러 매체가 앞다투어 '푸치니 별에 닿다'라는 헤드라인으로 신진 작곡가의 미래를 축복했다. 그가 기차를 탄 바로 이날, 이탈리아 최고 권위의 오페라 흥행사가 푸치니와의 전속계약을 발표했다. 어떤 의미에서든 기억할 만한 밤이었다.

루카 역에는 친척들과 후원자들이 가득 몰려나와 그를 기다리고 있었다. 훌쩍한 키에 약간 마른 체구의 여행 가방을 든 젊은 작곡가가 보이자 역 곳곳에서 작은 환호성이 일었다. 젊은이는 의기양양한 미소는커녕 고개를 깊이 숙인 채 기차에서 내렸다. 누나들을 포옹한 그의 눈에 두 줄기 눈물이 흘러내렸다.

젊은 작곡가는 친척들과 함께 곧바로 중세의 자취가 짙게 남아 있는 성문을 통과해 성당과 광장 들을 지나 집에 도착했다. 그는 주저 없이 계단을 뛰어올라갔다. 어머니 알비나 마기 푸치니가 누워 있었다. 한때 당당했던 체구도 간데없이 어머니는 작아 보였다.

눈물범벅이 된 아들의 얼굴을 보고 어머니는 힘없는 미소를 지었다. 그는 일찍 죽은 남편이 남긴 결혼반지를 손가락에서 빼내어 아들의 손에 끼워주었다. 맏아들이 죽을 때까지 끼고 있게 될 반지였다.

어머니는 앞날이 막막할 때도 맏아들에게서 힘을 얻었고, 그가 낙제하거나 말썽을 부려 경찰서나 법원에 갔을 때도 아들의 편이었고 수호천사였다. 마르게리타 왕비에게 편지를 보내 장학금을 받아냈고, 당대 유명 음악가 폰키엘리 교수에게 편지를 써서 그의 도움을 보장받았다. 아들의 첫 오페라 작곡에도 조언을 주었고, 이 작품의 성공을 위해 예술가와 관리 들에게 편지를 썼던 어머니였다. 그런 어머니가 죽음으로 향하는 병석에 누워 있었다.

푸치니가 상기된 채로 도착했던 그곳으로, 나 역시 상기된 채로 달려간다. 창밖에는 토스카나의 8월 태양이 찬란하게 반짝인다. 은빛으로 반짝이는 전원은 푸치니의 세 번째 오페라 〈마농 레스코 Manon Lescaut〉의 처연한 간주곡을 떠올리게 한다. 내 의식 아득한 곳에 자리 잡은 노스탤지어가 그 아련한 현의 선율에 동반된다.

삶은 어디서 와서 어디로 가는가? 손으로 만질 수 없는 무엇이

루카의 성벽

푸치니의 고향 루카는 음악이 넘쳐나는 중세 도시였다. 지금도 푸른 잔디밭, 불그스레한 성벽, 해자가 여행자를 반긴다. 이 '작은 피렌체' 사람들은 음악을 삶의 일부로 받아들여 음악원들을 세웠고, 푸치니 집안은 18세기 이곳에 정착한 이래 음악적 전통을 이어나갔다.

그 너머에 자리하는가? 우리는 무엇을 얻고 무엇을 후회로 남기게 될 것인가? 이윽고 먼 뇌성과 같은 팀파니가 울리고 마음을 휘감는 선율은 아스라이 꺼져간다. 정적. "열차가 곧 루카 역에 도착합니다"라는 안내방송이 들려온다. 이탈리아에서의 나의 첫 여정이 시작된다.

지중해 한가운데 뿌리를 내린 이탈리아는 오늘날 유럽 문화의 근원을 이루는 로마제국과 그 찬란한 문명의 발상지다. 중세 이후에는 그 북쪽 경계를 이루는 알프스 산맥 너머와 구별되는, 독특한 문화와 예술을 발달시켜왔다. 멘델스존, 차이콥스키, 시벨리우스를 포함한 수많은 음악가에게 영감의 원천이었으며, 괴테가 "그대는 아는가 저 남쪽 나라를, 그늘진 잎 사이 오렌지 익어가고 푸른 하늘에서 부드러운 바람 불어오는 그곳을"이라고 찬미해 마지않은 바로 그 땅이다.

이탈리아 북부에 위치한 토스카나 주는 특히 아르노 강 유역에 펼쳐진 넓은 평원과 구불구불한 능선, 산 위에 요새처럼 자리 잡은 작은 마을들, 봄이면 색색의 꽃으로 빛깔이 바뀌는 풍요로운 숲을 간직하고 있다. 피렌체와 피사, 시에나와 산지미냐노 등의 도시로 대표되는 전 세계 관광객의 순례지이며, 유명 와인의 산지이기도 하다. 그러나 토스카나의 아름다움은 자연 풍경이나 유명 와인보다는 그곳의 그 문화를 이해할 때 비로소 발견할 수 있다.

중세 이래 단테와 페트라르카 등 이탈리아 문예계를 이끌어온 문호들은 토스카나의 주도인 피렌체에서 화려한 솜씨를 뽐냈다. 15세기 피렌체의 권력을 장악한 메디치 가문은 미술가 도나텔로, 레오나르도 다빈치, 보티첼리, 미켈란젤로를 초청해 르네상스를 찬란하게 꽃피웠으며, 건축가 브루넬레스키를 시켜 돔 건축의 신기원을 이룩했다.

16세기 말, 피렌체의 지식인들은 '카메라타Camerata'(작은 방)라는 이름의 클럽에서 그리스·로마 시대의 연극을 되살리자는 데 뜻을 모았다. 그 연극은 실제 그리스 고전극과는 그다지 닮지 않았다. 그러나 그들의 시도는 4세기 동안이나 유럽의 저녁 문화를 지배하는 '오페라opera'라는 새 장르를 탄생시켰다.

그러나 토스카나의 장려한 문화예술이 평화의 안정된 토대 위에서 생겨난 것은 아니었다. 중세와 르네상스를 거치며 피렌체와 피사, 시에나와 루카는 서로 먹고 먹히는 혈투를 거듭했다. 메디치의 후예인 피렌체가 일대의 패권을 차지한 가운데 오직 루카만이 1847년까지 '루카 공국'으로서 독립을 지켜냈다. 이어 피렌체가 중심이 된 토스카나 대공국에 흡수됐지만 오래가지는 않았다. 14년 뒤인 1861년, 이탈리아가 1차 통일을 이룩하면서 루카의 '피렌체 복속 시대'는 바로 막을 내렸다.

음악가 집안의 푸치니

피렌체를 출발한 지선 기차는 두 시간 남짓 달린 끝에 루카 역에 멈춘다. 1884년 눈물범벅이 된 청년 푸치니가 기차에서 내린 바로 그곳이다. 두리번거리며 역 광장을 나선 여행자의 시선을 역 바로 앞의 푸른 잔디밭과 불그스레한 성벽이 잡아끈다. 중세의 자취가 짙게 남은 이탈리아에서도 드물게 만날 수 있는 광경이다.

이 잔디밭은 여러 세기에 걸쳐 루카가 독립을 수호하는 원천이 되었던, 해자垓字의 자취다. 깊이 파여 철옹성과 같이 도시를 수호했던 인공운하를 지금은 메워 잔디밭으로 조성했다.

성문을 들어서면 가장 먼저 이 도시의 주교좌성당(두오모)인 산마르티노 대성당Cattedrale di S. Martino이 눈에 가득 들어온다. 인근 피사의 대성당을 꼭 닮은, 고딕 양식과 로마네스크 양식을 합쳐 '피사 로마네스크' 양식으로 전면을 치장한 건물이다. 산조반니 성당을 비롯한 이 도시의 성당들이 대부분 비슷한 외관을 갖고 있다. 푸치니 집안은 그의 부친까지 5대를 이 성당의 성가대장이자 오르가니스트로 봉직했다.

역시 비슷한 모습의 산미켈레 성당Chiesa di San Michele 앞 광장을 뒤로 돌아간다. 이 도시의 겨자색 건물들은 피렌체나 피사에 비해 때가 덜 탔고 정갈해 보이지만 골목들은 좁아 프랑스의 니스 부근 어딘가를 떠올리게 한다. 골목을 나서니 건물 하나만큼의 자그마한 광장 한가운데 낯익은 모습이 여행자를 반긴다. 다리를 꼬고 앉은 자코모 푸치니의 동상이다.

오른손에는 담배를 들고 있다. 그가 생의 대부분을 보낸 토레델라고에서도, 비아레조에서도, 그 어느 곳에서든지 푸치니의 동상에는 담배가 빠지지 않는다. 10대 때 맛을 들인 그 담배는 결국 그의 생명을 단축했다.

동상 오른쪽 뒤편으로 '루카 푸치니 박물관'의 플래카드가 걸려

루카 시내 푸치니의 흔적

푸치니 가문은 루카 시내로 터전을 옮긴 18세기 이후 대를 이어 음악가를 배출했다. 가문의 슈퍼스타는 전 세계의 슈퍼스타가 되어 루카를 빛냈다. 운이 좋으면 루카에서 그의 작품을 관람할 수도 있다. 그의 이름을 딴 카페를 들르는 것도 소소한 즐거움이었다.

있다. 주변 건물들 속에서 특별히 눈에 띌 것도 없는 골목 어귀 이 집에서 1858년 자코모 푸치니가 태어났다.

푸치니 집안은 산간 마을 첼레에서 18세기에 루카 시내로 이사해 도시 생활을 시작했다.

루카의 음악적 전통은 결코 얕지 않았다. 메디치 가문이 주도한 문화의 풍요로움으로 피렌체가 널리 알려진 탓에 루카는 '문화 없는 작은 피렌체'라는 불명예스러운 별명을 얻기도 했지만, 음악은 사실 이 도시 사람의 일상이었다. 여러 개였던 사설 음악원을 합쳐 1847년 창립한 루카 음악원은 토스카나 일대에서 높은 권위를 인정받았다. 이 유서 깊은 도시에서 '음악가 푸치니' 집안의 이름을 정립한 사람이 자코모 푸치니의 고조부다. 그가 이 도시 교회음악의 책임자 '마에스트로 디 카펠라Maestro di cappella' 직위를 갖게 된 후 이 이름은 푸치니 집안이 대대로 물려받는 명예가 되었다.

그의 손자 도메니코 푸치니는 타고난 재능으로 활동영역을 한층 넓혔다. 이탈리아를 점령한 나폴레옹이 이 지역을 여동생 엘리사 보나파르트에게 넘겨준 뒤 도메니코가 루카 오케스트라의 감독이 된 것이다. 아이러니하게도 그는 나폴레옹이 마렝고 전투에서 패배한 것을 기념하는 '테 데움Te Deum'(찬미가)을 지어 1800년 산마르티노 대성당에서 공연했다. 나폴레옹 침략 후 지위가 한 단계 올라섰

으니 정치적 감각도 기민한 인물이었을 것이다. 그런데 실제로 나폴레옹은 마렝고에서 패배하지 않았다. 전화도, 전신도 없던 시대에 보수주의자들의 '기대'가 '뉴스'로 둔갑해 실제 전투 결과의 전같이 오기 전에 '가짜 뉴스'로 미리 도착한 것이다. 흥미롭게도 푸치니의 〈토스카Tosca〉 1막에도 이런 오해가 가져온 '테 데움'이 나온다. 푸치니는 토레델라고의 자택에, 할아버지가 지은 1800년의 '테 데움' 악보를 보관했다. 그는 늘 이 '위대한 가계'를 의식하고 있었던 것이다.

이 도메니코 푸치니의 아들이 미켈레 푸치니Michele Puccini(1813~1864)였다. 그는 부친의 영향력 덕분인지 일찌감치 나폴리까지 가서 작곡을 배웠고, 고향에 돌아와 가업을 이어받았다. 그리고 37세 때 열여덟 살 아래의, 당시 19세 알비나 마기Albina Magi(1830~1884)와 결혼했다.

알비나가 1850년 이 집으로 시집왔을 당시엔 신랑 미켈레 외에 시어머니만 살고 있었다. 그러나 곧 이 집은 주체하기 힘들 정도로 분주해졌다. 1851년 맏딸의 출생을 시작으로 황새는 부지런히 아이를 물어다 주어, 내리 딸들이 태어났다. 창밖의 작은 광장과 좁은 골목길로 시선을 던져본다. 딸 부잣집 아이들의 재잘거림이 귀에 들릴 것 같다.

1858년 크리스마스이브를 이틀 앞둔 12월 22일 한밤, 다섯 번째 아이이자 장남이 태어났다. 세례명은 자코모 안토니오 도메니코 미켈레 세콘도 마리아 푸치니Giacomo Antonio Domenico Michele Secondo Maria Puccini. 아버지와 할머니가 이 집안의 유구한 내력과 이 도시에서 영광을 얻은 조상들의 이름을, 오랜 기다림 끝에 얻은 아들에게 부여했다.

푸치니 집안은 이미 이 집에서 한 세기를 살아온 터다. 벽에는 선대의 초상이 걸려 있었고 책장에는 악보가 가득했다. 아이들은 루카의 교회음악을 책임진 아버지의 음악을 집에서나 성당, 그리고 종종 길에서도 들었다. 집안의 자랑스러운 전통에 외삼촌도 합류했다. 미켈레 푸치니가 몸담고 있던 루카 음악원에 그의 처남인 포르투나토 마기가 푸치니가 태어나기 1년 전에 강사로 합류한 것이다.

푸치니가 태어날 당시 부친 미켈레는 교회에서 맡은 수많은 책임 외에 음악원에서 오르간을 가르치고 있었다. 그가 쓴 화성학과 대위법 교재는 루카의 성벽을 넘어 이탈리아 곳곳의 도시에서 사용되었다.

다복한 가정의 평화는 이 집안의 유일한 아들 자코모가 다섯 살 생일을 맞이하고 한 달 뒤에 깨졌다. 가장 미켈레 푸치니가 갑자기 숨을 거둔 것이다. 그의 나이 51세였다. 34세에 불과한 부인 알비나와 딸 일곱, 아들 하나가 남았다. 그때 막내딸은 태어난 지 여섯 달밖에 되지 않았으며 곧 태어날 아이까지 있었다.

침통한 분위기 속에서 장례식이 열렸다. 고인의 절친한 벗이자 루카 음악원장이었던 조반니 파치니가 추모사를 맡았다. "푸치니 가문의 오랜 전통에 따라 고인의 아들인 자코모가 훗날 이 도시의 성가 합창과 오르간 연주의 직무를 맡도록 합시다. 장성할 때까지는 그의 외삼촌인 포르투나토 마기가 그 일을 하면 될 것입니다." 그의 말은 애통과 근심에 싸여 있던 고인의 아내 알비나에게 상당한 위안이 되었을 것이다.

아들의 진로에 대해서는 한시름 놓을 수 있었지만 그 기대나 전망이 이 가족을 당장의 곤궁에서 구해줄 수는 없었다. 아이들은 어린 데다 이탈리아 왕국 선포(1861)와 통일왕국 수립(1866) 시기의 이탈리아는 심각한 경제난에 직면해 있었다. 어머니 알비나의 관심은 딸들을 교양 있게 양육해 좋은 혼처를 마련해주는 것이었다. 장차 이 집의 미래는 장남인 자코모에게 달려 있었다. 얼마 뒤 남동생 미켈레가 유복자로 태어났다.

음악의 창문이 열리다

중세 이래 독립된 공국과 공화국의 내력을 지닌 유서 깊은 도시. 그 도시에서 4대째 교회음악의 대표자로 봉직한 집안. 그 집안의, 어린 나이에 부친을 잃은 맏아들. 예나 지금이나 이런 아이에게 평범한 길은 허락되지 않는다. 주변의 기대를 받아들이고 순종해 주어진 목표를 향해 뚜벅뚜벅 걷거나, (그보다 흔한 경우로는) 중압에 못 이겨 비뚤어지기 십상이다.

우리의 자코모 푸치니는 어떤 쪽이었을까? 물론 우리는 오늘날 그가 남긴 유산과 걸작을 알고 있으므로, 그가 세계를 정복했음을 알고 있다. 그렇다면 그의 유년 시절은 어땠을까? 여동생 라멜데 푸치니Ramelde Puccini가 남긴 기록은 이렇다. "오빠는 생기 넘치고 감수성이 예민한 소년이었어요. 엄마나 네 명의 언니는 물론, 주변 모두

루카의 푸치니 박물관에 전시된 〈투란도트〉 초연 의상

이 의상은 푸치니가 생애 대부분을 보낸 토레델라고의 집에서 우연히 발견되었다. 투란도트 공주의 화려한 옷은 아직도 그때의 영광과 선율을 붙잡고 있는 것 같다.

로부터 귀여움을 넉넉히 받았지요. 그렇지만 공부에는 전혀 관심 없는 말썽꾼이었어요. 엄마는 늘 '순전히 음악가, 순전히 멍청이'라고 오빠를 불렀죠."

어린 자코모 푸치니에 대한 증언에 의하면 그는 부산스러웠고, 집중하지 못했으며, 늘 장난을 쳤다. 학교에서 장난치다 선생님의 호령을 듣는 바람에 어머니가 손이 닳도록 빌러 간 게 한두 차례가 아니었다고 라멜데는 회상했다.

산마르티노 대성당의 부속 초등학교에 입학한 푸치니는 열 살부터 성가대 활동을 했다. 그런데 그만, 열세 살 되던 1871년 말 학교에서 유급하는 굴욕을 겪는다. 드문 일은 아니었지만 흔한 일도 아니었다. 가족과 자신이 겪었을 수치를 짐작할 만하다.

한 해 뒤 간신히 진급했지만 평가란에는 "주의산만, 게으르다, 동료에게 방해가 된다"는 실망스러운 평가가 실렸다. 다른 선생님은 "자코모는 아무것에도 주의를 집중하지 못합니다. 그리고 책을 전혀 읽지 않습니다"라고 썼다. 또 다른 선생님은 "자코모는 단지 바지를 닳아 없애기 위해서만 학교에 오는 것 같습니다"라고 적었다.

푸치니는 1873년에는 중등 과정인 김나지움을 졸업했다. 이제 예정된 대로 루카 음악원에 진학해야 했다. 아버지 미켈레도 사망 직전 이 음악원 원장을 맡고 있었으며, 마침 외삼촌인 포르투나토가 전해에 교수로 임명되었다. 말썽꾸러기 열다섯 살 소년은 외삼촌의 학생이 되었다. 성질이 불같았던 마기는 누나에게 이렇게 말했다. "누나, 자코모는 집중을 하지 못해. 공부엔 전혀 소질이 없어." 그리고 덧붙였다. "애는 교육받는 게 헛일이야."

누나가 한 일은 아들을 자퇴시키는 것이 아니라 그에게 형편없는 평가를 내린 선생을 바꾸는 것이었다. 알비나는 동생 포르투나토 대신 죽은 남편의 제자였던 카를로 안젤로니가 아들을 맡도록 했다. 그 시대 많은 이탈리아인이 그랬지만, 안젤로니도 열렬한 오페라 팬이었으며 특히 당대의 오페라 영웅인 주세페 베르디Giuseppe Verdi의 팬이었다. 16세 때 그의 문하로 들어간 자코모 푸치니도 안젤로니 선생의 오페라 사랑을 조금씩 이어받았을 것이다.

이 시기 푸치니가 쓴 최초의 작품이 지금까지 남아 있다. 피아노부 성악곡인 '그대에게A te'다. 아마도 안젤로니 교수의 과제를 수행하기 위해 작곡했을 것이다. 테너 플라시도 도밍고가 푸치니의 초기 작품들을 모은 앨범 〈알려지지 않은 푸치니The unknown puccini〉에 이 곡이 실려 있다.

오, 우리 얼마나 깊이 사랑하는가!
내 강렬한 열망인 그대!
그 갈망은 너무도 커서
그대 떨림이 내 심장을 붙들도다.

그러나 우리 얼마나 오래 떨어져
나 고통을 달래며,
나 오래도록 사랑 앞에서
평안을 찾지 못하였던가!

루카의 산마르티노 대성당

푸치니 선조들은 이 성당에서 성가대장 겸 오르가니스트로 재직했다. 푸치니가 밀라노로 유학을 떠나지 않았다면 그 역시 대를 이어 이 성당에 봉직하며 안온한 삶을 꾸려나갈 수 있었을 것이다. 푸치니는 자신의 음악적 재능에 대한 확신이 있었다. 그는 고향을 사랑했지만 재능을 마음껏 뽐내기엔 루카는 너무 좁았을 것이다.

풋풋한가? 사춘기 소년의 비릿한 떨림이 전달되는가? 아니다. 절박하게 서성이는 듯한 피아노 전주에 이어지는 선율은 너무나도 완숙한 이탈리아 멜로디스트의, 푸치니적이라기보다는 토스티 중기의 가곡을 연상하게 하는 성숙미를 풍긴다. 내가 스승이었다면, 16세 소년의 이 작품을 보고 그에게 적잖은 기대를 걸 것이다. 안젤로니 선생도 그랬던 것 같다.

지도에 로마경기장 광장 남쪽 골목길 어딘가로 표시된 루카 음악원, 오늘날의 보케리니 음악원으로 향한다. 이런 곳에 과연 음악원이 있을까? 가는 길이 쉽게 짐작되지 않을 정도로 골목은 좁고 어두컴컴하다. 그런 골목길을 걸어나가자 장려한 고딕 양식이 정면에 장식된 건물이 나타난다. 단아한 인상의 사나이가 그 정문 앞에서 첼로를 켜고 있다. 보케리니의 이름을 이 음악원에 붙인 것은 그의 탄생 200주년이 되는 1943년의 일이었다. 푸치니 시대에는 '루카 파치니 음악원'이었다. 파치니는 바로 푸치니의 부친 미켈레가 사망했을 때 "고인의 아들이 성당에서 아버지가 가졌던 직책을 잇기로 하자"고 제안했던 바로 그 인물이다. 그는 푸치니의 부친 미켈레가 원장으로 재직하다 사망한 뒤 1867년까지 이 음악원의 원장을 지냈다.

음악원에 다니면서 빠듯한 가계에 도움을 주기 위해 푸치니도 아르바이트를 시작했다. 시내의 크고 작은 교회에서 오르간으로 미사 반주를 했다. 음식점에서 피아노를 치며 푼돈을 받기도 했다. 오르간과 관련한 일화로 빠지지 않고 회자되는 웃지 못할 에피소드가 있다. 당시 담배에 맛을 들인 이 불량소년은 교회 파이프오르간의 파이프를 몰래 빼내어 고물상에 팔고 그 돈으로 담배를 샀다. 이후의 일화는 지어낸 이야기인지 알 수 없지만 다음과 같다.

푸치니가 아파서 대체 반주자가 연주를 하는데, 건반을 아무리 눌러도 소리가 나지 않는 음이 있었다. 푸치니는 자신이 누르지 않고 연주할 수 있는 음의 파이프만을 뽑아 팔았던 것이다.

이 말썽꾼의 이름이 경찰과 법원 기록에 남은 사건도 있었다. 그에겐 치차니아라는 친구가 있었는데, 치차니아는 자신의 엄격한 할머니를 늘 성가셔했다. 푸치니가 그의 할머니를 골려주자며 짓궂은 꾀를 냈다. 치차니아와 같은 크기의 인형을 만들어 그의 옷을 입힌 후에 목을 매달아놓은 것이다. 손주의 방에 들렀다가 놀라 숨이 넘어갈 지경이 된 할머니가 경찰에 신고했고, 둘은 경찰서를 거쳐 법원까지 끌려가야 했다. 어린 나이가 참작되었는지 둘은 꾸중만 실컷 듣고 방면되었다.

일탈로 점철된 폭풍의 사춘기에 의미 있는 일도 있었다. 안젤로니 선생의 권유로 친구들과 함께 피사에 오페라를 보러 간 것이다. 1876년 3월, 그이 나이 17세 때의 일이다. 이탈리아의 영웅 베르디가 이집트 수에즈 운하 개통 기념작으로 의뢰받아 1년 반 전에 발표한 신작 오페라 〈아이다Aida〉였다. 기록에 따르면 푸치니와 친구들은 피사까지 여덟 시간을 걸어갔다. 그는 훗날 종종 기념할 만한 '순례'로 이 사건을 언급했다. 오늘날 인터넷 지도 사이트에서 도보 옵션을 적용해보면 대략 네 시간 30분이 걸리는 거리다.

푸치니에게 베르디의 음악이 처음이었을 리는 없다. 안젤로니 선생은 베르디의 〈리골레토〉 〈라트라비아타〉 〈일 트로바토레〉 등 당

피사의 두오모와 사탑

푸치니는 루카 음악원 재학 시절 친구들과 피사까지 무려 여덟 시간을 걸어가 베르디의 〈아이다〉를 관람했다. 이때의 경험은 푸치니가 훗날 〈에드가〉를 작곡할 때 영향을 미쳤다. 이 작품은 많은 면에서 베르디의 특징을 가졌다고 평가된다. 푸치니에게 의미 없는 경험은 없었다. 그의 오페라는 선율이나 스토리 등 모든 면에서 경험의 총체였다.

시 명망 있는 대작들의 악보를 분석거리로 던져주곤 했다. 더군다나 루카에도 작지만 꽤 수준 있는 오페라 무대인 질리오 극장이 있었으니 오페라 경험이 처음이었을 리도 없다. 하지만 푸치니는 이 경험을 회상하며 "〈아이다〉를 피사에서 들었을 때 음악의 창문이 내 앞에 열리는 듯했다"고 말했다.

흥행사 리코르디가 베르디의 '직계 계승자'로 푸치니를 집요하게 홍보했던 것을 생각하면, 푸치니가 17세 때 베르디에게서 받았다는 '숭고한' 감흥은 훗날 이 계보를 공고하게 만들기 위해 고안해낸 전략적 발언일 수도 있다. 하지만 〈아이다〉를 본 이후 이 젊은 음악도는 실제 관현악법(오케스트레이션)에서 큰 진보를 보였고, 〈아이다〉를 닮은 듯한 과감한 작법도 활용하기 시작한다. 이 시기에 착수한 〈교향적 전주곡〉에서 이는 한층 분명해진다.

청년 푸치니는 이제 토스카나 인근의 카지노와 휴양지에서 피아노를 치며 제법 용돈을 벌었다. 이런저런 수입과 친지들이 호의로 주는 용돈을 보태 고향 루카의 음악원을 졸업한 뒤에는 아버지와 할아버지들이 그랬듯이 이 도시의 성당 오르가니스트 겸 성가대장으로, 눈에 크게 띄지는 않지만 조용하고 안온한 삶을 꾸려갈 수 있었을 것이다. 하지만 어머니의 기대는 여기서 그치지 않았다. 알비나는 마르게리타 왕비에게 편지를 썼다.

본 청원자는 루카 시에서 5대를 성가대장으로 봉직한 푸치니 집안의 장손 자코모 푸치니의 모친입니다. 제 남편은 맏아들 자코모가 다섯 살 때 세상을 떠났습니다. (…) 루카에 끼친 집안의 공헌과 저회의 어려운 사정을 헤아려 자코모 푸치니에게 왕비님의 장학금을 허락해주실 것을 청원드립니다.

어머니의 과감한 청원은 놀랍게도 젊은 통일 이탈리아 왕국에서 받아들여졌다. 1880년, 루카의 산파올리노 교회에서 신작 미사곡을 발표한 푸치니는 10월에 이 도시의 기차역으로 향했다. 커다란 트렁크를 들고, 어머니와 누이들의 키스를 뺨에 생생하게 간직한 채, 밀라노 음악원이 있는 이탈리아 경제와 행정의 중심 밀라노로 향하는 발걸음이었다. 입학 허가조차 직접 가서 부딪쳐보아야 할 일이었다. 왕비의 장학금은 받았지만 그는 이제 스물두 살이었다. 음악원에서 받아들이기엔 많은 나이였다.

청년 푸치니를 따라 기차역으로 걸음을 옮기기 전에, 루카가 한눈에 내려다보이는 곳으로 향한다. 44미터 높이의 탑 위에 놀랍게도 초록색 참나무가 자라고 있다. 바로 구이니지 탑Torre Guinigi이다. 중세시대 이 도시의 부호들은 저마다 탑을 세워 그 높이로 가문의 위세를 자랑했다고 한다. 한때 250개가 넘는 탑이 있었지만 유지하기 어려워 거의 허물어버렸고, 남아 있는 탑 중 가장 눈에 띄는 것이 이 탑이다.

계단을 돌아 헉헉대며 올라간 탑에서는 도시의 겨자색 담들과 붉은 지붕들이 한눈에 들어온다. 푸치니가 다닌 음악원은 바로 아래이고, 서쪽으로 그의 집 부근도 손에 잡힐 듯하다. 난생처음 대처로 삶의 터전을 옮긴 푸치니도 이곳에 올라 자신의 수많은 과오와 가족의 무조건적인 사랑이 깃든 22년간의 시간을 회고하며 눈물을 글

푸치니가 스물두 살까지 살았던 고향 루카

구이니지 탑에 오르면 푸치니의 유년기 추억이 남아 있는 루카가 한눈에 들어온다. 푸치니는
말썽꾸러기 소년 시기를 지나 청년이 되어 더 넓은 세계, 대도시 밀라노로 향했다. 고향을 떠
날 때까지만 해도 전 세계에 이름을 떨칠 거라고는 상상하지 못했을 것이다.

썽이지 않았을까. 단지 상상일 뿐이다.

해가 뉘엿뉘엿 저물 무렵, 해자의 자취인 잔디밭 안쪽으로 루카를 둘러싼 성벽 위에 오른다. 중세엔 도시의 생사를 가르는 전투가 펼쳐졌겠지만, 오늘날에는 산책을 즐기는 가족과 자전거를 탄 시민이 고즈넉한 풍경을 만들어낸다. 문득 '이 도시에 몇 주 머물러도 좋겠는데!'라는 아쉬움이 스친다. 풀과 나무가 더 연한 초록으로 빛나는 봄에 다시 와서 이 도시에 오래 머무를 수 있다면……

청소년기 푸치니의 기억을 남겨두고 나도 걸음을 옮긴다. 네 시간 떨어진 북부 이탈리아의 중심지, 세계 세 번째 규모의 두오모와 세계 최고 권위의 오페라 극장 '테아트로 알라 스칼라Teatro alla Scala'(스칼라 극장)가 있는 곳, 푸치니에게 경외의 땅이자 훗날 환멸의 대상이 되기도 했던 곳, 밀라노다.

창밖의 더 넓은 세계, 밀라노

어머니의 분투 덕에 마르게리타 왕비의 장학금을 받아낸 푸치니는 1880년 10월 밀라노에 도착했다. 오늘날엔 기차로 피렌체를 거쳐 세 시간 40분이 걸리는 거리다. 하지만 푸치니 시대에는 '고속' 열차라고 해봤자 시속 40킬로미터밖에 되지 않았다. 가난한 학생이 이용할 만한 완행 기차는 시속 30킬로미터가 채 안 되고 정차할 역도 많았으니 한나절 이상 걸리는 여정이었을 것이다.

푸치니가 이곳에 도착했을 당시 이탈리아 반도 내에서 밀라노의 위상은 여러 면에서 수도 로마보다도 우위에 있었다. 오늘날에도 그렇지만 당시에도 대大 밀라노, '밀라노 라 그란데Milano La Grande'는 이탈리아 경제와 금융의 중심지였다.

당시 밀라노는 인구 30만 명을 헤아렸다. 이탈리아 통일 후 과감한 도시계획안이 수립되어 시가가 정비되었고, 상하수도와 전기 가로등이 설치되었다. 전차와 마차가 나란히 시가를 달렸다. 스칼라 극장은 가스 조명 설비를 사용해서, 저녁에 공연이 시작될 즈음이면 극장 주변 건물들의 불빛이 갑자기 어두워지곤 했다고 전해진다.

시가에서 동북쪽으로 조금 떨어져 있는 밀라노 중앙역에서 내려 시내 중심부로 걸음을 옮긴다. 밀라노의 유명한 대성당이 나타난다. 걸어서 35분 남짓, 지하철로 네 정류장 거리다. 1386년 공사를 시작한 두오모Duomo di Milano는 반半 밀레니엄이나 공사를 이어간 뒤 푸치니의 시대에 이르러 오늘날의 모습을 거의 갖추고 도시의 경관을 지배했다.

두오모는 우선 그 큰 규모로, 이어 하늘을 찌르는 고딕 양식의 장려함으로, 다시 그 다양하고 세밀한 2,200여 개(외부)의 조각상으로, 끝으로 흰 대리석의 고귀하고 순결한 인상으로 방문자를 압도한다. 푸치니가 밀라노에 도착해서 43년가량 지난 뒤, 여기에서는 이탈리아가 배출한 성악예술의 수호자 자코모 푸치니의 장례식이 치러진다.

1807년 나폴레옹 점령기에 설립된 밀라노 음악원은 로마의 산타 체칠리아 음악원과 나란히 이탈리아에서 최고의 권위를 누리고 있

밀라노의 두오모

푸치니가 밀라노에 도착했을 당시 이탈리아 반도 내에서 밀라노의 위상은 수도 로마보다 우위
에 있었다. 밀라노의 상징이라고 할 수 있는 두오모는, 1386년 공사가 시작된 이후 무려 500년
간의 치장을 마치고 푸치니의 시대에 이르러 오늘날의 모습을 거의 갖추고 도시의 경관을 지
배했다.

었다. 1832년 19세였던 베르디가 이 음악원 입학시험을 쳤다가 낙방한 이야기는 널리 알려져 있다. 표면적인 이유는 '나이가 너무 많다'는 것이었지만 오스트리아 점령지 밖에서 온 베르디가 밀라노에서 '외국인'으로 분류된 것이 더 큰 이유였다는 것이 정설이다. 베르디가 세상에 이름을 알리고 난 뒤 학교 측이 베르디에게 "학교명예 선생님의 이름을 넣을 수 있도록 허락해주십시오"라고 요청하자 베르디는 코웃음을 쳤다고 하지만, 결국 학교는 베르디 사후 밀라노 '베르디' 음악원이 되었다.

음악원은 3년이 지나면 졸업할 수 있었고, 1년을 더 다니면 한 등급 위의 디플로머가 주어졌다. 처음 이 학교에는 기숙사가 있었지만 푸치니가 유학 갔을 때는 수용 여력이 없어 학생들은 학교 밖에 거처를 마련해야 했다.

푸치니가 처음 자리 잡은 하숙집은 밀라노 음악원에서 가까운 곳이었으나 그는 이 집이 춥고 불결하다며("엄마, 여기선 아무도 세탁을 하지 않는 것 같아요") 학교에서 걸어서 20분 거리인 체카베키아 거리로 이사했다. 학생 시절 가장 오래 거주했던 집은 학교에서 더 가까운 산카를로 성당 부근이었지만 지금은 그곳의 정확한 위치를 찾기 어렵다.

원대한 꿈을 안고 대처로 진출한 푸치니가 외롭기만 한 처지는 아니었던 듯하다. 먼저 밀라노에 와 있었던 친척들과 고향 선배들이 용돈을 주거나 저녁을 대접하곤 했기 때문이다. 푸치니에게 따뜻하게 대해준 인물 중에는 고향 루카에서 불과 두 골목 떨어진 곳에 살았던 알프레도 카탈라니도 있었다. 푸치니보다 네 살 위였던 그는 조카의 장래에 대해 따가운 말을 쏟아놓았던, 푸치니의 외삼촌 포르투나토의 제자이기도 했다. 5년 전 밀라노 음악원을 졸업한 카탈라니는 졸업 직후 토리노 레지오 극장에서 발표한 오페라 〈엘다Elda〉로 이탈리아 음악계에 이름을 알리고 있었다.

밀라노 베르디 음악원을 찾아가려 지도 앱을 켠다. 앱은 지하철을 타라고 추천하지만 어차피 절반은 걸어야 하는 길, 걸어도 20분이 채 걸리지 않는 거리다. 두오모를 옆으로 통과해 동쪽으로 걷는다. 한여름의 태양이 조금 버겁다. 아직 오전, 오후의 뜨거운 햇살이 머리 위에 쏟아지기 전에 서두르자.

지도 위로 마스카니 거리, 레스피기 거리 등의 이름이 나타난다. 한때 푸치니와 함께 살았던 하숙 친구, 그리고 푸치니가 높이 평가했던 한 세대 아래 작곡가. 둘 다 예외 없이 이탈리아 음악사에 큰 발자국을 남긴 인물이다. 남루한 골목을 지나면 뜬금없는 명품 매장이 나타나기도 한다. 오늘날 패션의 도시로 전 세계에 명성을 떨치는 밀라노답다.

이윽고 아이들이 술래잡기나 할 만한 작은 광장이 나타났다. 바로크풍의 자그마한 2층 건물. 이곳이 1807년 나폴레옹 점령기에 세워진 밀라노 음악원, 오늘날 베르디 음악원이다. 생각했던 것보다 훨씬 작아서 오히려 비현실적이다.

학교는 16세기에 지어진 산타마리아델라파쇼네 교회와 맞닿아 있어 일부 시설은 이 교회의 건물을 이용했다. 넓다고 하기 힘든 교정은 사각형의 널찍한 정원 옆으로 열주가 늘어선 회랑이, 긴 전통을 상기시키며 독특한 분위기를 자아낸다. 20세기 중후반에도 지휘

밀라노의 베르디 음악원

200년이 넘는 역사 속에 푸치니 외에도 지휘자 리카르도 샤이, 리카르도 무티, 피아니스트 아르투로 베네데티 미켈란젤리, 마우리치오 폴리니, 오페라 작곡가 잔카를로 메노티 등을 배출한 명문이다. 음악원의 이름이 무색하게도 베르디가 입학을 거절당한 곳으로도 유명하다. 푸치니는 이곳에서 평생의 은사 폰키엘리를 만난다.

자 리카르도 샤이, 리카르도 무티, 피아니스트 아르투로 베네데티 미켈란젤리, 마우리치오 폴리니, 오페라 작곡가 잔카를로 메노티 등을 배출한 명문 학교가 이렇게나 작아 보인다.

이 학교의 입학은 간단하지 않아 보였다. 오래전 베르디가 나이 많다는 이유로 떨어졌었는데, 푸치니가 시험을 칠 때 나이는 22세로 베르디가 입학을 거절당한 때보다도 세 살이나 많았다. 시설확장이 한계에 달해 학교는 신입생 수를 제한할 수밖에 없었다.

입학시험을 친 뒤, 1880년 11월에 푸치니는 어머니에게 편지를 썼다.

사랑하는 엄마, 아직 음악원으로부터 입학과 관련된 이야기를 듣지 못했어요. 토요일에 심사위원회를 열어 결정을 한대요. 선발 인원이 적대요. 나는 점수가 굉장히 높아요. 그래서 심사위원들이 나이는 상관하지 않기 바라요. 시험은 굉장히 쉬웠어요. 베이스에 화음을 붙이는 문제가 있었는데 굉장히 쉬웠고, D장조로 선율을 전개하는 문제도 잘 풀었어요.

(…)

입학 결정이 늦어진 탓에 개강도 늦어진대요. 카탈라니를 방문했는데 매우 친절해요. 돈이 있으면 저녁에 카페를 가는데, 안 갈 때가 많아요. 글쎄 펀치 한 잔이 40센트나 하니까요! 갈레리아에서 걷다 피곤해지면 일찍 들어와 침대에 누워요. 방은 작고 깨끗해요. 예쁜 호두나무 책상이 있는데 마음에 들어요. 어쨌든 여기 있는 게 행복해요. 배고프지는 않아요. 음식은 좋지 않지만 수프를 양껏 먹어요.

며칠 지나지 않아 루카의 푸치니 집은 환호에 파묻혔다. 11월 10일 푸치니가 보낸 편지 덕분이었다. "엄마, 음악원 벽에 점수가 붙었어요. 내가 최고점이에요." 곧 합격 통지서가 날아들었다. 5대째 루카 음악가 집안의 계승자이자 청소년기 한때 말썽꾼이었던 자코모 푸치니는 이탈리아 최고 권위를 자랑하는 밀라노 음악원의 신입생이 되었다.

밀라노 음악원에서 푸치니를 지도할 작곡 교수는 안토니오 바치니Antonio Bazzini였다. 바치니는 바이올리니스트로서도 이름이 있었으며, 바이올린 곡 '요정의 론도La ronde des Lutins'는 오늘날에도 자주 연주된다. 그가 당대 이탈리아의 대표 작곡가 중 하나였음은 1868년 로시니Gioacchino Rossini의 서거 당시 중요 작곡가들이 한 악장씩 맡아 작곡하기로 한 '로시니를 위한 레퀴엠' 프로젝트에 바치니도 이름을 올리고 있는 데서도 알 수 있다. 이 프로젝트는 결국 무산되었고 계획을 주도한 베르디만 '리베라메' 악장을 썼다가 나중에 문호 만초니Alessandro Manzoni가 서거하자, 작곡을 마무리해서 '베르디의 레퀴엠'으로 내놓게 된다.

특기할 만한 점은 바치니가 1867년 〈투란다Turanda〉라는 오페라를 작곡했다는 사실이다. 18세기 베네치아 극작가 카를로 고치의 희곡을 오페라로 만든 이 작품은, 제목에서 짐작할 수 있다시피, 훗날 제자가 된 푸치니의 마지막 오페라 〈투란도트Turandot〉와 소재가 같다. 푸치니가 옛 스승의 작품에서 아이디어를 얻은 것으로 짐작할 수 있다. 〈투란다〉는 스칼라 극장에서 열두 번 공연되었다. 좋다고 할 만한 흥행 성적이었다. 1873년부터 음악원 교수로 재직 중이던 바치니는 푸치니가 입학한 해 2년 뒤 교장으로 취임했다.

바치니 외에 밀라노 음악원의 교수진 중에 빠질 수 없는 인물이 폰키엘리Amilcare Ponchielli(1834~1886)다. 디즈니 애니메이션 〈판타지아Fantasia〉(1940)를 본 사람이라면, 발레복을 입은 하마들의 춤을 기억할 것이다. 이 장면에 쓰인 음악이 폰키엘리의 대표작인 오페라 〈라 조콘다La Gioconda〉에 나오는 발레 장면 '시간의 춤'이다.

폰키엘리는 오늘날 이 곡과 함께 〈라 조콘다〉 속 테너 아리아 '하늘과 바다Cielo e mar'의 작곡가로 기억되고 있다. 〈라 조콘다〉 1876년 초연된 뒤 순식간에 이탈리아 전역을 장악했고, 이 시기에 베르디의 작품을 제외하면 가장 성공적인 작품이라는 평가를 받았다. 이 오페라 한 편으로 이탈리아에서 모르는 사람이 없는 문화 아이콘으로 부상한 폰키엘리 교수가 푸치니를 이끌어주기로 작정한 것은 청년 작곡가의 장래에 결정적이었다. 푸치니를 만든 사람들을 꼽을 때 어머니 알비나, 폰키엘리 교수, 흥행사 줄리오 리코르디 이 세 사람은 결코 빠질 수 없다.

폰키엘리는 오페라 작곡에서도 관현악 파트에 멋진 효과를 도입해 높은 평가를 받고 있었다. 스스로 관현악법에 소질이 있다고 여겼던 푸치니에게 폰키엘리는 좋은 멘토임에 틀림없었다.

그가 신입생 푸치니에 관심을 갖게 된 것은 알비나가 거듭 편지를 보내 '제 아들 자코모 푸치니에게 관심을 기울여주십사' 호소한 것이 크게 작용했다.

푸치니는 밀라노 음악원 수석 입학생으로서 자신만만했지만 가난했던 일상은 그의 편지에서 알 수 있다. 바치니 교수와의 작곡 수업이 아주 잘 이루어지고 있다고 보고한 뒤 어머니에게 이렇게 썼다. "5시에 저녁을 먹고 시가에 불을 붙인 채 갈레리아를 왔다 갔다 해요. 9시까지 거닐다가 집으로 돌아와요. 대위법을 약간 공부하고 침대에 누워 소설책을 7~8페이지 읽다 자요. 이렇게 살고 있죠!"

이탈리아인은 본디 어머니에 대한 애착이 유럽 다른 나라의 사람들에 비해 큰 것으로 유명하다. 자라면서 모친의 속을 무척 끓였던 푸치니도 어머니가 보고 싶었는지 이렇게 썼다. "얼마나 보고 싶은지 몰라요. 내가 엄마를 자주 화나게 했죠. 사랑하지 않아서가 아니에요. 내가 순전히 짐승같이 나쁜 놈이었기 때문이에요." 그는 하숙집에서 사귄 친구들 얘기도 편지에 시시콜콜 기록했다.

밀라노의 두오모 정면에는 널따란 광장이 펼쳐져 있다. 광장에서 두오모를 정면으로 바라보고 왼쪽으로 돌아서면 비토리오 에마누엘레 갈레리아Galleria Vittorio Emanuele II의 남쪽 입구가 눈에 들어온다. 푸치니가 편지에 산책 장소로 자주 언급한 그 '갈레리아'다. 갈레리아란 건물들 사이를 유리 지붕으로 연결해 비를 맞지 않도록 만든 상점가를 뜻한다.

1860년 완공된 갈레리아는 이후 유럽 곳곳에 들어서는 비슷한 시설의 원형이 되었다. 푸치니 시대에나 지금이나 수많은 카페와 레스토랑, 명품점이 입점해 현지인과 관광객을 끌어모은다. 바닥은

밀라노의 비토리오 에마누엘레 갈레리아

갈레리아의 화려한 남쪽 입구를 들어서면 건물 사이를 이은 유리 지붕이 보인다. 푸치니는 내부와 외부의 경계가 모호한 이 유리 지붕 아래 번화한 상점가를 산책했다. 갈레리아에서 그의 시선을 잡아끈 것은 무엇이었을까.

반들반들하게 닳은 석재로 잘 포장되어 있다.

한 카페에 들어선다. 건물 밖 길가에 좌석과 테이블을 낸 실외 카페이지만 사철 비를 맞지 않는 갈레리아 안이라 옥외라 해야 할지 모호하다. 에스프레소 한 잔에 오후의 노곤함이 날아간다. 비로소 오가는 사람들의 모습이 눈에 들어온다. 금발, 흑발, 검은 눈, 파란 눈, 나와 같은 동양인 관광객. 어디선가 젊은 합창 소리가 들려온다. 아마도 어떤 점포의 판촉 행사에 동원된 학생들일 것이다. 20대의 꿈과 두려움을 간직한 청년 작곡가 자코모 푸치니도 이 앞을 걸으며 사람들을 쳐다보았을 것이다. 지나가는 미녀에 가슴이 설레기도 했을 것이고, 내일 제출해야 할 과제 걱정에 하품을 삼키기도 했을 것이다.

두 개의 큰 회랑이 십자로 교차하는 네거리 한쪽, 바닥이 움푹 팬 곳 앞에 사람들이 멈추어 섰다가는 제자리에서 한 바퀴를 돌고 사진을 찍는 기묘한 동작을 이어간다. 뭘까? 바닥 타일에는 황소 문양이 선명하다. 황소의 '그곳'을 뒤꿈치로 밟은 채 한 바퀴 빙그르 돌면서 소원을 빌면 소원이 이뤄진다고 한다.

얼마나 많은 사람이 이곳에서 소원을 빌었는지 바닥이 움푹 팬 자리에 한 컵 분량의 물은 족히 담길 것 같다. 이 앞을 수없이 오갔을 젊은 푸치니도 소원을 빌었을까? 그랬다면 소원은 무엇이었을까? 어머니와 가족의 곤궁을 면하게 해달라고 빌었을까? 그것이었다면 그는 소원을 초과 달성하게 된다. 이탈리아 대작곡가들의 찬란한 이름을 잇는 존재가 되게 해달라고 했을까? 그런 큰 소원이었더라도, 그는 이뤄냈음을 우리는 알고 있다.

유년기에 늘 '주의산만' 딱지를 달고 다녔던, 청소년기에는 불량한 행동으로 경찰서와 법원을 들락거렸던, 그러다가 이탈리아를 대표하는 음악원에 (다소 늦은 나이이지만) 최고점으로 입학한 이 청년은 이제 성실하게 학업에 임했을까.

사람은 쉽게 변하지 않는다. 작곡 시간에는 재능을 보였지만 모범학생은 아니었다. 그의 편지들과, 지금까지 남아 있는 공책을 보면 관심 없는 수업을 들을 때 푸치니가 딴청을 피우거나 졸면서 시간을 보냈음을 알 수 있다. "엄마, 지금은 극작법 시간인데 편지를 쓰고 있는 거예요. 지루해서 눈물이 나요." 한 공책에는 "아이고! 아! 하느님! 도와주세요, 제발! 그만! 너무해! 나 죽어!"라고 적었다. 조금 흥미로운 내용이 나왔는지 "이제 조금 낫네"라고 적기도 했다. 강의를 너무 빼먹어 학교 본부에 자주 불려가기도 했다. 입학 이듬해 6월에는 강의를 수시로 빼먹은 벌로 벌금 10리라를 냈다는 기록도 나온다.

그러나 그는 자신이 사랑하는 일에는 쉽게 빠져들었다. 푸치니는 음악원이 보관하고 있는 이전 시대와 동시대 대가들의 수많은 악보를 들여다보았다. 이와 함께 비제Georges Bizet의 〈카르멘Carmen〉을 비롯해 토마Charles Louis Ambroise Thomas의 〈미뇽Mignon〉 등 프랑스 오페라와 베르디의 〈시몬 보카네그라Simon Boccanegra〉 등 밀라노에서 공연되

갈레리아 바닥을 수놓은 황소 문양 타일
갈레리아를 지나는 사람들마다 황소 문양 위에서 소원을 빌며 몸을 빙그르 돌린다. 푸치니가 무엇을 빌었든, 그가 이뤄냈음을 우리는 알고 있다.

는 오페라나 오케스트라 콘서트를 용돈 사정이 허락하는 한 관람했다.

그럼에도 가장 자신 있는 분야이자 미래를 건 '작곡'에 그가 이 시기에 전력을 다했는지는 의문이 남는다. 매번 거의 통사정조로 아들을 도와달라는 어머니 알비나의 편지에 폰키엘리 교수가 보낸 긴 답장이 남아 있기 때문이다. 1883년 1월, 푸치니가 졸업을 반년쯤 남겨둔 시점이었다. 그는 먼저 "아드님은 주의가 산만해요. 꾸준히 작업하지 않죠. 작품이 완전히 만족스러운 단계도 아닙니다"라고 준엄하게 일갈한 뒤 "하지만 마음만 먹으면 '아주 좋은' 작품을 씁니다"라고 알비나를 안심시켰다.

그는 이어 "푸치니에게 작곡에 시간을 더 들이고 예전 작곡가들의 작품도 꾸준히 공부하도록 충고했다"며 "도울 수 있는 모든 노력을 하겠다"고 약속했다. "졸업 후 교수 자리도 알아봐주겠다"고 했다. 그는 결과적으로 '모든 노력을 다해 돕겠다'는 약속을 지켰다.

푸치니가 전력을 기울인 몇 안 되는 과목 중에는 아민토레 갈리 교수의 음악사 및 음악철학 수업이 있었다. 그는 동시대 독일과 프랑스 음악의 '선진적' 측면을 강조했다. 독일의 바그너Richard Wagner, 프랑스의 마스네Jules Massenet가 전하는 새로운 오페라의 조류와 그 미학에 푸치니와 동급생들이 눈을 뜨게 만들었고, 특히 청년 푸치니의 열광은 컸다. 이 기류는 앞서 이탈리아 문화계를 뒤흔들었던 '스카필리아투라scapigliatura'(봉두난발) 운동에 영향을 받은 것이었다.

푸치니의 습작 노트

이제 학생 푸치니가 작곡한 작품들을 엿보기로 한다. 여느 작곡가의 음악원 시절 습작은 잊혀, 들어보기는커녕 악보를 찾아보는 데도 적잖은 수고가 들겠지만, 푸치니는 훗날 대가로 커버린 덕분에 초기작들까지 오늘날 다양한 음원으로 접할 수 있다.

소프라노와 하모늄harmonium(풍금과 비슷한 악기)을 위한 성모 찬가 '도우소서 성모여Salve Regina', 바리톤과 피아노를 위한 '멜랑콜리malinconia'와 '죽음에 부쳐Ad una Morta', 그리고 오케스트라를 위한 '교향적 전주곡Preludio Sinfonico'과 '교향적 기상곡Capriccio Sinfonico' 등이 밀라노 음악원 재학 당시의 작품이다. 이 습작들은 테너 플라시도 도밍고가 기획하고 녹음한 〈알려지지 않은 푸치니〉 음반이나 인터넷 스트리밍 서비스 등을 통해 어렵지 않게 들을 수 있다.

푸치니의 학생 시절 작품들을 CD 플레이어로 처음 걸어놓았을 때 얼마간 달콤하게 감상하다가 웃음이 흘러나오고 말았다. 친근한 선율들이었기 때문이다. 푸치니는 프로 오페라 작곡가가 된 뒤, 학창 시절 멜로디를 곶감 빼먹듯 자신의 초기 오페라에 녹여냈던 것이다.

'도우소서 성모여'의 선율은 첫 오페라 〈빌리〉에서 여행을 떠날 때 무사하기를 비는 기도의 3중창 장면에 사용되었다. '죽음에 부쳐'에 나온 선율 역시 〈빌리〉에서 여행자가 연인을 배신하고 방탕한 생활을 하다가 무일푼으로 돌아와 죽음을 예감하는 장면에 사용했다. '교향적 기상곡'에 나온 주요 주제들은 두 번째 오페라 〈에드가〉의 3막 시작 부분과 네 번째 오페라 〈라 보엠〉 첫 막 시작 부분에 각각 등장한다. 지인의 죽음을 추모한 현악사중주 '국화'의 주요 주제는 세 번째 오페라 〈마농 레스코〉 마지막 막에서 중요한 역할을 한다.

푸치니에게 학창 시절 습작들은 말러의 초기 가곡집 〈어린이의 이상한 뿔피리〉가 그의 초기 교향곡에서 가진 것과 비슷한 역할을 담당했다고 할 수 있다. 말러도 젊은 시절 쓴 가곡집의 선율들을 녹여 초기 교향곡에 삽입했으니까.

한 가지 잊지 말아야 할 것은, 세 곡의 성악곡 '도우소서 성모여' '멜랑콜리' '죽음에 부쳐' 모두 안토니오 기슬란초니Antonio Ghislanzoni의 시에 붙인 곡이라는 것이다. 그는 푸치니가 18세 때 피사에서 관람하고 감동을 받았던 베르디 〈아이다〉의 대본을 쓴 인물이다. 푸치니는 당시의 감동을 계속 간직한 나머지 그의 시를 탐독하고 곡을 붙인 것일까?

기슬란초니는 밀라노 예술가들의 모임인 '스카필리아투라' 운동 초기에 중요한 역할을 맡았던 인물이다. 그는 밀라노 문화예술계에 영향력이 컸고, 푸치니의 스승인 폰키엘리와도 친분이 돈독했다. 어쩌면 '기슬란초니의 호의를 사면 도움이 될 것이다'라는 선생의 충고가 작용한 것일지도 모른다. 뒤에서 자세히 들여다보겠지만, 실제로 푸치니는 스카필리아투라 지식인들의 눈에 들어 경력 초기에 큰 도움을 받는다.

토스카나 변방 중세 도시 루카 출신의 5대째 음악가이자 밀라노 음악원 수석입학 기록을 가진 자코모 푸치니는 동급생들과 함께

1883년 7월 16일 졸업했다. 학교와 밀라노 예술계는 이 졸업생에 대한 기대가 매우 높았다. 졸업 직전 기념연주회에서 발표한 '교향적 기상곡'이 대호평을 받았기 때문이다.

'교향적 기상곡'은 이 젊은 작곡가가 음악원 재학 중 바치니 교수에게 과제로 제출했던 '교향적 전주곡'에 이어 두 번째로 작곡한 본격적 관현악 작품이다. 당대의 밀라노 예술계가 이 작품에 주목했던 이유는 쉽게 이해할 수 있다. 과감하면서도 신선한 화음의 연결, 목관악기의 세련되면서도 효과적인 활용법, 간간이 터져 나오는 금관과 타악기의 강타는 훗날 대가로 커버린 푸치니를 미리 엿보게 한다.

밀라노 음악원 재학 중 어머니에게 보낸 편지에서 푸치니는 "나는 오케스트라 음악과 교향악적 작업에 소질이 있어요"라고 자신감을 표현했다. 만약 그가 교향악 전통을 더 중시하는 오스트리아나 독일에서 성장했다면 오늘날 교향악사에 큰 이름을 남긴 작곡가가 될 수도 있었을 것이다.

또한 이 곡은 수수께끼와 같은 푸치니의 내면세계에 대한 일말의 힌트를 준다. 그가 처음으로 세상을 향해 자아를 활짝 열어젖혀 표현해낸 이 작품은 제목 그대로 'capricious'(변덕스러운)하다. 한껏 밝고 명랑한 환상을 펼쳐가다가는 어느 순간 돌변해 눈물이 그렁그렁한 애상 속으로 침잠해 들어간다. 지인들이 훗날 그의 개인적 면모에 대해 회상하곤 했던 바로 그대로의 모습이다.

푸치니는 실컷 게으름을 피우다가 마감이 임박해서야 몰아치듯 일하는 습관이 있었고, 자신의 회상에 의하면 "시간이 없어서 레스토랑에서도, 또 걸으면서도 악보에 갈겨썼다." 그래도 청중이 느낀 감흥은 컸다. 졸업연주회의 지휘는 이탈리아 대표 지휘자로 지위를 굳힌 프랑코 파초가 맡았다. 이탈리아를 대표하는 음악평론가 필리포 필리피도 호평을 아끼지 않았다. 파초는 자신이 주관하는 스칼라 극장 관현악 콘서트 프로그램에서도 이 작품을 연주하겠다고 약속했다. 고무된 푸치니는 '교향적 기상곡'을 리코르디Ricordi, 손초뇨Sonzogno와 더불어 이탈리아 3대 악보출판사 중 하나인 루카Lucca의 사장 조반니나 루카에게 들고 갔고 출판 약속을 받아냈다.

당시 음악원을 갓 졸업해 학적도, 직업도 없는 '백수' 푸치니의 경제적 상황은 좋지 않았다. 시계를 전당포에 맡겨 하숙비를 간신히 댈 정도였다. 그러나 루카의 성가대장직으로는 돌아가지 않았다. 폰키엘리 선생이 알아보겠다던 어딘가의 음악원 교수직도 맡지 않았다. 그도, 어머니도 미래는 오페라 극장에 있다는 사실을, 그리고 이탈리아의 문화 중심지 밀라노에서 바로 지금 장래에 대한 승부를 보아야 한다는 것을 잘 알았다. 영향력이 큰 폰키엘리 선생과 지휘자 파초, 평론가 필리피가 자신의 남다른 재능을 인정했다는 점 때문에라도, 이 곤궁한 시점에서 '큰일'을 쳐야 했다. 또 한 해가 흐르면 음악원을 갓 졸업한 또 다른 인재들이 세간의 시선을 끌 것이었다.

루이지 보케리니 _ 루카의 또 다른 신동

푸치니가 수학한 루카 음악원은 첼리스트 겸 작곡가 루이지 보케리니(1743~1805)의 이름을 따서 '루이지 보케리니 음악원'으로 개칭되었다.

푸치니와 보케리니가 동향인이라는 사실은 대부분의 음악 팬에게도 생경하다. 푸치니는 보케리니가 죽고 반세기 이상 지나서야 세상에 나왔다. 보케리니는 교회음악이나 오페라에는 관심이 없었고 실내악과 협주곡 작곡에 주력했다. 특히, 그저 반주 악기에 불과했던 첼로를 독주 악기로 거듭나게 한 공이 크다.

로마에서 첼로 신동으로 이름을 날렸던 그는 18세 때 스페인 왕 카를로스 3세의 동생인 루이스 안토니오 공의 눈에 들어 스페인 수도 마드리드로 활동무대를 옮겨서는 궁정음악가로 화려한 활동을 펼친다. 왕이 작품 일부가 마음에 안 든다며 바꾸어보라고 하자, 보케리니는 수정하기는커녕 오히려 그 부분을 두 배로 늘려버렸다. 결과는 파직이었다.

이후 그는 프로이센으로 가서 프리드리히 빌헬름 2세를 섬겼다. 스페인 궁정에서보다는 상황이 나았을 것이다. 왕 자신이 플루트와 첼로 연주에 능숙했고, 음악의 후원자로 자처했기 때문이다. 그는 바흐에게 '음악의 헌정'을 쓰도록 한 프리드리히 2세의 아들이기도 했다. 보케리니는 프리드리히 빌헬름 2세에게 다수의 첼로곡을 헌정했다.

그러나 1797년 자신을 아끼던 왕이 서거하자, 보케리니는 고국 이탈리아가 아닌 제2의 고향 마드리드로 돌아갔다, 후원자도 모두 사라지고 없었지만 그는 젊은 시절의 추억이 깃든 스페인에서 생을 마쳤다.

보케리니는 현악 4중주곡 91곡, 현악 5중주곡 125곡, 피아노 5중주곡 12곡, 현악과 플루트를 위한 5중주곡 18곡, 교향곡 20곡, 첼로협주곡 4곡 등 많은 작품을 남겼다. 우리가 그의 이름을 기억하는 것은 전아한 춤곡인 '보케리니의 미뉴에트' 때문일 것이다.

루카 음악원의 보케리니 동상

02

GIACOMO PUCCINI

오페라의 별에 닿다

데뷔작 〈빌리〉

밀라노 거리

코모 호숫가의 머리 헝클어진 자들

푸치니가 음악원을 졸업한 직후인 1883년 여름, 음악원의 은사 폰키엘리는 푸치니를 밀라노 북쪽 코모 호숫가 마자니코Maggiànico에 있는 자신의 별장으로 호출했다. 25세 젊은 음악가의 미래가 결정되는 순간이었다.

알프스 산맥의 서쪽은 지중해변의 니스 인근에서 시작된다. 이탈리아와 프랑스의 국경 부근이다. 여기서 동쪽으로 굽이친 알프스는 이탈리아와 스위스의 국경지대로 나아가 이탈리아와 오스트리아의 경계를 거치고, 오스트리아와 구유고의 슬로베니아가 경계를 이루는 곳을 지나 오스트리아에서도 동쪽에 위치한 수도 빈의 근교에 이른다.

이탈리아 경제의 중심지 밀라노도 알프스의 직접적인 영향권 아래 있다. 밀라노에서 오늘날 자동차로 50분만 북쪽으로 달리면 알프스의 관문인 코모 호수에 닿을 수 있다.

코모 호수는 사방이 산으로 둘러싸인 길고 가느다란 형태로 시옷 자를 닮았다. 'ㅅ'의 왼쪽(서쪽) 긴 획 아래쪽 끝에 자리 잡은 도시가 지역의 중심지인 코모Como, 오른쪽(동쪽) 짧은 획 아래쪽에 있는 도시가 레코Lecco다.

19세기에나 오늘날에나 이 호수는 방문자의 탄성을 자아내는 경관을 자랑한다. 높은 하늘빛도 흉내낼 수 없는 짙푸른 물빛은, 가까이서 들여다보면, 저 아래 지나는 물고기가 보일 정도로 투명하다. 가깝고 먼 산이 푸른빛을 자랑하고, 멀리는 알프스 고봉들이 흰 고개를 쳐들고 있다.

비교적 지대가 높은 곳인데도 기후는 안정되어, 가로수로 심은 열대수가 남국의 색다른 경관을 뽐낸다. 이곳에서 서북쪽으로 산 하나만 넘으면 스위스다. 호수 주변의 푸른 산 곳곳에는 겨자색 벽과 붉은 지붕을 인 빌라들이 즐비하다. 예부터 밀라노 일대의 귀족과 부호 들이 휴가를 보내던 별장들이다.

이탈리아의 예술계를 장악하고 있었던 밀라노의 예술가들은 이 호숫가의 동쪽 레코에서도 약간 남쪽으로 떨어진 마자니코 일대에 여름마다 모여들어 사상, 문화, 예술, 정치, 그리고 인생을 논했다. 바로 '스카필리아투라 밀라네제Scapigliatura Milanese' 운동의 본거지였던 것이다.

스카필리아투라는 '헝클어진' '봉두난발蓬頭亂髮'이란 뜻이다. 1860년대 초부터 밀라노와 코모 호수 주변에 모여 토론을 펼치던 예술가와 평론가 들은 이탈리아 예술이 너무 권위적이고 의고적이며, '알프스 너머' 독일과 프랑스의 예술계가 지속적으로 혁신을 이루어내고 있는 것과 대조적으로 이탈리아 예술계는 정신사적으로도, 기법적으로도 낙후되어 있다고 보았다. 독일과 프랑스의 예술에서 영감을 얻어 이탈리아 예술을 현대화하자는 것이 이들의 목표이자 의도였다.

이들이 암묵적으로 겨냥한 타깃은 당대 이탈리아 문화계의 큰 봉우리였던 시인 알레산드로 만초니와 작곡가 주세페 베르디였다. 두 거인이 고답적인 자세에 머물러 있기 때문에 이탈리아 예술의 혁신이 이루어지지 않는다고 본 것이다. 스카필리아투라는 이들의 중심인물 중 하나였던 작가 카를로 리게티의 소설『2월 6일의 머리 헝클어진 자들』에서 영감을 받은 것이지만, 한 세기 뒤의 히피 운동처럼 '기존의 권위에 구속받지 않는 자유로움'을 상징하는 것이기도 했다.

여기 모여든 인물이 대본작가 겸 작곡가 아리고 보이토, 시인 에밀리오 프라가, 작곡가 겸 지휘자 프랑코 파초, 음악평론가 필리포 필리피, 시인 겸 작곡가 마르코 살라 등이었다. 푸치니의 졸업작품 '교향적 기상곡'을 지휘했던 파초와 이 작품을 평론으로 격찬한 필리피가 그보다 20년 앞서 스카필리아투라 운동의 선봉에 섰던 주인공이었던 것이다.

문화계 혁신의 시도와 운동이 대개 그렇듯 이들의 시작은 '말썽꾼'으로서의 면모가 강했다. 1863년 파초의 오페라 〈플랑드르의 망명자들〉이 초연되었다. 공연 후 축하 연회에서 보이토는 송시訟詩를 낭독했다. "타락하고 우매한 늙은이들. 이탈리아 예술의 신전은 유곽의 벽처럼 더럽혀졌다." 바로 만초니와 베르디로 대표되는 당대

보이토와 베르디

보이토(왼쪽)는 이탈리아 예술계의 혁신을 외친 스카필리아투라 운동의 주요 인물이다. 그는
베르디(오른쪽)로 대표되는 당대 이탈리아 제도권 예술계를 '타락하고 우매한 늙은이들'로 치
부하며 공격했다. 그들의 갈등은 베르디의 〈시몬 보카네그라〉와 〈오텔로〉로 해결되었다.

이탈리아 '제도권' 예술계 대가를 겨냥한 공격이었다. 베르디는 이 이야기를 듣고 분노를 폭발했다. 이후 12년 동안이나 베르디는 보이토를 모르는 사람 취급했다.

그러나 베르디를 비롯한 기성 예술가들과 스카필리아투라 예술가들이 줄곧 등을 돌리고 지낼 수는 없었다. 베르디의 시선으로 보면 영향력 있는 후배 예술가들이 대부분 스카필리아투라와 관계를 맺고 있었으니 이들과 마냥 연을 끊을 수는 없었던 것이다. 반면 스카필리아투라 예술가들의 입장에서는 구호와 이론만 무성했을 뿐, 작품으로 선배들을 능가할 만한 업적이 없었으니 무턱대고 '노인네들'을 배격할 수도 없었다.

1871년 베르디의 〈아이다〉 발표는 양쪽 간 화해를 향한 첫 단추였을지 모른다. 이 작품의 대본을, 베르디 공격의 단초였던, 파초의 〈플랑드르의 망명자들〉의 대본작가 안토니오 기슬란초니가 썼다. 사실 기슬란초니는 스카필리아투라의 중심인물이라기보다는 '이들과 친해서 참여한' 방관자적 동인이기도 했다.

이어 1881년에는 24년 전 실패로 끝났던 베르디의 오페라 〈시몬 보카네그라Simon Boccanegra〉 개정 초연이 이루어졌다. 보이토의 아이디어와 권유에 따른 일이었고, 파초가 이 공연을 지휘했다. 다시 6년 뒤, 1887년 베르디의 〈오텔로Otello〉 발표는 두 세력의 화해를 공고히 하는 기념비적 사건이었다. 작곡가이기도 했던 보이토가 셰익스피어의 『오셀로』를 오페라 대본으로 각색한 뒤 자신은 "역량이 모자라다"며 "베르디 선생님이 이 대본에 곡을 붙여주십시오"라고 간청했다. "이탈리아 예술이 유곽의 벽처럼 더럽혀졌다"고 베르디를 비난했던 보이토가 말이다. 그로부터 17년이 지나, 베르디의 위대성을 진심으로 인정한 것이다. 〈오텔로〉 작곡과 발표까지는 그후 7년이 더 걸렸다.

이제 이런 치열한 이탈리아 문화계의 중심 인맥으로 갓 25세의 젊은 작곡가가 발을 들여놓은 것이다. 1883년 여름에는 보이토가 제공한 〈오텔로〉 대본을 붙들고 70세 베르디가 3년째 노년의 열정을 불태우고 있었다. 이 시기에 스카필리아투라 예술가들과 베르디는 이미 화해한 것으로 간주되었다. 하지만 스카필리아투라 동호인들은 베르디에게 예우를 갖추는 한편으로 '알프스 너머' '독일과 프랑스의 선진 예술'에 대한 동경과 찬사를 그치지도, 굽히지도 않았다. 그런 '북쪽 지향'에 대한 베르디의 못마땅한 시선 역시 근본적으로 변하지는 않았다.

밀라노 예술계의 중심 인맥 속으로

코모 호반 레코에 청년 푸치니가 나타난 시점으로 돌아가보자. 코모 호수에서도 시옷 자의 오른쪽 가지의 중심인 레코를 중심으로 마자니코, 카프리노Caprino 마을에 예술가들과 평론가, 후원자들의 빌라가 밀집해 있었다. 카프리노에는 〈아이다〉의 대본을 쓴 기슬란초니가 운영하는 호텔 '바르코Il Barco'가 있었다. 예술가들은 저녁이면 누군가의 빌라에 모여 음악가들의 연주를 듣기도 하고 식사와 와인을 곁들여 토론을 펼치거나 산과 호반을 산책하기도 했다. 폰

밀라노 북쪽 코모 호숫가의 별장들

코모 호수는 알프스의 관문이다. 날씨가 좋고 색다른 경관을 뽐내는 이곳에는 예부터 밀라노
부유층의 별장이 즐비하게 늘어서 있었다. 음악원을 갓 졸업한 '백수' 푸치니는 이곳에서 삶
의 전환점을 마련한다.

키엘리의 별장은 남쪽 마을인 마자니코에 있었다.

마자니코는 지역 중심인 레코에서 도보로 40분 남짓 걸린다. 오늘날에는 별도의 '레코 마자니코' 역이 있는데 로컬 기차만 운행하는 역이어서 밀라노에서 기차로 가려면 레코 역에서 갈아타서 한 역을 되돌아와야 한다.

레코 마자니코 역에서 호수를 등지고 걸어나오면 왼쪽으로 널찍한 '고메스 빌라 공원'이 있다. 이 공원을 가로지르거나, 큰길인 '에마누엘레 필리베르토 길'까지 나와 왼쪽으로 꺾어 공원이 끝나는 곳까지 오면 낡고 퇴색한 큰 빌라가 보인다. 이곳이 청년 푸치니가 발길을 들여놓았던 폰키엘리의 별장이다. 지금은 일반에 공개되지 않아 멀찍이서 건물의 외관만을 바라볼 수 있을 뿐이다.

푸치니는 이곳 폰키엘리 빌라에서 나흘 동안 머물면서 저녁마다 스승을 대동하고 예술가들의 교유 모임에 출현했다. 스승은 '밀라노 음악원을 최고 성적으로 졸업한 전도유망한 젊은 작곡가'를 칭찬하며 문화계 유력자들에게 적극적으로 소개했다. 점잖고 진지한 폰키엘리가 밀라노 예술계에서 받는 신망도 푸치니가 '내 편'을 만드는 데 적잖은 역할을 했다. 폰키엘리는 베르디와 만초니로 대표되는 이탈리아 전통 예술의 옹호자였으므로 스카필리아투라 운동의 일원은 아니었지만 스카필리아투라 인물들도 모두 그를 좋아했다. 그의 대표작인 오페라 〈라조콘다〉도 보이토가 대본을 쓴 작품이었다.

아마도 밀라노로 돌아오는 기차를 타기 위해서였을 것이다. 레코 기차역에서 푸치니와 폰키엘리는 시인 폰타나Ferdinando Fontana와 마주쳤다. 폰타나는 꽤 괜찮은 바리톤이자 유력 신문의 베를린 특파원을 지내기도 했으며 스카필리아투라 운동의 중심인물 중 하나였고 당연히 독일 문화에 깊은 친밀감을 갖고 있었다. 다음은 폰타나의 회상이다.

레코 기차역에서 폰키엘리와 함께 만난 푸치니는 유망한 작곡가로 이름을 알리고 있었고, 한 번 본 적은 있지만 잘 아는 사이는 아니었다. 객차에 앉은 뒤 폰키엘리는 내게 "손초뇨의 오페라 공모에 이 젊은이가 작품을 낼 수 있도록 자네가 대본을 써주면 어떨까"라고 말했다. 그 순간 예전에 내가 들었던 이 작곡가의 '교향적 기상곡'의 생생함이 머리에 떠올랐고, '빌리'라는 소재가 그에게 딱 맞을 것 같다는 생각이 들었다. 나는 푸치니에게 〈빌리〉의 줄거리를 이야기했고, 푸치니는 좋다고 말했다.

아예 폰키엘리는 기슬란초니에게 전갈을 보내 폰타나가 기슬란초니의 빌라에서 〈빌리〉의 대본을 편히 쓸 수 있도록 배려하기까지 했다. 하지만 그럴 필요는 없었다. 폰타나는 이미 〈빌리〉의 대본을 써두었던 것이다. 문제라면 다른 작곡가에게 대본을 주기로 약속했었는데, 이 작곡가를 설득하는 일뿐이었다. 자세한 정황은 남아 있지 않지만 그 일로 문제가 발생하지는 않았다.

폰키엘리가 말한 '손초뇨의 오페라 공모'란 바로 그해 처음 열린 단막 오페라 작곡 콩쿠르를 말하는 것이었다. 당시 이탈리아의 오페라계는 3대 출판사가 장악하고 있었다. 각 극장이 오페라 프로덕

션의 책임을 지는 오늘날과 달리, 당시에는 음악출판사가 오페라 작품의 저작권을 확보하고 각 오페라의 프로덕션도 만들어 여러 극장을 상대로 제작을 관리했다. 말하자면 음악출판사 또는 악보출판사가 오늘날의 '기획사' 역할을 했던 것이다.

3대 출판사는 리코르디, 손초뇨, 그리고 푸치니의 '교향적 기상곡'를 출판했던 루카였다. 가장 막강한 체제를 구축한 챔피언은 베르디의 소속사로 명성을 누린 리코르디였지만 당시 위기를 맞고 있었다. 1871년 〈아이다〉가 나온 이후 12년째 리코르디의 '달러박스', 아니 '리라박스'였던 베르디가 새 오페라를 내놓지 않았기 때문이다. 보이토의 대본으로 〈오텔로〉를 작업 중이었지만 사람들은 이 〈오텔로〉가 베르디의 마지막 작품이 될 것으로 여기고 있었다.

베르디의 새 작품이 나오지 않고 그를 대체할 만한 오페라계의 스타도 등장하지 않은 가운데 유럽 전역에서, 심지어 이탈리아에서조차 이탈리아 오페라의 인기는 식어가고 있었다. 빈자리를 구노와 마스네를 비롯한 프랑스의 '최신' 오페라들이 채웠다. 리코르디의 라이벌인 손초뇨는 프랑스 오페라 수입의 선봉장이었다.

이탈리아 오페라 진흥에는 아무런 역할을 하지 않은 채 외국 작품으로 주머니만 불린다는 따가운 시선이 쏟아지자 이 회사는 자신들도 역할을 다하겠다고 나섰다. 그렇게 기획된 이벤트가 1883년 처음 열린 단막 오페라 콩쿠르였다. 이탈리아의 젊은 작곡가들이 오페라계의 스타로 진입할 기회를 주겠다는 것이다.

그해 밀라노 음악원을 가장 주목받으며 졸업한 푸치니로서는 이 기회를 노려볼 만했다. 콩쿠르 공고는 봄에 나왔으며 당연히 밀라노 음악원의 교수진과 학생들은 이를 의식하고 참가 여부를 생각해보았을 것이다. 푸치니도 폰키엘리나 바치니 교수와 이 콩쿠르에 대해 이야기했겠지만, 여름까지 아무런 준비도 시작하지 않았다.

폰타나가 객차에서 그에게 설명한 〈빌리〉 내용은 이해하기 어렵지 않았다. 원한을 품은 처녀귀신들이 (여성을 배신한) 젊은 남성을 마법으로 유인해 함께 춤을 추기 시작하는데, 남성이 죽음에 이를 때까지 춤을 중단하지 못한다는 스토리다. 동유럽에서 시작된 이 설화는 독일과 서유럽으로 전파되었고 아당Adolphe Adam의 발레 〈지젤Giselle〉(1841)에서도 모티프가 된다. 이탈리아에서는 이국적인 소재로 받아들여질 만했으니 역시 스카필리아투라 운동의 '북쪽 유럽 지향'이 반영된 것이라고 할 수 있다.

이즈음 푸치니는 어머니에게 보내는 편지에 이렇게 썼다.

사랑하는 엄마, 폰키엘리 선생님 집에 가서 나흘 동안 지냈어요. 시인인 폰타나가 근처에 와 있었는데 그분과 오페라 대본 이야기를 했어요. 그 사람이 내 음악을 좋아한대요. 오페라로 만들려는 얘기는 좋은 줄거리인데, 이미 써놓았고 나한테 주겠대요. 이 소재가 교향적이고 묘사적이어서 내게 어울릴 거라면서요. 내 생각에 이 줄거리로 잘될 것 같아요. 이걸로 손초뇨 공모에 응모하려고 해요. 하지만 성공할지는 모르겠어요. 전국에서 모두 참여하는 큰 공모거든요. 그리고 시간도 모자라요.

폰타나의 대본 수준과는 별개로, 그가 이 젊은 작곡가에게 바로 대본을 제공할 수 있었던 것은 작업에 큰 도움이 되었다. 푸치니가 기다리지 않고 바로 작곡에 착수할 수 있었기 때문이다. 그해 겨울까지 폰타나는 코모 호반의 레코 부근에 머물면서 앞서 폰키엘리가 그랬듯이 자신이 아는 문화예술계 인사들을 푸치니에게 소개했다. "이 전도유망한 젊은이가 내 대본을 가지고 오페라를 쓰고 있어"라는 자랑도 당연히 곁들였다.

한편으로 폰키엘리는 콩쿠르 주최사인 손초뇨의 라이벌이자 베르디와 오랫동안 계약을 맺어온 리코르디의 줄리오 리코르디 앞에서도 푸치니가 자신의 음악을 펼쳐 보이도록 자리를 마련했다. 리코르디의 빌라 역시 코모 호반의 멀지 않은 곳 벨라노에 있었다. 푸치니는 쓰고 있던 오페라 〈빌리〉의 시작 부분에 여주인공인 소프라노 안나가 부를 '꽃의 아리아'를 연주해 보였다. 리코르디는 매우 마음에 들어했다.

리코르디 출판사, 즉 '카사 리코르디'는 1808년 바이올리니스트 조반니 리코르디에 의해 창립됐다('Casa'는 이탈리아어로 '집'이라는 뜻이다). 푸치니가 만난 줄리오 리코르디는 조반니의 손자였다. 1840년대 나온 이 회사의 카탈로그를 보면, 당대 대작곡가인 로시니, 벨리니, 도니체티, 메르카단테, 베르디를 '소속 작곡가'로 명시할 정도로 이 회사의 위세는 대단했다. 줄리오 리코르디는 1863년부터 아버지 티토를 도와 일했고, 부친이 1888년 타계한 뒤에야 공식적으로 회사의 대표가 되었지만 이미 회사의 중요 의사 결정권은 그가 쥐고 있었다. 푸치니로서는 든든한 '라인'과 접촉한 것이다.

악보 위의 춤을 무대 위의 춤으로

가을에 푸치니는 고향 루카로 갔다. 학교를 졸업했으니 굳이 밀라노에 머물러야 할 이유는 없었을 것이다. 이 시기에 그는 포근한 고향 분위기에 묻혀 어머니와 결혼하지 않은 누나들에게 응석을 피우며 게으름을 부렸다.

푸치니의 바로 아래로 가장 친했던 여동생 라멜데의 회상에 의하면 〈빌리〉 작곡에는 어머니 알비나의 역할이 컸다. "어머니는 줄곧 오빠 자코모를 격려하고 오페라의 모든 부문에 충고와 조언을 했죠. 여러 날 밤을 오빠와 함께 작품에 대해 논의하고 근심하고 애쓰며 보내셨어요." 알비나는 전문적인 음악공부를 하지 않았지만 악보를 읽을 수 있었고 음악적인 식견이 있었다. 시아버지, 남편, 동생, 아들과 같은 음악가들에게 둘러싸여 살았고 집에는 여러 대째 내려오는 오페라와 미사곡의 악보가 그득했다. 예술가 사회에 익숙한 만큼 지적인 면모도 갖춘 여성이었다.

어머니의 독려에도 불구하고 작품은 마감을 불과 몇 주 앞둔 동안 서둘러 완성됐다. 악보 일부는 알아보기 힘들 만큼 난필이었고 콩쿠르 측에 제출된 것 이외의 사본조차 준비할 시간이 없었다. 간신히 마감 직전에 작품을 제출할 수 있었다.

콩쿠르 결과는 두 달이 지나 발표되었다. 푸치니로서는 은근히 믿는 구석이 있었다. 자신의 실력과 작품에 대한 자신감 이외에도, 자기의 확고한 지지 세력 폰키엘리와 파초가 심사위원으로 참여했기 때문이다.

푸치니가 쓴 〈빌리〉 악보

푸치니는 음악출판사 손초뇨 오페라 공모전 마감에 임박해서야 작곡을 시작했다. 사본을 만들 시간도 없이 휘갈긴 난필 악보는 심사위원들의 평가조차 받지 못했다. 그러나 이번에도 어머니와 폰키엘리 교수의 도움으로, 푸치니는 첫 오페라 〈빌리〉를 무대에 올릴 수 있었다.

그러나 결과는 실망스러웠다. 당선작이 되지 못했을 뿐 아니라 발표된 심사평에는 푸치니의 작품에 대한 한마디 우호적인 칭찬조차 찾아볼 수 없었다. 떨어진 이유도 알 수 없었다. 여동생 라멜데는 그 순간 푸치니의 절망을 생생히 기억한다고 회상했다.

상황은 매우 좋지 않았다. 세상은 이 젊은이의 편이 아닌 것처럼 보였다. 아예 콩쿠르에 도전하지 않았으면 모를까, '경쟁에서 떨어진 작품'을 누가 애써 극장에 올리려고 할 것인가. 다음 작품을 쓰려고 해도 이제는 대본을 구하는 것부터 돈이 들어갈 일이었다.

절망에 빠진 아들에게 어머니는 여러 차례 편지를 보내 어떻게든 도와줄 사람을 찾아보라고 아들을 설득했다. 호의적인 반응을 보였던 리코르디의 직원으로 들어가 앞길을 모색해보라는 (지금 보면 매우 현명한 판단으로 보이는) 충고도 했다. 아들은 "별로 희망이 보이지 않는 일"이라고 응답했지만, 나중에 판명되듯 결국 그 비슷한 길에서 구원은 찾아왔다.

다행히 폰키엘리 교수는 계속 이 작품을 돕겠다고 약속했다. 폰타나도 이 작품이 극장에 오를 기회를 만들기 위해 있는 힘껏 노력하겠다고 말했다. 어머니도 가만히 있지 않았다. 밀라노 문화예술계의 영향력 있는 인사들에게 계속 편지를 보내 괴롭혔다. "제 아들 자코모 푸치니의 신작 오페라 〈빌리〉가 극장에서 공연되어 세상의 평가를 받을 수 있도록 고명하신 선생님께서 힘써주시기를 간곡히 부탁드립니다."

희망의 빛이 보이지 않는 시간이었지만 1884년의 푸치니는 여전히 명랑했다. 용돈을 벌기 위해 갈레리아 상점가 악보점에서 아르바이트를 했다. 남동생 미켈레도 밀라노 음악원에 입학해 같이 살았고, 형편에 따라 친구들과 하숙을 합쳤다 분리했다 했다. 한때 피에트로 마스카니라는 다섯 살 아래의 밀라노 음악원 후배와도 함께 살았다. 마스카니는 6년 뒤인 1890년 손초뇨 단막오페라 콩쿠르에서 〈카발레리아 루스티카나〉로 1등을 차지한다. 밀라노 음악원 출신이 콩쿠르에서 배출한 역대 최고의 성과였다.

한 음악원 친구는 이 시기 푸치니의 생활에 대해 이런 일화를 기록했다.

푸치니의 동생 미켈레는 알코올 버너를 피아노 위에 올려놓고 계란을 익히곤 했다. 어느 날 내가 놀러가서 우리는 바그너의 〈뉘른베르크의 마이스터징거〉 전주곡을 신나게 쳤다. 곡이 클라이맥스에 이르렀을 때 버너와 프라이팬, 달걀, 버터가 한꺼번에 피아노 안으로 떨어져 불이 붙었다. 우리는 푸치니 집에서 보내준 고향의 비싼 키안티 와인을 피아노에 들이부어 불을 꺼야 했다.

한번은 갈레리아의 카페에서 지인들과 저녁 내기 카드게임을 하는데 푸치니와 그의 음악원 친구 하나가 다른 참가자들에게 속임수를 썼다. 규칙을 정해 서로가 아는 선율로 콧노래를 나직이 부르면 두 음악가들은 그 선율에 나오는 음높이 이름을 알고 있으므로 서로 어떤 카드를 들고 있는지 알 수 있었다.

마침내 시인 일리카Luigi Illica가 카드를 내려놓으면서 외쳤다. "너희들 속임수를 쓰는 거지! 당할 수가 없다. 어떻게 하는 건지만 알려주면 저녁은 그냥 내가 사겠어." 일행은 결국 일리카가 사는 저녁을 얻어먹었다. 이 일리카는 나중에 푸치니의 대표 성공작인 〈라 보엠〉〈토스카〉〈나비 부인〉의 대본 작가가 된다.

이처럼 장난스럽고도 치기 어린 젊은이들의 모습은 푸치니의 최대 흥행작 〈라 보엠〉에 나오는 시인, 화가, 음악가, 철학자 들의 장난을 연상하게 한다. 〈라 보엠〉 원작은 1840년대 파리를 배경으로 한 프랑스 소설가 앙리 뮈르제Henri Murger의 작품이고, 대본은 일리카와 자코사Giuseppe Giacosa가 맡았다. 유독 대본작가에게 주문사항이 많은 스타일이었던 푸치니는 자신이 젊은 시절 하숙집과 갈레리아에서 경험한 자유분방하고 유쾌하며 때로 무모한 분위기가 극에 투사되도록 끊임없이 요구했을 것이다. 게다가 마침 일리카도 같은 분위기에서 젊은 날을 보내지 않았던가.

결정적인 도움은 다시 한 번 은사 폰키엘리로부터 왔다. 알비나 푸치니의 반 읍소, 반 협박에 가까운 구원 요청을 따르지 않기란 불가능했기 때문일지도 모른다. 폰키엘리는 스카필리아투라 운동의 주인공 중 한 사람이었던 마르코 살라의 집에서 〈빌리〉를 연주하는 살롱 콘서트를 주선해주었다. 이탈리아 오페라계에서 후원자를 찾는 살롱 콘서트의 전통은 역사가 길었다. 도니체티와 베르디도 이와 비슷하게 밀라노 문화계의 살롱 콘서트에서 인정을 받아 작품 공연에 도움을 받은 일이 있었다.

살라는 스카필리아투라 관계자의 많은 사람이 그렇듯 평론가, 시인, 작곡가이자 아마추어 바이올리니스트 등 다방면으로 활동한 인물이었다. 어떤 스카필리아투라 운동가보다 열렬히 베르디를 이탈리아 예술의 '신전'에서 끌어내리는 데 앞장섰지만, 1871년 〈아이다〉의 대성공을 목도한 뒤로는 베르디를 몰아내려는 생각은 접었다. 그래도 베르디가 더는 오페라를 쓰지 않을 것으로 생각하고 그보다 더 재능 있는 새 작곡가를 찾아내는 데 많은 관심을 기울였다.

푸치니와 대본작가 폰타나는 〈빌리〉의 줄거리를 설명하고 피아노를 연주하며 이 신작 오페라의 전모를 문화예술계 주요 인사들 앞에 소개했다. 연주가 끝나자 갈채가 터졌고, 참석자들은 만족한 듯이 보였다. 사교적인 성격이었던 폰타나가 입을 열었다. "자, 의향이 있는 분들은 이 유망한 작품을 무대에 올리기 위해 필요한 성의를 베풀어주시기 바랍니다." 모금은 순조로웠다. 그날 관현악 파트보와 의상에 필요한 돈이 모였다. 돈을 내지 못한 참석자들도 지원을 약속하거나 다른 후원자를 알아보겠다고 했다.

이른 봄, 자코모 푸치니는 '사랑하는 엄마'에게 밝음과 어두움이 교차하는 편지를 보냈다.

> 이미 알고 계시듯이, 내 '작은' 오페라를 달베르메 극장에서 공연하게 되었어요. 보이토나 살라 같은 영향력 있는 분들이 도움을 주고 있어요. 잘 지내요? 건강이 좋아지지 않는다면서요. 어떻게 해요. 미켈레는 잘 지내고 있어요. 따로 편지 보낸다고 하네요.

청년 작곡가 푸치니의 신작 오페라이자 단막 오페라인 〈빌리〉는 1884년 5월 31일 밀라노 달베르메 극장Teatro Dal Verme에서 초연되었다. 연주 시간이 한 시간 약간 넘는 단출한 규모의 오페라다. 연주 시

밀라노의 달베르메 극장

제2차 세계대전 중 폭격으로 무너진 후 복구된 이 극장에 1884년 〈빌리〉 초연 때의 경관은 현재 남아 있지 않다. 그럼에도, 극장 주변을 한참이나 서성이며 젊은 작곡가가 첫 오페라 공연을 맞아 맛보았을 기대와 꿈, 초조감을 떠올려보았다.

간이 짧은 것은 손초뇨 단막 오페라 콩쿠르에 응모하려는 계획으로 작곡했기 때문이었다. 공연은 세 작품을 잇따라 하룻저녁 무대에 올리는 '트리플빌tripple bill'로 이루어졌다. 당시 인기 오페라였지만 지금은 잊힌 필리포 마르케티의 〈루이 블라스〉(프랑스 작곡가 오베르의 〈루이 블라스〉와 다른 작품)와, 작곡가 이름도 남아 있지 않은 발레 〈에그몬트 백작〉이 무대에 오른 뒤 〈빌리〉가 마지막으로 공연되었다.

앙코르와 월계관

이제 푸치니의 첫 오페라 〈빌리〉 속으로 들어간다. 작품의 배경은 독일 서남부 슈바르츠발트(흑림). 주요 출연 인물은 남자 주인공 로베르토(테너)와 그의 어린 시절부터의 친구이자 연인인 안나(소프라노), 그리고 안나의 아버지이자 마을 산림관인 굴리엘모(바리톤)다. 줄거리는 다음과 같다.

• 1장

독일 서남부 슈바르츠발트 지역의 한 마을. 삼림관의 딸 안나와 마을 총각 로베르토가 약혼식을 올린다. 마을 사람들이 흥겹게 노래하며 왈츠를 춘다. 로베르토는 친척에게서 상속받을 유산을 찾으러 마인츠로 떠나면서 언제 어디에 있든 안나에게 성실하겠다고 약속한다. 로베르토는 안나의 아버지 굴리엘모에게 축복을 부탁한다. 굴리엘모는 그를 축복하고('하느님의 천사여Angiol di dio') 마을 사람들은 그의 무사한 장도를 빌어준다.

  • 간주곡

로베르토는 마녀 시렌의 유혹을 받고 향락에 빠진다. 안나는 로베르토를 기다리다 죽는다. 여인이 젊은 나이에 한을 품고 죽으면 보복의 요정 '빌리'가 된다는 전설이 내레이션으로 흐른다.

  • 2장

안나의 아버지 굴리엘모가 딸을 버린 로베르토에 대한 징벌을 간구하는 아리아를 부른다. 로베르토는 빈털터리가 되어 고향으로 돌아온다. 그는 지난날의 방탕을 후회하는 아리아('행복한 날들의 회상으로Torna ai felici di')를 부른다. 로베르토가 숲을 지날 때 빌리들이 나타나 주위를 맴돌며 춤을 춘다. 안나의 빌리(혼령)가 나타나 로베르토를 원망하고 그의 죄를 추궁한다('당신이 한 말을 기억하나요Ricordi quel che dicevi'). 로베르토는 빌리들과 함께 춤을 추다 혼절해 죽는다. 혼령들은 '호산나Hosanna'를 합창한다.

드디어 젊은 푸치니의 첫 오페라가 시험대에 오르는 순간이었다. 작곡가의 심장은 두방망이질 쳤을 것이다. 한때의 하숙 친구 마스카니도 바이올린 단원으로 오케스트라에 참가하고 있었다. 박스석에는 이탈리아 문화계의 거인 아리고 보이토와 줄리오 리코르디 등 그의 우호세력들이 자리를 잡고 앉았다. 훗날 푸치니는 회상했다.

그때 나는 파산 상태였다. 정장이라곤 닳아빠진 갈색 한 벌뿐이어서 그걸 입고 나갔다. 연주가 시작됐다. 시작 부분부터 끝까지 갈채가 끊이지 않았다. 간주곡은 앙코르를 받았다.

연주가 끝나고 푸치니는 반쯤 얼이 빠진 상태로 조명 아래를 걸어 나왔다. 꽃다발이 쏟아졌다. 마르코 살라의 빌라에서 만난 후원자들은 무대 위로 올라가 젊은 작곡가의 목에 월계관을 걸어주었다. 작곡가는 무대 위에 열여덟 번이나 거듭 불려 나왔다.

다음 날 신문에는 스카필리아투라의 막강한 이론가 필리포 필리피가 쓴 리뷰가 실렸다. 제목은 '푸치니 별에 닿다'였다. 오늘날에도 유력지인 일간 《코리에레 델라 세라Corriere della Sera》('석간신문'이라는 뜻)의 평은 다음과 같다.

이 작품은 푸치니의 재능, 특히 선율에 대한 재능을 드러낸다. 기법은 매우 세련되었고 비제나 마스네를 느끼게 한다. 솔직히 말하자면 푸치니는 이탈리아가 오랫동안 기다려온 작곡가가 될 것 같다.

한 잡지엔 "달베르메 극장에서 젊은 작곡가가 이런 환영을 받은 적이 일찍이 없었다"는 기사가 실렸다.

푸치니는 이 성공을 전보로 루카에 알렸다. 초조한 얼굴로 기다리고 있던 친척들은 이 소식을 듣고 기쁨의 눈물 속에 파묻혔다.

이것은 단지 시작일 뿐이었다. 일주일 남짓 지난 6월 8일, 리코르디 출판사가 소유한 음악지 《가제타 무지칼레 디 밀라노Gazzetta

LE VILLI

〈빌리〉의 한 장면을 그린 엽서

오페라 〈빌리〉의 대본은 원한을 품은 처녀귀신들이 남성을 유혹해 죽을 때까지 춤을 추게 한다는 설화를 바탕으로 한다. 파산 상태였던 푸치니는 이 작품으로 최초의 성공을 거두지만 그월계관은 어머니의 차가운 품으로 간다. 푸치니는 성공의 달콤함을 느낄 겨를도 없이 어머니의 영원한 죽음을 맞았던 것이다.

musicale di Milano》에 리코르디가 〈빌리〉의 판권을 사들였다는 소식이 실렸다. 리코르디는 푸치니를 앞으로 계속 지원할 것이며 후속 작품을 위촉하겠다고도 했다. 푸치니는 리코르디 소속으로 고정 급료를 받으며 안정된 환경에서 후속작을 쓸 수 있게 보장받은 것이다. 수많은 경쟁자의 도전에도 불구하고 리코르디는 이탈리아 음악계를 대표하는 막강한 조직이었다.

리코르디의 보증수표이자 가장 막강한 자산이었던 71세의 주세페 베르디는 친구에게 보내는 편지에서 이렇게 썼다.

푸치니라는 젊은 친구에 대해 좋게 평하는 말을 많이 듣고 있네. 그는 현대적인 작곡기법을 사용하지만 선율을 중시한다네. 그런데 그의 음악에는 교향악적인 요소가 지배적이네. 그게 나쁠 건 없지만 주의해야 할 일이지. 오페라는 오페라고 교향곡은 교향곡이니까.

전통의 수호자로서 한때 예술계 신진그룹의 공격을 받았던 베르디답게 극도의 주의를 기울인 유보적 표현이 눈에 띈다.

이제 모든 밀라노 음악계의 시선이 젊은 푸치니에게 쏠렸다. 한 사람이라도 더 많이 만나고, 후속 작품에 대해 논의하고, 달베르메에서 성공을 거둔 〈빌리〉의 흥행에 전력을 기울일 때지만, 푸치니는 리코르디의 발표가 나온 6월 8일 밀라노 중앙역에서 고향으로 가는 기차를 탔다. 밤 10시에 고향역에 도착했고 수많은 사람이 마중을 나왔다. 온 도시가 떠들썩했지만 어머니 알비나는 역에 나오지 않았다. 아들이 그토록 바라던 별을 손에 넣은 순간 어머니는 병상에 누워 있었던 것이다. 위암이었다. 맏아들은 체격이 컸던 어머니가 까맣게 까부라지며 생명의 불꽃이 꺼져가는 과정을 한 달 열흘간 지켜보았다.

알비나 마기 푸치니는 1884년 7월 17일 사망했다. 아들의 첫 오페라 〈빌리〉가 성공을 거둔 지 두 달이 채 안 된 때였다. 눈을 감은 어머니의 가슴에 자코모 푸치니는 〈빌리〉의 초연 무대에서 후원자들이 목에 걸어준 월계관을 안겼다.

푸치니의 첫 오페라인 〈빌리〉는 오늘날 공연되는 횟수가 적다. 한 시간 남짓한 짧은 길이 때문에 무대에 올리기 애매하다는 점도 작용하고, 출연자 수 역시 적으며(이는 무대에 올리기 오히려 용이한 점이 될 수도 있겠지만), 아직 작곡가로서의 충분한 명성이 확립되기 전의 작품이라는 인식 때문일 것이다.

그렇지만 여러 면에서 이 작품은 분명 걸작의 반열에 들 만하다. 푸치니가 음악원 재학 시절부터 자신 있어 했던 관현악법은 20대의 솜씨라고는 믿기 힘들 정도로 무르익어 꽉 찬 음향과 순간순간의 분위기에 어울리는 교묘한 음색 배치를 자랑한다. 아리아와 중창에 등장하는 선율의 자연스러움과 유려함, 감정을 서서히 고조하고 쌓아올리는 능력 역시 이 작품에서 이미 충분하게 발휘되고 있다.

이 작품은 일반에게 널리 알려졌고 말고를 떠나 푸치니의 세계에 동경을 가진 이라면 꼭 들어보길 권하는 매력 넘치는 오페라다. 특히 '하느님의 천사여' 3중창의 순수하고도 감명 깊은 울림, 안나의 혼령이 부르는 원망의 아리아 '당신이 한 말을 기억하나요'는 빼놓지 말아야 한다.

　눈여겨볼 만한 점이라면 푸치니가 이후 완숙기에 자신의 흥행작에서 선보일 '정형'들이 이 작품에서 이미 나타나고 있다는 점이다. 먼저 줄거리다. 사랑하는 두 사람이 있고, 두 사람은 오랫동안 헤어져 지낸다. 이후 다시 만나지만 예전처럼 행복한 상태에서의 만남이 아니다. 눈물과 후회 속의 비극적인 만남이다. 그런데 이렇게 바뀐 상황 속에서도 작품 초반 행복하던 시절의 선율과 모티프가 다시 등장한다. 이 선율과 동기들은 행복했던 작품 초반의 상황들을 상기시키기에, 비극적인 작품 후반의 상황과 대비되어 비애를 더한다. '악의는 없지만 무책임한 남자 주인공과, 그 때문에 희생되는 여자 주인공'의 대비도 전성기 푸치니 오페라의 주인공과 공통된다.

　이 작품이 베르디와 같은 해 태어난 독일의 거장 리하르트 바그너의 스타일을 연상시킨다는 점은 이미 여러 음악학자들이 언급한 바 있다. 〈뉘른베르크의 마이스터징거〉를 치다 피아노에 불이 붙어 키안티 와인을 끼얹어 끈 일화에서 나타나듯 푸치니는 밀라노 음악원 재학 당시 바그너의 열렬한 팬이었다. 그의 관현악에 나타나는 두터운 음향에서 바그너의 영향을 분명하게 엿볼 수 있다. 반복되어 등장하는 '도-미-솔-라'의 음형이 특히 바그너의 〈파르지팔Parsifal〉 새벽 장면 모티프를 연상시킨다는 설도 자주 제기되었다.

　그런 만큼 바그너의 '라이트모티프Leitmotif' 기법을 간단하게나마 떠올려야 하겠다. 바그너는 주요 인물이 극에 등장할 때마다 그 인물을 상징하는 선율 또는 짧은 선율적 모티프가 관현악 또는 선율에 깔리게 만들었다. 이를 '라이트모티프' 또는 '시도동기'라고 부른다. 음악적 '복선'인 셈이다.

푸치니는 바그너를 깊이 추종했지만 그가 사용한 방법은 달랐다. 한 인물에 한 동기씩 군이 부여하려 하지 않은 것이다. 극 앞쪽에 등장했던 선율이 후반부에 다시 나올 때 '아, 예전에는 그런 일이 있었지'라는 회상, 또는 추억을 환기하는 요소로 작용하면 그만이었다. 이런 전략은 특히 그의 세 번째 작품인 〈마농 레스코〉에서부터 굉장히 효과적으로 작용한다. 바그너가 음악적으로 정교한 방정식을 적용한 '순수화학'을 선보였다면, 푸치니는 이를 더 실제 인간의 감성에 치밀하게 파고들도록 만드는 '응용화학'을 이뤄냈다고 할 만하다.

오늘날의 시각에서 새삼스러운 일을 하나 더 떠올리고 싶다. 〈빌리〉는 손초뇨 단막 오페라 콩쿠르에 응모하기 위해 쓰였다고 말한 바 있다. 그러나 이 콩쿠르 심사에 참여한 푸치니의 은사 폰키엘리와 그에게 높은 평가를 내렸던 지휘자 파초는 이 작품을 외면했다. 그러고 나서 결국 이 작품은 손초뇨의 경쟁자인 리코르디에게 돌아갔고, 시간이 오래 걸리기는 했지만 푸치니는 베르디를 이어 리코르디의 달러박스가 되었다. 리코르디는 심지어 푸치니가 이 작품을 손초뇨 콩쿠르에 제출하기 전에 주요 부분을 모두 들어보기까지 했다. 이 모두가 '포스트 베르디'를 찾으려는 리코르디의 치밀한 공작과 폰키엘리의 묵인 내지는 도움 아래 이뤄진 것은 아니었을까.

확실한 것은, 푸치니의 첫 오페라 〈빌리〉는 20여 년 앞서 밀라노와 코모 호숫가를 뜨겁게 달군 스카필리아투라 예술가와 이론가 들의 격려 및 지원 아래서 탄생했다는 것이다. 평론가 필리피, 지휘자 파초, 대본작가 기슬란초니, 팔방미인 후원자 겸 이론가 살라, 그리고 이들과 친분이 두터웠던 폰키엘리와 리코르디 등이 모두 이 프로젝트에 크고 작게, 그리고 자신이 알게 모르게 관여했다.

푸치니가 이탈리아 오페라계의 왕관을 이어받을 수 있는 조건은 조성되었다. 카탈라니를 비롯한 수많은 경쟁자가 있었지만, 이미 '차기 왕'의 옹립을 위한 작전이 진행되고 있었던 것이다. 그러나 이를 완전히 수행하기 위해서는 아직 '황제' 베르디의 추인이 필요했다.

사랑의 도피

1884년 여름, 어머니를 장사 지낸 푸치니는 밀라노로 돌아갔지만 아무 일도 손에 잡히지 않았다. 다음 달 여동생 라멜데에게 보낸 편지에는 이렇게 적었다. "하루 종일 엄마 생각뿐이야. 꿈에도 나와. 오늘은 더 슬프네. 이제 성공한들 엄마가 없이는 행복할 수 없을 거야. 하지만 너는 기운을 내기 바란다. 나는 그렇게 하지 못할 것 같지만."

10월에 결국 푸치니는 〈빌리〉의 추가 흥행과 관련한 수많은 숙제를 남겨둔 채 고향 루카로 돌아왔다. 천성이 빈둥대기 좋아하는 데다 어머니를 여읜 슬픔에 사로잡힌 그는 무턱대고 시골을 걸어 다니다가 지쳐 집에 들어오곤 했다.

루카에서 서쪽으로 바다를 향해 30킬로미터쯤 걸어가면 넓은 석호潟湖 마사추콜리Massaciuccoli 호수가 나온다. 성벽으로 둘러싸인 루카 시내를 네 개쯤 집어넣을 수 있는 꽤 큰 호수다. 호수의 북쪽은 습지로 막혀 있고, 삼면은 갈대 등 물가에 자라는 풀로 우거져 있다. 오리 같은 물새들이 깃들기에 적합한, 평화로운 장소다. 오늘날에도 서쪽 일부만 인근 휴양지 비아레조로부터 뻗어온 주택가가 걸쳐 있을 뿐, 호숫가 대부분은 농경지와 한가로운 산책로다.

이 호수 동쪽과 서쪽 끝의 마을로 나룻배를 이용해 사람과 짐을 실어나르던 뱃사공 노포리는 어느 가을날 한 젊은이가 호숫가를 서성이는 것을 보았다. 그가 마치 "귀신같이 보였다"고 사공은 회상했다. "나는 작곡을 해요. 하지만 어머니가 돌아가신 뒤엔 송장이 되었어요." 흐린 눈동자의 이 청년은 하룻밤 자고 가고 싶다며 잘 곳을 소개해달라고 했다.

오늘날에도 이곳은 평화로운 정경을 유지하고 있다. 7년 뒤인 1891년, 갈 곳 잃은 마음을 달래던 이곳 토레델라고를 푸치니는 삶의 대부분을 보내게 될 터전으로 삼는다. 단지 생활의 장소였다는 의미에서 그치지 않는다. 이 호숫가의 정경은 그의 대표 흥행작인 〈라 보엠〉〈나비 부인〉 속에 깊숙이 침윤될 터였다.

겨울이 되도록 푸치니는 일을 다시 잡지 못했다. 어머니와의 추억이 깃든 루카와 주변 곳곳을 정처 없이 걸어 다닐 뿐이었다. 리코르디의 강권으로 〈빌리〉를 일부 수정하고 표기도 'Willis'에서 'Le Villi'로 바꾸었다. 남동생 미켈레를 시켜 밀라노의 하숙도 정리했다.

푸치니는 예상치 못한 곳에서 위로를 찾았다. 고향 루카의 동창생이었던 나르치소 제미냐니가 부인의 피아노 레슨을 푸치니에게

마사추콜리 호수

어머니를 여읜 슬픔에 잠긴 푸치니는 고향 루카 인근의 호숫가 마을 토레델라고를 서성인다.
고요하고 평화로운 정경의 이곳은 이후 그의 마음의 안식처이자 삶의 터전이 된다. 푸치니에
게 "세계에서 가장 아름다운 곳"이었다.

의뢰한 것이다. 빚도 많이 남아 있었고, 리코르디에서 받는 고정급만으로는 생활이 어려웠으므로 푸치니는 기분 전환 겸 제안을 수락했다.

부유한 상인이었던 제미냐니의 부인 엘비라Elvira Geminagni는 키가 컸고 옷을 멋지게 차려입었다. 부부에게는 딸과 아들이 있었지만 제미냐니는 집을 비우는 일이 많았다. 곳곳을 돌아다니며 주류 도매를 비롯한 비즈니스를 챙겨야 했기 때문이다. 레슨은 한 주에 두세 번 진행되었다.

푸치니와 베르디의 전기를 쓴 메리 제인 필립스매츠Mary Jane Phillips-Matz는 다소 심술궂게 베르디와 푸치니의 사랑 찾기에 나타난 공통점을 찾아낸다. 베르디의 10대 시절, 인근 소읍 부세토에 살던 상인 바레치는 젊은 음악가의 재능에 대해 듣고 딸의 피아노 레슨을 부탁한다. 그는 베르디의 친절한 후원자가 되었고 두 젊은이는 로맨스를 꽃피운다. 피아노 레슨은 두 오페라 대가에게 사랑을 선물로 주었다. 하지만 엘비라가 기혼녀라는 점에서 푸치니의 사랑은 위험했다.

1885년 겨울, 제미냐니는 오랜 사업여행 끝에 루카의 집으로 돌아왔다. 하녀가 훌쩍이며 그를 맞이했다. "마님이 집을 나갔어요, 푸치니 선생과 함께 도망갔다고요." 얼마 뒤 엘비라는 집에 찾아와 두 아이 중 딸 포스카Fosca만 데려갔다.

제미냐니는 이 달라진 상황을 억지로 회복하려 하지 않았다. 사실 그 자신이 타고난 바람꾼인 탓에 성질이 불같은 부인과 자주 다퉜기 때문이다. 그러나 선선히 '법률상 이혼'을 해주지도 않았다. 이 때문에 푸치니와 엘비라는 오랜 시간을 법적으로 보호받지 못하는 관계로 남아 있어야 했다.

푸치니와 엘비라가 제미냐니의 보복보다 두려워한 것은 친척과 고향 사람들의 비난이었다. 소식은 순식간에 퍼졌고 루카 사람들은 한때 자신들의 긍지였던 이 젊은 작곡가가 도시를 더럽혔다며 울분을 토했다. 가문의 명예에 금이 가자 누나들과 동생들도 치를 떨었다. 일단 피할 곳이 필요했다.

두 사람은 밀라노와 마자니코 사이에 있는 코모 호수 부근 도시 몬차Monza의 작은 방으로 몸을 피했다. 일단 세간의 관심으로부터 도피한 것이지만 푸치니는 실제로 언젠가 제미냐니가 찾아와 주먹을 날릴까 봐 두려움에 떨었다. 그래도 가까운 친구들은 푸치니와 그의 '신부'가 어디 숨어 있는지 알고 있었다. 푸치니의 밀라노 음악원 동창인 아르투로 부치페차(앞서 밀라노 갈레리아에서 푸치니와 함께 휘파람으로 카드 게임에서 속임수를 썼던 인물)는 다음과 같이 이 시기의 일화를 회상한다.

카탈라니와 일리카, 마스카니, 폰타나 등등 친구들이 푸치니와 엘비라가 살던 몬차 집으로 놀러갔다. 그런데 이 많은 사람을 먹일 돈이 없었다. 푸치니 남동생 미켈레가 새장을 들고 나가서 팔았다. 그래도 돈이 충분하지 않았다. 마침 근처 담배가게 아가씨가 미켈레와 가깝게 지냈다. 미켈레는 아가씨에게 "형이 런던으로 악보를 잔뜩 보내야 한다"며 우표를 많이 달라고 했다. 아가씨는 우표를 내줬고 미켈레는 이를 고기와 바꿨다. 엘비라는 이 고기를 요리해 썩

푸치니의 가족

푸치니는 동창생 제미냐니의 아내 엘비라와 사랑의 도피를 결심할 때 엘비라의 자녀 중 딸 포스카(위 사진의 가운데)만 데리고 갔다. 이후 두 사람 사이에 아들 안토니오(아래 사진의 오른쪽)가 태어났다. 돈은 늘 궁했고 세간의 비난 때문에 이 부부는 합쳤다 떨어졌다를 반복했다. 이들은 제미냐니가 죽은 후에야 비로소 정식 부부가 될 수 있었다.

맛좋은 저녁을 내왔다.

〈라 보엠〉의 한 장면에 넣어도 될 법한, 우스꽝스러우면서도 유쾌한 젊은이들의 하룻저녁 풍경이었다.

1886년 12월 두 사람의 아들 안토니오Antonio(애칭은 토니오)가 태어났다. 가족들은 몰랐지만, 엘비라가 도피를 결정한 이유도 불러가는 더 이상 배를 숨길 수 없었기 때문이다. 그러나 이들의 신혼은 이후에도 결코 순조롭지 않았다. 돈은 늘 궁했고, 푸치니의 누나들과 친척들이나 제미냐니 가문, 엘비라의 친정인 본투리 가문 사람들이 걸핏하면 '가만두지 않겠다'고 으름장을 놓은 탓에 '부부'는 합쳤다 떨어졌다를 반복했다. 푸치니는 "엘비라와 헤어졌다"고 지인들에게 거짓말을 하며 루카로 돌아가 있기도 했다.

위기에 처한 두 번째 오페라

이 시기에 푸치니는 힘겨운 상황 속에서 두 번째 오페라를 작업 중이었다. 〈빌리〉의 성공 이후 두 번째 작품도 폰타나가 대본을 쓰기로 했다. 이번에는 〈빌리〉 같은 간소한 작품이 아니라 베르디의 대작에 맞먹는 규모여야 했다.

폰타나는 처음에 〈마농 레스코〉를 소재로 제안했다. 그러나 논의를 거쳐 이 안은 폐기되었다. 이 소재는 이후 푸치니의 세 번째 오페라가 될 것이었다. 대신 프랑스 작가 알프레드 뮈세Alfred de Musset의

「컵과 입술」이라는 장시長詩가 소재로 채택되었다. 1885년 5월, 폰타나는 대본을 완성했다.

줄거리는 다음과 같다. 용감한 기사 에드가는 피델리아와 사랑하는 사이다. 그런데 이민족 출신의 고아로 자란 고혹적인 여인 티그라나가 나타나 에드가를 유혹해 떠나버린다. 이후 티그라나와의 육욕적 생활에 싫증난 에드가는 출정하는 군대를 보고 티그라나를 뿌리치며 이에 합류한다. 장면은 바뀌어 에드가의 용감한 전공과 충성을 추모하는 장례식이 열린다. 피델리아는 애절한 이별의 아리아를 부른다. 그러나 에드가가 나타나 자신은 죽지 않았다고 선언한 뒤 피델리아의 손을 잡고 떠나려 한다. 티그라나는 피델리아를 찔러 죽인다.

푸치니의 두 번째 오페라 〈에드가〉는 1889년 4월 21일 스칼라 극장에서 초연되었다. 그를 변함없이 응원했던 프랑코 파초가 지휘봉을 들었고 출연진도 당대 최상급이라 할 만했다. 결과는 참패였다. 단 두 회 상연 후 극장에서 내려야 했다.

무엇이 문제였을까? 〈에드가〉에 매달릴 때 푸치니는 안정되게 작업할 수 있는 상황이 아니었다. 특유의 게으름에, 어머니를 잃은 직후의 괴로움, 엘비라와의 은밀한 불꽃 연애 또는 치정 사건, 가족과 루카 이웃들의 비난과 헤어지라는 강요, 질책, 아들의 출생, 그런 와중에도 가족과 떨어졌다 합쳤다를 반복해야 하는 등 단 한 가지도 마음 편한 점이 없었다. 계약대로라면 작업이 늦어지는 바람에 리코르디의 고정급도 끊길 위기에 처했다. 그렇지만 리코르디는 계속 고정급을 지급했다. 줄리오 리코르디가 직원들의 반대를 무릅쓰고 결정한 일이었다.

푸치니는 이후 여러 차례 악보를 손질하며 이 작품을 살려보려 애썼다. 그러나 순조롭지 않았다. 그는 이 작품의 실패에 대한 분명한 이유를 알고 있었는지는 모른다. 오늘날엔 모든 것이 분명해 보인다. 1890년대가 가까워 오는 시점에서 〈에드가〉에 등장하는, 정형화된 마네킹 같은 중세풍 주인공들에게 관객이나 비평가가 감정이입을 하기란 힘든 일이었다. 이듬해엔 이미 마스카니의 〈카발레리아 루스티카나〉, 혹은 레온카발로의 〈팔리아치〉처럼 이탈리아 서민이 저잣거리에서 만날 것 같은 주인공들의 치정극이 무대를 장악하기 시작했다.

〈에드가〉의 무대가 중세였다는 것이 문제가 아니다. 대본을 살펴보면 주인공들이 자연스러운 감정에 따라 행동하는 것인지, 그저 주어진 정형화된 역할을 읊조리는 것인지 의심이 든다. 심지어 여주인공들의 이름도 '피델리아'(정결녀)와 '티그라나'(호랑이 여인)였다.

그럼에도 이 작품에 관심과 애정을 보인 사람이 있었다. 당대 이탈리아 오페라의 대명사인 주세페 베르디였다. 밀라노 지식사회에는 베르디가 스칼라 극장에서 〈에드가〉를 재공연하도록 하기 위해 압력을 행사하고 있다는 소문이 광범위하게 퍼져나갔다.

베르디는 이 오페라 초연을 관람하려 했으나 일정 문제로 불발되었고 나중에는 극장 측이 바로 작품을 내리는 바람에 공연을 직접 보지 못했다. 그러나 그는 이미 〈에드가〉 악보를 (아마도 리코르디로부터) 입수해 검토했고, 푸치니의 '극에 대한 감각'이 뛰어나다며 칭찬

〈에드가〉 대본집 표지

푸치니는 첫 오페라 〈빌리〉로 오페라계의 새로운 스타로 떠올랐지만, 황제로 등극하기 위해서는 베르디의 인정이 필요했다. 푸치니는 이 점을 의식해 베르디 마음에 들 만한 요소를 넣었고, 〈에드가〉는 흥행에 참패했음에도 불구하고, 베르디의 지지를 이끌어냈다.

했다.

그럴 만했다. 오늘날 이 오페라를 찬찬히 뜯어보면 이 작품은 푸치니의 어떤 작품보다 눈에 띄게 '베르디적'이다. '푸치니의 다른 작품과 다르게' 베르디를 모방했다고 말한다면 그것은 적절하지 않다. 푸치니는 선배 또는 동시대 작곡가의 기법을 가져다가 자신에게 적합하게 응용하는 데 능했으며, 그렇다고 해서 푸치니적 특징을 내던진 일도 없기 때문이다.

그러나 〈에드가〉는 그 어떤 푸치니의 오페라보다 더 베르디적 특징을 짙게 깔고 있다. 소재부터 남자들 사이의 투쟁, 순결무구한 여주인공, 주인공이 부르는 후회의 아리아, 전쟁터로의 소집 등 베르디 오페라에서 익숙한 특징이 드러난다. 음악적으로도 이 작품은 많은 면에서 특히 〈아이다〉를 연상시킨다. 1막 끝, 에드가가 친구 프랭크를 찌르고 티그라나와 함께 떠나버리는 장면이나 피날레에서 여주인공 피델리아가 악녀 티그라나의 칼에 찔리는 장면은 특히 그렇다. 짙고 어두운 화음 진행, 관현악의 색깔 등 베르디가 들었다면 "내 후계자로군!" 하고 미소 지으며 고개를 끄덕였을 만한 요소가 다분하다.

그 이유를 생각해보면 이렇다. 레코 호반의 스카필리아투라 음악가와 이론가 들은 1860년대에 독일과 프랑스 예술계를 본받아 이탈리아 예술을 갱신하려 했다. 이들은 기존 예술의 아이콘이었던 베르디와 대립각을 세웠고, 1880년대에는 화해한 상태였다. 그러나 베르디는 여전히 이들의 '외국 바라기'에 불만이 남아 있었다. 푸치니의 첫 오페라 〈빌리〉에 대해서도 푸치니의 수법이 '교향악적'인 것에 치우쳐 있다고 지적했는데, 여기서 '교향악적'이란 오스트리아-독일적인 것과 같은, 또는 가까운 의미였다.

푸치니는 스카필리아투라 그룹의 지원과 노력에 힘입어 이탈리아 오페라계의 새로운 스타로 떠올랐지만 '베르디를 잇는 이탈리아 오페라의 새로운 황제'로 등극하기 위해서는 이들 외에 베르디의 승인 또는 추인이 필요했다.

푸치니로서는 두 번째 작품에서 이 점을 의식하지 않을 수 없었고, 베르디의 마음에 들 만한 특색이 무엇일지 신경을 썼을 것이다. 결국 〈에드가〉는 흥행에 실패했지만 베르디의 지지를 얻어낸다는, 그 단계에서 푸치니에게 필요했던 부수의 성과를 얻었다.

오늘날 거의 잊힌 〈에드가〉를 소개하는 데 긴 시간을 보낼 생각은 없다. 그러나 3막 초반의 장송 장면(레퀴엠)과 이어지는 피델리아의 애도의 노래 '안녕, 내 친절한 사랑Addio, mio dolce amor'은 꼭 들어보길 권한다. 푸치니의 다른 작품에서 찾기 힘든, 감각적이라기에 앞서 영적인 클라이맥스를 맛볼 수 있다. 이때까지만 해도 푸치니를 사로잡고 있던, 어머니에 대한 그리움이 영향을 미쳤을지도 모른다. 오랜 시간이 지나, 밀라노 두오모에서 열리는 푸치니의 장례식에서 이 장면의 음악이 연주된다.

이제 베르디의 뒤를 이을 이탈리아 오페라계의 제왕 자리를 놓고 다투는 경쟁은 한층 치열해졌다. 리코르디로서는 두 번째 작품에서 신통치 않은 결과를 보인 푸치니 카드를 포기하고 새로운 재능의 소유자를 찾아볼 수도 있었다. 실제 리코르디 사내에서도 푸치니에 대한 회의적인 시각이 팽배했다. 그러나 1888년 아버지 티토의 죽음으로 의사결정 전권을 이어받은 줄리오 리코르디는 이번에도 푸치니 카드에 전적인 신뢰를 보냈다. 그는 '선수'를 바꾸지 않고 푸치니에게 다시 기회를 주었다.

생전에 푸치니의 어머니 알비나가 전력을 기울인 양대 과업은 장남 자코모를 성공한 음악가로 만드는 것, 그리고 딸들을 좋은 집안에 시집보내는 것이었다. 여동생 하나는 수녀가 되었고, 누나들은 어머니의 소망대로 점잖은 가문의 전문직 남자와 결혼했다.

그러나 1890년경 푸치니의 남매들은 집안의 희망이던 장남 자코모에게서 등을 돌린 상태였다. 심지어 가장 친했던 바로 아래 여동생 라멜데는 자기 집에 '사생아' 토니오가 발을 들여놓지 못하도록 쫓아내기까지 했다. 피붙이가 아닌 다른 루카 사람들의 차가운 시선은 말할 것도 없었다. 유일하게 형의 편이었고 형수와도 잘 지냈던 남동생 미켈레조차 1889년에 새로운 세상을 좇아 아르헨티나로 이민을 가버렸다. 그리고 이듬해 3월 27세 나이에 황열병으로 갑자기 세상을 떠났다. 머나먼 곳에서 전해진 소식을 들은 푸치니와 누이들의 애통함은 컸다. 이 사건은 남매를 어느 정도 다시 뭉치게 했다. 엘비라와 토니오에 대한 누이들의 배척도 줄어들었다. 라멜데는 조카 토니오를 종종 봐주었다.

〈에드가〉는 리코르디와 베르디까지 가세하여 노력했음에도 흥행이 순조롭지 않았다. 이듬해인 1892년에는 이국 스페인의 마드리드 왕립극장에서 당대 최고 테너였던 프란치스코 타마뇨 주연으로 대대적인 프로모션에 들어갔지만 역시 관심을 얻는 데 실패했다. 반면 첫 작품인 〈빌리〉는 짧고 어중간한 길이에도 불구하고 이탈리아 전역을 넘어 부에노스아이레스까지 진출하며 쪼들렸던 젊은 작곡가에게 위안이 되어주었다. 1890년에는 이탈리아 브레시아Brescia에서 토스카니니가 처음 이 작품을 지휘했고, 1892년에는 구스타프 말러도 함부르크에서 이 작품을 지휘했다. 각자 명성을 쌓은 뒤 말러와 푸치니는 개와 고양이 사이가 되었지만, 그것은 훗날의 이야기다.

오페라 왕좌의 후보자들

만약 푸치니가 베르디의 왕좌를 이어받지 못했다면, 베르디를 잇는 차세대 오페라계의 왕좌는 누가 차지했을까?

물론 한 세대에 지배적인 거장이 한 사람만 있는 것은 아니다. 베르디가 등장하기 전에도 이탈리아 오페라계에 조아키노 로시니, 빈첸초 벨리니, 가에타노 도니체티라는 세 거장이 19세기 초중반의 화려한 벨칸토 시대를 꽃피웠다. 푸치니가 등장하지 않았거나, 또는 커다란 존재로 자리 잡지 않았더라면 그만그만한 여러 대가가 경쟁하며 인기를 얻는 군웅할거의 시대로 들어갈 수도 있었다.

그래도 상상은 즐거운 일이다. 푸치니가 아니었다면 누구였을까? 누가 가장 우뚝한 존재로 섰을까. 우선 꼽을 만한 인물은 피에트로 마스카니Pietro Mascagni다. 그는 밀라노 음악원 재학 시절 푸치니와 그의 남동생 미켈레와 짧게 하숙을 함께했다. 1890년, 단막 오페라 〈카발레리아 루스티카나〉가 손초뇨의 신작 오페라 공모에서 우승하고 흥행에서도 폭발적인 성공을 거두면서 마스카니는 단숨에 이탈리아 오페라의 기대주로 떠올랐다. 이후에도 이듬해 〈친구 프리츠〉 등 성공작을 계속 내놓았고 죽기 10년 전인 1935년까지 푸치니의 작품 수보다 많은 16편의 오페라 또는 오페레타를 발표했다. 그의 성공에는 손초뇨의 후원도 큰 역할을 했다. 푸치니와 마스카니의 경쟁관계는 사실상 리코르디와 손초뇨의 대항관계였다.

주세페 베르디(1813~1901)

내 인생의 거장을 만나는 특별한 여행

CLASSIC CLOUD

클래식 클라우드

arte

셰익스피어, 니체, 클림트, 페소아, 푸

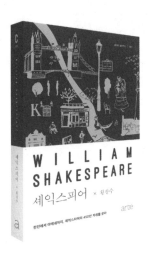

클래식 클라우드 │ 001

**"런던에서 아테네까지,
셰익스피어의 450년 자취를 찾아"**

한 시대가 아니라 모든 시대를 위해
존재한 작가, 인간의 모든 감정을
무대 위에 올린 위대한 스토리텔러
셰익스피어의 작품이 남긴
자취를 찾아가는 국내 최초의 문학기행

셰익스피어 × 황광수 지음

340쪽 │ 값 18,800원

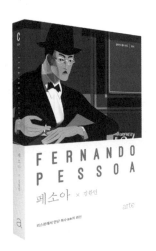

클래식 클라우드 │ 004

**"리스본에서 페소아가 되어
읽고 듣고 묻고 느끼다"**

120여 명의 이명 작가가 되어
포르투갈어, 영어, 프랑스어로 시, 소설,
희곡, 평론에 다양한 문학세계를 펼친
페르난두 페소아의 삶과 독특한
작품세계를 탐색하는 문학기행

페소아 × 김한민 지음

344쪽 │ 값 18,800원

당신에게도 깊이 알고 싶은 사람이 있나요?

책에서 여행으로, 여행에서 책으로
한 사람과 그의 세계를 깊이 여행하게 될 때,
우리의 삶은 어떻게 달라질까요?

'클래식 클라우드'는 아무도 제기하지 않았던 질문에서 출발합니다. 수백 년간 우리 곁에 존재하며 '클래식'으로 남은 세계적 명작들, 누구나 알지만 아무도 제대로 읽지 않는 작품들에 좀 더 쉽게 다가가 지금 여기, 우리의 눈으로 공감하며 체험할 수는 없을까.

'클래식 클라우드'는 명작의 명성보다 '한 사람'에 주목합니다. 위대한 작품 너머 한 인간이 삶을 걸었던 문제를 먼저 생각하고자 합니다. 명작의 가치를 알아보는 일은 한 창작자가 세상을 바라보았던 시각, 언제, 어디에서, 무엇을 위해, 어떻게 살았는지를 배우는 일이기 때문입니다.

'클래식 클라우드'는 100%의 독서를 지향합니다. 우리가 가장 알고 싶어 하는 거장의 삶과 명작이 탄생한 곳으로 떠나는 특별한 여행수업에 믿음직한 안내자가 함께한다면? 작품에 숨겨진 의도와 시대적 맥락까지 이해할 수 있는 완전한 독서! 기획에서 개발까지 5년, 우리 시대 대표작가 100인이 '클래식 클라우드'를 위해 내 인생의 거장을 찾아 12개국 154개 도시로 여행을 떠납니다.

'클래식 클라우드'는 우리 시대 새로운 거장들을 기다립니다. 누구보다 뛰어났던 거장들의 놀라운 작품들을 만나고, 삶을 뒤바꾼 질문과 모험을 경험하며 시공간을 초월해 오늘 우리의 고민을 다시 바라보게 할 실마리들을 찾아봅니다. 천재들의 영감을 '나의 여행'으로 만나는 시간들이 우리 일상 가까이 작은 거장들의 탄생으로 이어지기를 기대합니다.

문학, 예술, 철학, 과학까지 다양한 분야를 아우르는 국내 최대 인문기행 프로젝트 '클래식 클라우드'가 '한 사람'을 깊이 여행하는 즐거움으로 여러분을 초대합니다.

클래식 클라우드 | 002

"알프스에서 만난 차라투스트라"

죽음에 이르는 고통에서 기꺼이
삶의 의미를 읽어낸 철학자,
망치를 들고 신을 대면했던 니체의
삶이 지나간 길, 사상이 태어난
알프스에서 이진우 교수와 함께
'나'의 의미를 탐색하는 철학기행

니체 × 이진우 지음

352쪽 | 값 18,800원

클래식 클라우드 | 005

**"토스카나의 새벽을 무대에 올린
　오페라의 제왕"**

정교한 선율과 격정의 드라마로
전 세계를 매혹한 감상주의 마법사!
유윤종 기자와 함께 푸치니의
발자취를 따라 떠나는 이탈리아 음악기행

푸치니 × 유윤종 지음

324쪽 | 값 18,800원

로 초대합니다

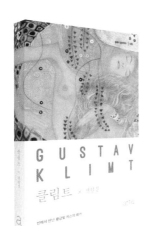

클래식 클라우드 | 003

"빈에서 만난 황금빛 키스의 화가"

변혁의 세기말, 과거와 현재가 공존한
모순의 도시 빈과 놀라운 천재성이
만나 이뤄낸 유니크한 혁신,
전 세계 예술계를 뒤흔들었던
클림트의 걸작들과 영감의 세계로
전원경 교수가 안내하는 예술기행

클림트 × 전원경 지음
304쪽 | 값 18,800원

런던, 파리, 프라하, 빈, 피렌체, 리스본, 도쿄… 12개국 154개 도시!
우리 시대 대표작가 100인이 내 인생의 거장을 찾아 떠나다.
한 사람을 여행하는 즐거움, 클래식 클라우드!

클래식 클라우드 시리즈는 계속 출간됩니다. ••• 근간목록은 발간순에 따라 변경될 수 있습니다.

___

일상에 깊이를 더하는 클래식 클라우드! 내게 맞는 채널로 즐겨보세요.

김태훈의 책보다 여행

2017 네이버 책문화 오디오클립 BEST 3
작가의 목소리로 듣는 '책 미리보기'
네이버, 팟빵, 팟캐스트에서 검색하세요.

클래식 클라우드

다양한 강연, 이벤트 및
작가와 떠나는 여행정보까지
네이버, 페이스북에서 검색하세요.

피에트로 마스카니(1862~1945)   루제로 레온카발로(1857~1919)

손초뇨 진영에 선 인물로는 루제로 레온카발로Ruggero Leoncavallo도 있었다. 마스카니의 〈카발레리아 루스티카나〉를 본 그는 어릴 때 들었던 동네 살인극 얘기를 떠올리고 곧바로 첫 오페라 〈팔리아치〉의 대본을 직접 쓴 뒤 곡을 붙여 1892년 대성공을 거둔다. (이 작품이 마스카니의 〈카발레리아 루스티카나〉와 같은 해 손초뇨 공모에 응모했다가 떨어졌다고 아는 사람도 있지만 사실이 아니다.) 이후 그도 마스카니와 나란히 손초뇨의 후원을 받게 된다.

마스카니와 레온카발로 외에, 〈앙드레아 셰니에〉를 푸치니의 〈라 보엠〉과 같은 해 성공시킨 움베르토 조르다노Umberto Giordano도 잠재적인 푸치니의 경쟁자로 꼽혔다. 그러나 그는 1898년 〈페도라〉 외에는 이후 뚜렷한 성공작을 내놓지 못했다.

알베르토 프랑케티Alberto Franchetti도 푸치니의 경쟁자군에 속하는 인물이었다. 일찍이 독일에 유학해 바그너풍의 중후한 스타일에 익숙했던 그는 1902년 〈제르마니아〉를 성공시켜 주목받았지만 제1차 세계대전 중에 이 작품은 잊혔다. 이탈리아 작곡가가 적국인 독일의 주인공들을 등장시킨 작품이었기 때문이다.

그러나 푸치니가 가장 두려워한 경쟁자는 따로 있었다. 바로 네 살 위의 알프레도 카탈라니Alfredo Catalani였다. 푸치니가 밀라노 음악원으로 처음 유학을 왔을 때, 따뜻한 고향 선배로서 그에게 저녁을 사주고 밀라노 문화계의 요인들에게 소개해준 인물이다. 푸치니 자신도 어머니에게 보내는 편지에서 그의 호의에 대한 감사의 마음을 표현하곤 했다.

오늘날 세계는 카탈라니의 오페라 〈라 왈리〉 속 아리아 '나 멀리 떠나리Ebben! Ne andrò lontana'를 자주 들어 알고 있다. 한국을 비롯한 여러 나라에서 CF나 드라마의 서정적 효과를 높이는 배경음악으로 사용되어왔기 때문이다. 그러나 음악 팬들이 평소 접할 수 있는 카탈라니의 작품은 이 짧은 아리아 하나에 한정된다. 카탈라니는 왜 오페라 역사의 뒤편으로 사라졌을까.

루카의 푸치니 집에서 두 블록 떨어진 곳에서 살았던 카탈라니는 밀라노 음악원에서 안토니오 바치니와 아밀카레 폰키엘리를 사사했다. 1880년 두 번째 오페라 〈엘다〉를 토리노에서 초연하면서 카탈라니는 음악계의 집중적인 조명을 받기 시작했다. 바로 그해, 밀라노 음악원에 동향 후배인 푸치니가 입학한다.

리코르디의 탄탄한 지원을 받은 푸치니는 1893년 〈마농 레스코〉의 성공에 이어, 1896년 〈라 보엠〉, 1900년 〈토스카〉에서 완벽한 성공을 거둠으로써 베르디의 뒤를 이을 이탈리아 오페라의 제왕 자리를 튼튼히 다졌다. '베르디의 후계자이자 이탈리아 오페라의 대표자'를 옹립하기 위한 치열한 경쟁 속에서 줄리오 리코르디는 시종일관 흔들림 없이 푸치니의 손을 들어주었다. 카탈라니는 바로 이런 리코르디의 확신 속에서 희생된 주인공이었다.

카탈라니도 초기에는 '푸치니의 리코르디' 못지않은 든든한 후원자가 있었다. 여성 출판업자이자 흥행사이며, 카탈라니와 푸치니의 고향 이름을 성姓으로 가지고 있던 조반니나 루카였다. 루카의 후원 아래 카탈라니는 〈엘다〉〈데자니스〉〈에드메아〉 등 초기 세 작품을 순조롭게 내놓았다. 그러나 1888년 건강 악화로 루카는 사업을 라이벌인 리코르디에게 매각하고 은퇴해버렸다. 카탈라니는 졸지에 리코르디 소속이 되었다.

알프레도 카탈라니(1854~1893)

카탈라니 생가 명패

그는 푸치니에 대한 리코르디의 편애를 감수해야 했다. 친구에게 보내는 편지에서 그는 "이제 현실적으로 흥행이 되는 출판사는 단 하나인데, 이 사람이 푸치니 말밖에는 듣지 않는다. 하지만 어쩌겠는가. 이 왕조가 예술계를 지배하는데"라고 투덜거렸다. 그리고 덧붙였다. "이제 푸치니가 베르디의 후계자다. 베르디는 종종 '선한 왕' 같은 모습으로 자기의 '황태자'를 저녁 식사에 초대한다."

회사 합병 당시 카탈라니는 회심작 〈로렐라이〉를 거의 완성한 단계였지만 리코르디는 푸치니의 〈에드가〉를 내놓는 데 힘을 기울이느라 〈로렐라이〉 초연을 1년이나 미루었다. 〈에드가〉가 초연에서 낙제점을 받았지만 리코르디는 〈로렐라이〉로 눈을 돌리지 않고 대신 베르디의 힘을 빌려 스칼라 극장에 〈에드가〉를 재상연하라고 압력을 넣었다.

카탈라니는 최후작이자 최고 걸작으로 꼽히는 〈라 왈리〉를, 리코르디에 대한 기대를 접고 계약서를 쓰지 않은 채 작곡했지만 흥행을 위해서는 리코르디의 힘을 빌려야만 했다. 리코르디는 푸치니에게라면 절대 내밀지 않았을 터무니없는 불공정 계약서를 뒤늦게 제시했다. 60회 공연이 이루어지고 난 이후에야 작곡가에게 보수를 지급하겠다는 것이었다. 카탈라니는 일기에서 분통을 감추지 않았다. "오, 리코르디, 나쁜 녀석! 이제 겨우 서른 몇 번 공연했을 뿐인데 60회가 넘어야 돈을 준다고?" 결국 그는 돈을 받지 못한 채 사망했다. 1893년 8월 7일, 사인은 폐결핵이었다.

이듬해 3월, 카탈라니의 시신은 화장되어 고향인 루카에 뿌려졌다. 푸치니의 미래를 위협했던 경쟁자는 그렇게 사라졌다. 푸치니도 선배의 재를 뿌리는 의식에 참여했다.

03

만나고 헤어지고 다시 만나다

〈마농 레스코〉와 〈라 보엠〉

토레델라고의 마사추콜리 호수

낙원에서의 물새 사냥

다행히 달밤이로군요. 아가씨 잠깐, 내가 누구고 뭘 하는 사람인지
들어줄래요?

푸치니의 오페라 〈라 보엠〉 1막. 주인공인 시인 로돌포의 노래처
럼 둥실 밝은 달이 빛났다. 무대조명이 아닌 실제 달이 예쁘게 무대
와 그 뒤편 호수를 비추고 있었다. 2016년 여름, 토스카나 주 서부
마사추콜리 호숫가에 면한 '토레델라고 푸치니' 마을. 호숫가에 설
치한 무대를 배경으로 열리는 '푸치니 페스티벌' 개막 이틀째 밤이
었다.

'40년에 걸친 옛 대가와의 인연이 나를 이곳으로 데려왔구나.' 감
회가 없을 리 없었다. 푸치니의 고향 루카에서 서쪽으로 30킬로미
터 떨어진 이 마을은 푸치니가 생애 대부분을 보낸 곳이기도 하다.
푸치니 빌라Villa Puccini에서 호수를 마주 보고 왼쪽으로 시선을 돌리

면 야외에 설치한 4천 석의 거대 객석이 보인다.

푸치니는 1924년 후두암으로 투병 중에 리브레토liberto(오페라의 각본) 작가 포르차노에게 "나중에 야외에서 내 오페라가 공연되는 걸 보고 싶다"고 말했다. 그가 죽고 6년 뒤 포르차노의 주도로 푸치니가 생애 대부분을 살며 〈라 보엠〉〈토스카〉〈나비 부인〉 등 걸작 오페라를 쏟아냈던 호숫가에서 〈라 보엠〉 공연이 열렸고, 1949년부터는 야외 오페라 축제가 매년 개최되었다.

이 축제는 매년 7, 8월 푸치니 작품을 네 작품씩 돌아가며 공연한다. 전설적인 테너 마리오 델 모나코는 여기에서 오페라 〈외투〉로 은퇴 공연을 했고, 바리톤 티토 고비는 이곳에서 연출가로 데뷔했다. '3대 테너'의 일원이었던 플라시도 도밍고는 이곳에서 종종 지휘봉을 든다.

공연이 시작되기 전 객석은 뒤편 일부를 제외하고는 거의 가득 찼다. 길거리의 포스터 한 장까지 1840년대 파리를 사실적으로 재현한 무대는 공연이 시작되자마자 근사한 몰입감을 선사했다.

이날 무대에서 가장 기대를 모은 인물은 여주인공 미미 역의 소프라노 피오렌차 체돌린스였다. 밀라노의 스칼라 극장을 비롯한 세계 최고의 무대에서 푸치니의 히로인 거의 모두를 연기하고 있는 주인공이다. 윤곽이 뚜렷한 이목구비와 큰 키, 약간 낮게 위치한 공명점은 가녀린 미미의 이미지와 맞지 않았지만, 낙차 큰 강약 대비와 자유로운 음색 전환으로 호소력 있는 미미를 전달했다.

나는 이 페스티벌을 보기 위해, 루카에서 출발해 피사에서 한 번 갈아타고서야 지선 열차로 토레델라고 역에 도착했다. 멀지 않은

2016년 토레델라고의 푸치니 페스티벌 무대

푸치니는 후두암으로 투병 중 야외에서 자신의 오페라가 공연되는 것을 보고 싶다고 말했다. 마사추콜리 호숫가에서 첫 공연이 열린 때는 1930년으로, 푸치니는 자신의 야외 오페라를 보지 못하고 1924년 세상을 떠났다.

푸치니 페스티벌 포스터

푸치니가 사랑한 작은 마을 토레델라고는 1949년부터 매년 여름이면 푸치니를 사랑하는 이들을 전 세계에서 불러 모은다. 〈나비 부인〉의 주인공들이 호수를 바라보는 포스터를 보고서야 푸치니 페스티벌의 현장에 와 있다는 것을 실감했다.

거리임에도 한 시간 10분가량 걸린다. 남유럽 특유의 격자창이 한적한 분위기를 전해주는, 2층짜리 한적한 역사에 내리는 사람이 많지 않다.

왼쪽으로 나와 오른쪽으로 코너를 돌면 마을의 중심 도로인 '자코모 푸치니 길'로 접어든다. 이 길로 죽 걸어가면 호반의 푸치니 빌라에 닿을 것이다. 왼쪽으로 골목 표지판이 시선을 잡아끈다. '루이지 일리카 길Via Luigi Illica.' 루이지 일리카는 〈라 보엠〉〈토스카〉〈나비 부인〉 탄생에 핵심적 역할을 한 대본작가다. '재미있군.' 이어 오른쪽은 '3부작 길Via Trittico'이다. 푸치니 만년의 오페라 '3부작'을 뜻하는 말이다. 계속해서 왼쪽, 오른쪽으로 라 보엠 길, 토스카 길, 투란도트 길, 라 론디네 길, 잔니 스키키 길, 외투 길, 나비 길이 이어진다. 모두가 푸치니의 오페라 제목에서 따온 이름이다.

계속 걷다보면 어느 순간 눈이 탁 트이고 눈앞에 호수가 모습을 드러낸다. 널찍한 광장 한쪽에 푸치니 빌라 표지가 보인다. 이 집은 잠시 놓아두고, 호수를 마주 보고 오른쪽으로 계속 발걸음을 옮긴다. 방문객의 접근이 더 이상 허락되지 않은 광장 끝쪽에, 호수에 면한 회색 탑이 보인다. 탑이라기엔 다소 왜소하다. 2~3층 건물 높이 정도 될까. 언제, 누가 지었는지 아는 이도 없다. 그렇지만 호숫가에 인공물이라고는 갈대를 묶어 지붕을 이은 오두막 몇 채뿐이던 시절, 이 탑은 홀로 눈에 띄었을 것이다. 마을의 이름인 '토레델라고'(호수의 탑)도 여기에서 나왔다.

리코르디가 푸치니의 세 번째 오페라로 처음 제안한 소재는 프랑스 희곡작가 빅토리앵 사르두Victorien Sardou의 〈토스카〉였다. 하지만 푸치니는 '내게 맞지 않는 소재'라며 주저했다. 결국 세 번째 작품 소재는 〈빌리〉 성공 직후 두 번째 작품으로 논의됐던 〈마농 레스코〉로 결정되었다. 작품 소재를 놓고 보인 푸치니의 주저, 혼돈, 순서 변경, 긴 작업 끝의 소재 변경은 이후에도 평생 계속된다.

1889년, 리코르디는 푸치니를 스칼라 극장 관계자 및 리코르디 소속 무대 디자이너와 함께 파리에 보낸다. 첫 번째 미션은 파리 만국박람회에 참석해 리코르디의 '홍보사절' 역할을 하는 것이었다. 두 번째 미션은 오는 길에 바그너 축제가 열리는 바이로이트 축제 극장에 들러 〈뉘른베르크의 마이스터징거〉를 보고 오는 것이었다.

리코르디는 이 작품을 수입해 스칼라 극장에 가져올 예정이었지만 다섯 시간 가까이 걸리는 작품을 원형 그대로 공연할 수는 없었다. 바그너 작품을 잘 아는 푸치니는 이 작품을 '사정없이 잘라 편집하는' 임무에 적격이었다. 그는 가져간 악보에 "바이로이트 7월 25일, 멋진 공연. 매우 인상적"이라고 적었다.

귀국 후 바로 차기작 〈마농 레스코〉에 대한 계획이 결정되었다. 대본은 루제로 레온카발로라는 야심만만한 문인 겸 작곡가가 쓰기로 했다. 그해 여름을 스위스에서 함께 보내며 낯을 익힌 인물이었다. 푸치니의 〈마농 레스코〉 계획에 베르디도 큰 관심을 보였다. 그는 리코르디에게 계속해서 "푸치니의 마농은 어찌 되어가는지?"라고 물었다.

1891년 6월, 루카 서쪽 마사추콜리 호숫가에 살던 화가 페루치오 판니는 그림을 그리다가 남자 두 명이 우마차에 탄 채 다가오는 것을 보았다. 둘은 판니가 그림을 그리는 모습을 잠시 본 뒤 다시 멀어졌다. 누군가 잠시 후 다가와 물었다.

"두 사람이 지나가는 걸 보았어?"

"봤지요. 왜요?"

"그중 젊고 체격이 큰 사람이 푸치니야. 왜, 옆 동네 피사의 베르디 극장에 지난번 〈빌리〉라는 오페라가 올라갔잖아."

푸치니는 마사추콜리 호숫가 서쪽에 작은 집을 사서 정착했다. 푸치니가 8년 전 어머니가 돌아가셨을 때 정처 없이 방랑했던 바로 그곳이다.

토스카나 다른 지역은 아름다운 경치와 중세의 매력적인 정취 덕택에 당시에도 관광객이 모여들었지만 이곳만은 원시와 다름없는 풍경이 간직되고 있었다. 큰 이유는 호숫가 부근, 특히 북쪽이 습지여서 모기가 많고 말라리아가 자주 발생한다는 악평 때문이었다.

처음에 푸치니는 단지 〈마농 레스코〉 작업에 집중할 수 있는 작업실을 찾아보려 했다. 그러나 이윽고 엘비라가 따라왔다. 두 사람은 어려운 경제적 사정과 고향 사람들의 비난 때문에 동거와 별거를 반복하고 있었다. 심지어 적대감을 줄이기 위해 엘비라와 헤어졌다고 푸치니가 거짓말을 해야 하는 경우도 빈번했다. 그러나 한적한 이 호숫가에서는 적대적인 시선을 어느 정도 피할 수 있었다. 30년 동안 이어질 토레델라고 생활이 시작되었다. 초기작 두 편과 최후의 〈투란도트〉를 제외한 〈마농 레스코〉 〈라 보엠〉 〈토스카〉 〈나비 부인〉 〈서부의 아가씨〉 〈라 론디네〉, 그리고 '3부작' 등 대표작 대부분이 탄생할 장소였다.

마을 화가 판니는 곧 이 젊은 작곡가가 큰 키와 잘생긴 얼굴에 어울리지 않게 내성적인 면이 있음을 알게 되었다. 당시 이 인적 드문 호숫가에는 풍경화가들 몇몇이 모여들었고 뱃사공이나 물새를 사냥하는 엽사들과 어울리곤 했다. 푸치니는 처음에 이들과 어울리기를 어색해했지만 친해지는 데 긴 시간이 걸리지 않았다.

이 지역 화가들이 만난 푸치니는 농담을 하고 장난을 주고받다가도 어느 순간엔가 조용히 말이 없어지곤 하는 사람이었다. 그는 "좀 심심해서"라고 말했지만 사람들은 먼 곳을 바라보는 그의 눈이 갑자기 눈물로 그렁그렁해질 때가 있었다고 회상했다. 그는 수수께끼의 멜랑콜리를 가지고 있었다. 편지에서 "나는 멜랑콜리의 거대한 짐을 지고 태어났다"고 말하기도 했다. 그런 멜랑콜리는 우리가 오늘날 잘 알고 있듯이 그의 작품 속에 투사되어 매혹적인 색채로 작용한다.

6년 전 어머니의 죽음으로 방황하다 들렀을 때도, 훗날 이곳으로 처음 이사했을 때조차 푸치니는 자신이 이곳을 얼마나 사랑하게 될지 몰랐던 것 같다. 이주의 결정 단계에서보다 오히려 이곳에 살게 된 이후 그는 급속히 토레델라고와 사랑에 빠졌다. 편지에서 이곳을 "세계에서 가장 아름다운 곳. 지상의 낙원. 상아탑"이라고 부르기 시작했다.

그는 특히 물새 사냥에 심취했다. 조용한 새벽이 물새 사냥의 적기였다. 엽총 소리에 주민들이 잠을 설쳤겠지만 이미 이곳에는 많은 엽사가 활동하고 있었다. 이후 수입이 늘면서 그는 보트를 사들였고 모터보트와 요트 등 취미를 위한 재산목록이 늘어갔다.

문제는 엘비라였다. 유복하게 자랐고 도회의 문물을 사랑한 그에게 아무것도 없는 호반 생활이 따분하기 그지없었다. 남편이 어울리는 화가들과 엽사들은 엘비라에게는 이상한 짓을 일삼는 촌뜨기로 보였다. 주변 사람들과 엘비라 사이에는 더 높은 벽이 쌓였다. 여인네들이 "엘비라는 남편과 아들을 버리고 딴살림을 차린 여자란다"는 이야기를 루카에서 들었기 때문이다. 엘비라의 큰 키와 경계심 섞인 냉정한 표정도 그곳 주민에게는 건방진 태도로 보였다.

다행히 가족이라는 체제는 이때 안정됐다. 제미냐니와 사이의 자녀를 놓고 오랜 승강이가 있었지만 전남편은 딸 포스카를 헤어진 아내가 맡도록 결국 허용했다. 사람들의 이목 때문에 떨어져 살던 시절도 끝났다. 푸치니와 엘비라, 푸치니가 입적한 포스카, 두 사람의 아들인 안토니오(토니오), 이렇게 네 사람의 가족이 모여 사는 시절이 시작됐다.

이탈리아를 울린 센티멘털리즘

얼마간은 안정되고 얼마간은 경황 없는 토레델라고에서의 생활 속에 푸치니의 세 번째 오페라 작업이 진행되었다. 「마농 레스코」는 18세기 프랑스에서 대히트한 소설이었다. 수도원으로 향하던 아름다운 여인 마농을 기사 데그뤼가 유혹해 함께 도망친다. 그러나 마농은 사랑 못지않게 부와 물질, 허영까지 포기할 수 없는 여인이었다. 파란만장한 결합과 이별을 반복한 뒤 마농은 유배지인 뉴올리언스에서 도망치다 지쳐 죽고, 그를 묻어준 데그뤼는 유럽으로 돌아온다.

이 이야기는 이탈리아인에게도 익숙한 소재였다. 1884년, 〈빌리〉와 같은 해 당대 이탈리아 작곡계까지 위협했던 프랑스의 거장 쥘 마스네가 이 원작을 오페라 〈마농〉으로 내놓았고, 이 작품은 흥행 돌풍을 일으켰다. 이탈리아의 젊은 작곡가로서는 주눅이 들 만했다. 그러나 푸치니에게는 나름의 자신감이 있었다. "프랑스인 마스네의 〈마농〉은 분가루와 미뉴에트로 장식한 오페라지. 대신 나는 이탈리아인답게 한없는 열정으로 장식하겠다." 푸치니는 호반의 화가 친구들이 알아챈 '멜랑콜리'가 사람들을 매혹할 수 있는 자산이 될 것임을 본능으로 알고 있었다.

그러나 작업은 난항이었다. 푸치니가 대본 작업을 흡족해하지 않았기 때문이다. 처음 대본을 쓰기 시작했던 레온카발로가 떠나자 극작가 프라가와 올리바를 끌어들였다. 그러나 다 써놓은 막 하나 전체를 통째로 폐기하라는 등 작곡가의 끝없는 요구와 전횡을 못 견디고 프라가도 떠나고 말았다. 혼자 남아 푸치니의 변덕을 들어주던 올리바도 마침내 손을 들었다. 레온카발로가 기초공사를 하고 프라가와 올리바가 쌓아올린 건물을 푸치니가 폭탄을 던져 무너뜨렸다. 어떻게든 다시 건물을 쌓아야 했다. 애가 탄 리코르디는 새 인물을 섭외했다. 시인이자 극작가였던 주세페 자코사였다.

오늘날 루이지 일리카와 함께 '푸치니의 대본작가'로만 알려져 있지만 1871년 발표한 희곡「체스 게임」으로 성공을 거둔, 지명도

푸치니와 대본작가들

〈마농 레스코〉의 의의는 첫 번째 흥행작이라고 할 만한 성공을 거두었다는 것 외에, 이후 〈라
보엠〉〈토스카〉〈나비부인〉으로 이어지는 걸작들을 탄생시킬 환상의 트리오가 만났다는 데
있다. 바로 대본작가 자코사(가운데)와 일리카(오른쪽)이다.

높은 극작가였다.

자코사는 문인 한 사람을 추가로 끌어들였다. 푸치니와도 잘 아는 인물이었다. 극작가 일리카는, 청년 푸치니가 밀라노 갈레리아에서 친구 부치페차와 함께 카드게임을 하면서 휘파람으로 다른 참여자들을 속였던 일화에 등장한 바로 그 사람이다. 상상력이 뛰어난 일리카가 장면들의 구성을 결정하면 자코사는 장면마다에 적합한 세련된 표현들을 써넣는 식으로 작업이 이루어졌다. 두 사람의, 아니 푸치니까지 세 사람의 콤비는 이후 〈라 보엠〉〈토스카〉〈나비부인〉이라는 위대한 대히트작을 세 번 연속으로 쏟아놓는다.

레온카발로, 프라가, 올리바, 자코사, 일리카가 참여한 데다가 중간에 프라가와 올리바가 리코르디 앞에서 중간 작업을 설명할 당시 배석했던 작곡가 토스티Francesco Paolo Tosti가 나서서 몇 가지 대사를 더 써넣는 바람에 실제 이 작품의 대본에 참가한 사람은 총 여섯이었다. 최종 단계에서 푸치니는 일찌감치 발을 뺐던 레온카발로에게 다시 손을 보도록 부탁하기까지 했다.

푸치니는 1892년 10월에 〈마농 레스코〉를 완성했다. 작품은 토리노의 레지오 극장에서 초연하기로 결정되었다. 이 극장 청중이 〈빌리〉와 〈에드가〉에까지 큰 갈채를 보낸 바 있었기 때문이다. 소속사인 리코르디는 바짝 긴장했다. 같은 시기 밀라노에서는 베르디의 〈팔스타프Falstaff〉가 초연을 준비하고 있었다. 80세 노거장의, 예상하지 못한 신작 발표였다. 국가적 아이콘인 베르디와, 그의 기획사가 '베르디의 후계자'라고 선전해온 젊은 작곡가의 신작이 같은 시기에 세상에 선을 보이게 된 것이다.

푸치니는 자신이 있었다. 엘비라에게 보낸 편지에선 "제작진 모두가 나의 음악을 듣고 미쳐 있다"며 대성공을 예감했다. 1893년 2월 1일 이 예감은 현실이 되었다. 30회나 커튼콜이 나왔고, 객석에서는 손수건을 든 여인들의 훌쩍거리는 소리가 사방에서 들렸다. 테너와 소프라노 주연마저 무대 위에서 눈물을 보였다. 거의 모든 신문이 "강력하고 빛나는 작품", 심지어 "국가적 자부심을 보낼 만한 작품"이라고 찬사를 보냈다.

1884년 〈빌리〉 이래 9년 동안이나 푸치니에게 헛돈을 투자한 리코르디도 그 인내에 대한 보답을 받는 날이 왔다. 이탈리아 왕 움베르토 1세가 축하 장식을 보내왔다. 리코르디에서 또 한 차례의 환호성이 들렸다. 예상한 대로, 2월 9일 베르디의 〈팔스타프〉도 대성공을 거둔 것이다.

푸치니의 세 번째 오페라인 〈마농 레스코〉는 그의 오페라 12곡 중 〈라 보엠〉 〈나비 부인〉 〈토스카〉 〈투란도트〉 〈잔니 스키키〉에 이어 인기 순위 6위 정도를 차지한다. 〈잔니 스키키〉를 3부작 오페라의 한 단막극으로 보고 작품 순위에서 제외하면 〈투란도트〉에 이어 푸치니 5대 오페라로 칭할 수 있을 것이다. 초히트작이라고 보기는 어렵지만, 대중에게도 인정을 받으며 고금의 인기 오페라 속에 이름을 올리고 있는 작품임에 틀림이 없다.

이 작품은 푸치니를 단숨에 마에스트로 반열에 올렸고 이제 모든 이탈리아인이, 그리고 오페라에 관심을 가진 세계인이라면 푸치니의 이름을 알게 되었다. 마농의 마지막 대사 "사랑은 죽지 않아l'amor mio non muor"처럼 푸치니에 대한 사랑은 죽지 않는다.

〈마농 레스코〉의 한 장면을 그린 엽서

1893년 토리노 레지오 극장에서 〈마농 레스코〉 초연 당시 제작한 기념 엽서다. 이로써 데뷔 10년 차 35세 작곡가 푸치니의 오페라 목록은 이제 세 개가 되었다. 전 세계로 뻗어나갈 발판이 마련된 것이다.

데뷔 10년 차 35세 작곡가 푸치니의 오페라 목록은 이제 세 개가 되었다. 첫 번째 작품인 〈빌리〉는 이탈리아에 푸치니의 이름을 알렸고 같은 세대 작곡가 중에서 그의 존재를 뚜렷하게 했다. 두 번째 작품 〈에드가〉는 흥행에 실패했지만 오페라 황제 베르디의 호감을 사는 데 성공했다. 세 번째 작품 〈마농 레스코〉는 이탈리아 음악계에서 신진 그룹의 선두로 푸치니의 존재를 확고하게 만들었고 부에노스아이레스를 비롯한 전 세계에 진출했다. 이 성과만으로도 그동안의 불안은 일거에 제거되었다.

만약 이 시기에 푸치니가 불의의 사고로 사라져버렸다고 해도 그는 레온카발로, 조르다노, 카탈라니를 능가하고 마스카니를 넘보는 이름을 남겼을 것이다. 그렇지만 〈마농 레스코〉 초연 당시 서른 중반에 불과했던 그에게는 훨씬 더 높게 날아오를 수 있는 미래가 남아 있었다. 그것은 아마도, 푸치니 자신조차 예상하지 못한 성공이었을지 모른다.

하나의 원작, 두 명의 작곡가

〈라 보엠〉은 본디 초기 두 작품의 대본을 썼던 폰타나가 세 번째 작품 소재로 제안했었다. 당시 푸치니는 이 소설 또는 소설에 바탕을 둔 희곡에 대해 아는 바도, 흥미도 없었다. 1893년 2월 〈마농 레스코〉가 성공한 뒤 일리카는 이 작품이 차기작으로 적합하다고 푸치니에게 바람을 넣었다. 솔깃해진 푸치니는 일리카에게 대본에 착수해달라고 부탁했다. 그러나 이것은 그가 두 번째로 들은 〈라 보엠〉 작업 제의가 아니었다. 세 번째였다.

1893년 3월, 청년 시절의 추억이 고스란히 깃든 갈레리아의 한 커피숍에 두 사람이 마주 앉았다. 한 해 전 오페라 〈팔리아치〉로 성공을 거둔 작곡가 레온카발로와 바로 지난달 〈마농 레스코〉로 역시 성공을 거둔 푸치니였다. 레온카발로는 푸치니의 〈마농 레스코〉 대본을 쓰다가 이 주문 많고 까다로운 동료 예술가에게 질려 작업을 중단했지만 두 사람의 친분은 유지되었다. 앞에 소개했듯이 푸치니는 자코사와 일리카가 기껏 써놓은 대본을 다시 레온카발로에게 보여 조언을 구하기도 했다.

두 사람 모두 북부 이탈리아의 실질적 수도인 밀라노에 볼일이 많았다. 푸치니의 소속사인 리코르디와 레온카발로의 소속사인 손초뇨도 모두 밀라노에 있었다.

커피를 앞에 놓고 레온카발로는 가장 중요한 관심사를 물었다. "요즘 뭘 쓰고 있나?" 푸치니의 대답은 의외였다. "뮈르제의 〈라 보엠〉을 쓰고 있다네." 이 이야기를 들은 레온카발로의 얼굴이 굳어졌다. "무슨 소리야. 지난번 내가 자네한테 〈라 보엠〉 대본을 보여주면서 오페라로 작곡해보라고 제안하지 않았나. 그때는 관심 없다고 했잖아. 그래서 내가 그 대본을 놓고 작곡을 하고 있는데, 이제 와서 자기도 쓰고 있다니."

푸치니도 뭔가 답을 했을 것이다. 아마도 그때는 그때 일이고, 지금은 관심이 생겨서 그 소재를 다시 집어 들었으니 자네는 자네 마음대로 해라, 정도의 답이 돌아갔을 것이다. 두 사람의 언성이 높아졌고 이윽고 서로 발걸음을 돌려 헤어졌다.

며칠 뒤 밀라노의 신문《일 세콜로 *Il secolo*》에 레온카발로가 〈라 보엠〉을 작곡 중이라는 소식이 실렸다. 이 신문은 손초뇨가 소유한 회사였다. 레온카발로의 〈라 보엠〉 작업 사실을 대중에게 알려 이 소재에 대한 권리를 선점하려는 전략이었을 것이다.

다음 날《코리에레 델라 세라》에 "푸치니가 차기작으로 〈라 보엠〉 작업 중"이라는 기사가 실렸다. 리코르디가 지분을 소유한 신문이었다. 바야흐로 대대적인 언론전이 시작되었다.

다음 날《일 세콜로》에는 "푸치니 측의 자코사와 일리카가 대본을 아직 만들지 못했으므로 대본을 완성해둔 레온카발로에게 원작에 대한 권리가 있다"는 기사가 실렸다. 이틀 뒤인 3월 24일, 이번에는 푸치니의 기고문 형식으로《코리에레 델라 세라》에 글이 실렸다. "처음 레온카발로가 제안했을 당시에는 갑작스러워서 진지하게 고려할 겨황이 없었다. 하지만 〈마농 레스코〉 초연 이후에는 〈라 보엠〉이 차기작이라는 사실을 비밀로 했던 적이 없다. 각자 작곡해서, 어느 쪽이 좋은 작품인지는 대중이 결정하면 될 일 아닌가."

한창 언론전이 치열한 와중이던 3월 22일, 대본작가 자코사는 대본의 스케치를 완성한 일리카에게 "이 소재가 오페라가 될 수 있을 거라고는 생각도 하지 못했는데 훌륭한 내용을 만들어낸 걸 보니 놀랍다"고 칭찬했다. 하지만 저작권에 대한 법적 문제를 해결해야 했다. 리코르디가 조회한 결과 뮈르제의 희곡과 달리 같은 내용의 소설은 저작권이 걸려 있지 않았다. 누구든지 오페라를 만들 수 있다는 뜻이었다. 3월 중순경엔 일리카가 1차 대본을 완성했다.

이즈음 푸치니의 사정은 흐뭇했다. 〈빌리〉 초연 후 9년간 이렇다 할 성과가 없었던 젊은 작곡가에게 〈마농 레스코〉의 흥행으로 처음으로 돈다운 돈이 들어오기 시작했다. 〈빌리〉로 제법 이름을 알린 유망주가 되었지만 당시 예술가들의 생활은 그 정도로는 충분하지 않았다. 물론 〈빌리〉는 하룻저녁 공연물이 되기에는 짧은, 어중간한 규모임에도 쏠쏠한 용돈을 벌어주기는 했다.

한편 〈마농 레스코〉 초연 한 해 전인 1892년에는 리코르디가 제법 과감한 아이디어를 내어 스페인의 마드리드 왕립극장에서 스페인 국왕이 임석한 가운데 〈에드가〉 개작본을 공연했지만 반응이 썩 좋지는 않았다. 이후 푸치니는 자신의 불운한 두 번째 오페라를 되살려보려는 희망을 접었다.

어쨌거나 〈마농 레스코〉의 수입이 들어오자 푸치니는 토레델라고에서 그동안 임대하고 있던 집을 사들여 번듯하게 개축했다. 루카에서는 어머니가 죽은 뒤 처분했던 집을 다시 매입했다. 물론 빚을 내긴 했지만, 차세대 오페라 거장으로 입지를 단단히 다진 이제는 그런 계획이 가능해진 것이다.

1893년 11월 9일, 〈마농 레스코〉는 로마에서 공연되었다. 공연은 성황을 이뤘고 왕은 35세의 작곡가에게 기사 작위를 내렸다. 이듬해 1월 나폴리 초연도 대성공을 거두었다. 북이탈리아의 젊은 작곡가들이 야유받기 십상이던 곳에서 울린 승전보였다. 이듬해에는 뮌헨과 빈, 부다페스트에서도 푸치니표 〈마농 레스코〉가 사람들을 매혹했다. 5월 런던에서는 조지 버나드 쇼George Bernard Shaw가 공연을 보고 "푸치니가 베르디의 후계자다"라고 썼다. (나중에 〈나비 부인〉을 본

버나드 쇼는 아리아 '어떤 갠 날'에서 푸치니에게 심장을 완전히 관통당하다.)

유명인사로 떠오른 푸치니는 변함없이 마사추콜리 호숫가 이웃, 물새 사냥꾼, 시골 화가의 친구였다. 배달부의 자전거가 고장 났다는 이야기에, 어느 집의 유일한 수입원인 토마토 압착기가 움직이지 않는다는 소식에, 그는 사람을 사서 고쳐준 뒤 청구서를 리코르디에 보내게 했다. 밀라노에 있는 큰 음악출판사 직원들에게는 성가시고 황당한 일이었지만 시골 동네 사람들에게는 감사한 일이었다. 일찍이 베르디도 리코르디에 이런 '전횡'을 휘두른 적이 없었다.

푸치니는 그 타고난 성격이 모순적 인물이지만 여러 증언을 취합해보면 일관된 줄기가 보인다. 푸치니는 숫기가 없었던 탓에 처음 대하는 사람에게 지나치게 친절해 보이려고 하기도 했다. 그러나 한번 친해진 뒤에는 더없이 유머러스했고 장난도 잘 쳤으며 농담이 그치지 않았다. 수입이 안정된 뒤에는 재력과 감각을 최대한 발휘해 옷을 잘 차려입었고 세련미가 넘쳤다. 체구도 커서 여성들이 반할 만했다. 단 앞니 사이가 벌어져 있어 입을 잘 벌리지 않았는데 오늘날 남아 있는 동영상에 이런 모습이 언뜻 보인다. 물론 앞서 언급했듯이, '친해진 뒤에는 유쾌하기 그지없는 이 사내'는 자주 불현듯 알 수 없는 슬픔에 잠기곤 했다.

파리 뒷골목에서 발견한 음표

앙리 뮈르제가 쓴 「보헤미안의 생활 정경」(국내에서 2003년 『라 보엠』으로 출간됨)은 1849년 파리에서 연극으로 공연되었고 그 인기에 힘입어 2년 뒤 소설로 발표되어 역시 히트를 기록했다. 제목의 '보헤미안'이란 당시 프랑스인이 이류 예술가들을 일컫는 말이었다. '보헤미아'는 오늘날 체코의 평원지대를 뜻한다. 왜 보헤미안이 예술가의 상징이 되었을까.

인도에서 살던 집시들은 방랑을 사랑했고 방랑이 생활화된 민족이었다. 수레에 가재도구를 싣고 그들은 끝없이 떠돌아다녔다. 인도에서 서쪽으로 길을 떠난 이들은 중부 유럽의 평원을 거쳐 프랑스로, 스페인으로 밀려들었다. '어디서 왔나?'고 묻는 사람들에게 이들은 '보헤미아'라고 답했다. 그래서 '보헤미안'은 떠도는 '집시'와 동의어가 되었다.

한편 19세기 중반 산업혁명의 영향으로 예술 소비층이 늘어나면서 성공한 예술가의 신화들이 쓰이기 시작했고 예술가 지망생도 늘어났다. 그림에, 음악에, 글에 소질 있는 지방의 인재들은 막연한 꿈을 안고 파리로 상경해 대학촌 라탱 지구Latin Quarter를 비롯한 '먹물기' 있는 동네에 둥지를 틀었다. 이들은 궁핍한 탓에 여럿이 함께 하숙을 하기 일쑤였고, 젊고 건방지며 상상력이 풍부한 이들의 기괴하면서 유쾌한 행동은 곧잘 이야깃거리가 됐다.

이윽고 사람들은 '아직 성공의 길에 들어서지 못한'(또는 영원히 들어서지 못할) 변두리 예술가를 '보엠'(보헤미안)으로 부르기 시작했다. 마치 집시처럼 방약무인하고 질서가 없으며 유쾌하다는 뜻이었다. 뭔가 연상되는 바가 있지 않은가. 스카필리아투라, 즉 봉두난발처럼 머리가 부스스한 젊은 예술가들이 바로 보엠이었다. 이탈리아판

1860년대 파리의 골목

샤를 마르빌이 찍은 라탱 지구 골목. 이탈리아에 머리 헝클어진 예술가들 '스카필리아투라'가
있었다면 파리에는 집시 같은 예술가들 '보헤미안'이 있었다.

보헤미안은 1860년대의 스카필리아투라와 다르지 않다.

여성 예술가가 여럿 있었다면 파리의 젊은 남자 시인, 화가, 음악가 들과 짝을 이루었겠지만 당시의 사회적 여건은 그렇지 못했다. 당시 파리 교외에는 역시 꿈을 찾아 상경한 젊은 여성이 득시글했고, 이들은 카페나 술집의 급사나 상점 종업원 등으로 일했다. 부유한 중년 상공인들이 이들에게 수작을 걸면서 용돈을 알아서 뜯기는 '패트런patron'(후원자) 역할을 했지만, 이 여성들도 제대로 된 연애 상대로는 돈 없는 멋쟁이 젊은 예술가들을 점찍었다. 이런 환경이 뮈르제의 「보헤미안의 생활 정경」의 토대가 됐다. 왜 '정경scenes'인가 하면, 이 희곡과 소설의 내용 자체가 일정한 줄거리에 따라 펼쳐지는 것이 아니라 이류 예술가들의 기상천외한 에피소드를 툭툭 던지듯 나열해놓은 형식이었기 때문이다.

뮈르제의 원작 소설은 우리말로 번역되어 나와 있다. 오페라와 소설의 다른 점을 찾아내는 것은 쏠쏠한 즐거움을 준다. 소설에서 미미는 마냥 청순하지 않으며, 돈이 생기는 대로 사치를 일삼는다. 오페라에서 미미와 로돌포 두 사람이 처음 만나는 '촛불 끄기' 장면도 원래 소설에서는 로돌프(오페라의 로돌포)와 전 애인 사이의 일이었다. 또 소설에서 미미는 로돌프의 방이 아니라 아무도 지켜보는 이 없는 병실에서 생을 마감한다.

무명 예술가들의 코믹하기까지 한 일화는 소설 쪽이 오페라보다 훨씬 더 풍성하다. 화가 콜리네가 파티복이 없는 철학자 친구 쇼나르에게, 초상화를 그려달라며 찾아온 고객의 옷을 벗게 해 빌려주고 대신 그 고객에게는 다른 옷을 입혀 붙들어놓는 장면은 오늘날 인기 개그에 버금갈 정도다. 예술가들에 비해 배움이 짧은 것으로 묘사되는 여주인공들이 겹겹으로 꼬인 예술가들의 대화를 이해하는 방식도 흥미롭다. 예를 들어 그들에게 '플라토닉이란 여자를 품을 줄 모르는 병'으로 받아들여진다. 최근의 미국 드라마 〈빅뱅이론〉에서 과학을 모르는 여성들이, '남성' 과학자들의 대화에서 겉도는 모습과 비슷하지 않은가.

한편으로 19세기 초중반 파리 예술가 사회의 정신적 풍경을 엿보기에 이 작품 이상 좋은 재료도 드물다. 소설에 나오는 마르셀(오페라의 마르첼로)은 훗날 사실주의 문학의 대표적 이론가로 불린 쥘 샹플뢰리와 화가 타바르 등의 모습을 합쳐놓은 것이었다. 뮈제트(오페라의 무제타)의 모델이 된 샹플뢰리의 애인 마리 루는 앙그르의 작품에 모습을 남긴 직업 모델이었다.

소설에 묘사되지는 않지만, 이들과 함께 온갖 기행을 일삼았던 문인 보들레르와 고티에, 화가 쿠르베 등은 라탱 지구의 가난한 예술가 그룹에서 입신해 명망 있는 예술가 반열에 올랐다. 나아가 이들이 잉태했던 센 강 남안의 자유분방한 기류는 나중에 초현실주의를 비롯한 갖가지 예술상의 신사조를 탄생시켰다.

원작이 본디 일정한 줄거리에 따르지 않고 에피소드를 나열하기 때문에, 대본작가들이 극으로 만들어내기 위한 에피소드의 선택 폭이 넓었다. 그러나 뒤집어보면 가장 효과가 좋을 만한 장면을 선택해야 하는 고민의 과정이기도 했다. 호소력이 강할 장면은 아무래도 시인 로돌포(원작의 로돌프)의 연인인 미미의 서글픈 요절이었기 때문에, 이 두 사람의 사랑이 극의 중심축이 되는 것은 자연스러웠다. 그 외의 줄거리는 애초에 정해진 것이 없었다.

그런데 대본작가들은 푸치니 때문에 죽을 맛이었다. 작업 중인 대본에 이 작곡가가 거듭해서 퇴짜를 놓았기 때문이다. "이런 것 말고 '뭔가'를 좀 내놓으세요. 내가 말하는 '뭔가'가 무엇인지 아시잖아요."

'뭔가'가 무엇일까? 무대에서 강력한 효과를 발하는, 바로 심금을 울리는, 푸치니가 세 편의 전작에서 보여준 강력한 센티멘털과 노스탤지어와 멜랑콜리로 관객의 눈물샘을 자극하는 음악에 적합한 장면을 말하는 것일까? 늘 그의 자세는 '자세한 설명은 생략한다'였다.

자코사와 일리카는 본디 이런 대접을 받을 만한 인물이 아니었다. 1871년 푸치니가 불과 열세 살 때 주세페 자코사는 연극 〈체스 게임〉으로 이름을 알린 유명 극작가였다. 푸치니의 〈마농 레스코〉 대본이 수많은 사람의 참여와 포기 속에 곤죽이 되었을 때 이를 최종적으로 손본 인물이 그였다. 자코사의 세련된 문장들은 푸치니와 리코르디의 마음을 끌었다. 그 결과 〈라 보엠〉 작업에도 참여하게 된 것이다.

루이지 일리카로 말하자면 푸치니의 밀라노 갈레리아 도박 사기 에피소드에 출연했던 '피해자' 측 인물이다. 젊은 시절부터 비슷한 연배의 음악가들과 교류를 즐겼음을 알 수 있다. 그의 위상도 단지 한 사람의 오페라 대본작가에 그치지 않았다. 당대 푸치니의 라이벌로 여겨졌던 거의 모든 오페라 작곡가의 대표작에 일리카가 대본을 공급했다.

이런 쟁쟁한 인물들을 놓고 푸치니가 전횡을 부리기 시작한 것이다. 자코사가 1906년 사망하기까지 〈토스카〉〈나비 부인〉에 이르는 세 작품을 산출하며 거치게 될 가시밭길이었다. 작업은 늘 위기였고, 힘든 중재 역할은 이 세 사람을 연결한 줄리오 리코르디가 맡아야 했다.

개성 강한 두 문인의 공동 작업으로 대본을 책임진다는 것도 쉽게 상상할 만한 일은 아니었다. 일리카는 극의 얼개를 만들고, 자코사는 만들어진 줄거리에 세련된 표현을 입히는 식이었다. 애써 구성한 줄거리를 거의 매번 퇴짜 맞는 일리카도, 푸치니보다 열한 살이나 많은 자코사의 노고도 말이 아니었다. 푸치니가 악명 높았던 부분 중 하나가 '먼저 리듬을 제시하고 거기에 대사를 맞추도록 하는 일'이었다. 예를 들면, 2막에서 무제타가 자신의 미모를 뽐내는 노래를 부른다. "이 장면의 운율은 이렇게 맞춰라, 코코리코-코코리코-비스테카……." 물론 '코코리코~'는 아무 뜻 없는 말이었다. 이렇게 해서 '코코리코' 대신 'Quando m'en vo'(사람들이 지나갈 때)로 시작하는 '무제타의 왈츠'가 탄생했다. 이런 식이었다.

10월, 파열음이 터져 나왔다. 자코사가 리코르디에게 2막 작업 중 '나는 빠지겠다'는 편지를 보낸 것이다. 마침 이탈리아작가협회에서 중책을 맡아 시간이 모자라기도 했다. 리코르디에게 보내는 호소는 길었다. "보이토가 내 친구 아닌가. 보이토는 베르디 집에 늘 귀빈으로 초대를 받았는데, 나는 이 젊은 푸치니란 친구에게 존중을 전혀 못 받고 있네!"

자코사의 불만은 주인공들을 대하는 '세계관'과도 관계됐다. 빠르게 변하는 통일 후 이탈리아 사회에서 열한 살이라는 나이는 적지 않은 세대 차이기도 했다. 2막, 무제타가 나이 든 알친도로를 모욕 주는 장면을 그는 꼽았다. "(이 작품엔) 깊이도 도덕도 없다. 나는 그만두겠다."

애가 탄 리코르디가 자코사를 설득해 작업은 계속되었다. 이탈리아 대표 흥행기업인 리코르디로서는 작업 속도가 곧 재무제표상의 수치로 직결되었다. 게다가 경쟁사인 손초뇨에서는 그들의 대표주자인 레온카발로가 같은 소재의 〈라 보엠〉을 쓰고 있었다. 작품의 질을 넘어 먼저 세상에 나오는 작품이 더 많은 조명을 받고 선점 효과를 누릴 것은 뻔했다. 속도에서도 이겨야 했다.

그렇다면 작품의 최종 결과물을 산출할 이 작곡가의 작업 속도는 어땠을까. 푸치니가 대본작가에게 내놓는 주문은 한도 끝도 없었지만 정작 자신의 작업 속도는 느렸다. 일리카는 문인답게 "푸치니는 감아놓으면 금방 다 풀려버리는 시계 같다"고 멋진 비유를 날렸다. 그가 폭발한 순간은 푸치니가 "로돌포와 미미의 이별 장면을 빼버리자"고 말했을 때였다. 그 아이디어에 따르면, 두 사람이 언제 이별했는지도 모르는 채 관객은 '돌아와 누워 있는' 미미와 만나야 했다. 마치 전작인 〈마농 레스코〉에서 관객이 마농이 언제 데그뤼로부터 도망쳤는지도 모르는 채 그를 찾아온 데그뤼와 대면하는 장면을 보는 것과 같았다.

일리카는 푸치니의 제안에 "그렇다면 지금 쓰는 건 〈라 보엠〉이 아니다, 최소한 우리가 알아온 〈라 보엠〉이 아니고 아무것도 아니다"라며 격노했다. "뮈르제가 쓴 〈라 보엠〉 그 따위보다 훨씬 섬세하고 복잡한 스토리라고!"

결국 푸치니가 손을 들었다. 나머지 요청사항은 거의 관철했다. 그래도 일리카는 리코르디에게 보내는 편지에서 "푸치니는 남에게 일만 시키고 자기 일은 안 하는 녀석"이라고 뒷담화를 그치지 않았다.

당초 계획에 있었다가 푸치니가 반대해 잘려나간 장면 중에는 무제타의 파티 장면이 있었다. 무제타는 돈 많은 노인 알친도로를 매혹해 호화로운 생활을 하고 있었으나, 알친도로가 집을 비운 사이 그의 집에서 값비싼 물건들을 팔아치우며 친구들과 파티를 연 뒤 도망가버린다. 이 장면이 실현되었으면 좋은 구경거리가 〈라 보엠〉에 들어갔을 것이다. 그 장면이 이 작품의 인기를 더욱 높여주었을지, 아니면 작품을 사장시켰을지는 알 수 없지만.

2016년 7월 토레델라고에서 관람한 〈라 보엠〉에는 특이한 장면이 있었다. 카페 모무스 장면에서 무대 왼쪽으로 나체의 연인을 포함한 모델들을 앉혀놓고 마네의 〈풀밭 위의 식사〉를 그리는 화가가 등장한 것이다. 마네가 이 그림을 그린 것은 1863년이고 뮈르제의 〈라 보엠〉 배경은 1840년대이니 분명 시간차가 있지만 도발적으로 시선을 끄는 효과는 충분했다. 그런데 잠깐, 2막의 배경은 크리스마스이브. 12월 24일 저녁에 야외에 나체로 미동도 없이 앉아 있는 것이 가능할까?

물론 '나체 모델 그리기'는 원작에 없는 연출이다. 그래도 의문은 남는다. 오페라에서도 로돌포와 미미, 마르첼로 등 친구 일행은 카페의 노천에 자리를 잡는다. 카페에 들어가서 문을 닫아버리면 관

〈라 보엠〉의 한 장면

2016년 7월 토레델라고에서 관람한 〈라 보엠〉에는 특이한 장면이 있었다. 크리스마스이브의
카페 모무스 장면에서 무대 왼쪽으로 나체의 연인을 포함한 모델들을 앉혀놓고 마네의 〈풀밭
위의 식사〉를 그리는 화가가 등장한 것이다. 비록 원작에는 없지만 청중의 시선을 끄는 데는
성공했다.

객의 시선에 방해가 되기 때문에 노천으로 설정한 것이다. 그렇다고 해도 파리는 제법 위도가 높다. 크리스마스이브에 길에서 바람을 맞으며 희희낙락하기는 힘들다. 이 때문에 노천이 아니라 카페 건물을 뚝 잘라서(잘린 벽이 보이도록 해서) 내부를 노출한 연출도 간혹 보인다.

푸치니 전기를 쓴 메리 제인 필립스매츠는 특이한 가설을 제시한다. 푸치니가 개입해서 파리의 크리스마스이브 장면에 고향 루카의 풍경을 씌웠을 것이라는 분석이다. 그에 의하면 실제 루카의 12월 기온은 크리스마스에 야외에 앉아 있을 만하다고 한다. 루카의 원형경기장(암피테아트로) 광장에는 사람들이 노천 카페에 앉아 있었고 〈라 보엠〉에서처럼 장난감 장수들, 캔디 장수들이 목소리를 높이며 돌아다녔다는 것이다.

루카에 갔을 당시 이 광장을 찾았다. 마치 럭비공처럼 생긴 타원형의 광장을, 그 곡선에 맞춰 잘라낸 듯한 겨자색 건물들이 감싸고 있었다. 경기장의 흔적은 완전히 사라지고 형태만 남아 광장으로 쓰이고 있지만 푸치니 시대에는 석재 일부가 남아 있었다고 한다. 지금도 꽃과 과일을 파는 상인들의 목소리가 힘차게 울려퍼지는 시장이자 때로는 정치적 집회가, 때로는 축제가 열리기도 하는 루카의 중심지다.

젊은이들의 이별이 펼쳐지는 3막도 이와 관련해 주목할 만한 점이 있다. 3막에서는 여인들이 "어디 가니?" "산미켈레에" 하는 대화가 나온다. 산미켈레는 미카엘 대천사의 이름을 딴 것이며 프랑스어로 '생미셸', 영어로 '세인트마이클'인 만큼 흔히 등장할 수 있는

지명 또는 건물명이다. 그렇지만 푸치니가 나고 자란 루카에 산미켈레 성당이 있고 시민 생활의 중심을 이루는 그 앞의 널찍한 광장이 산미켈레 광장이었던 점은 의미심장하다. 일꾼들의 '호플라'(소나 말을 몰 때 쓰는 '이랴'라는 감탄사)라는 외침도 토스카나 사람들만 쓰는 말이라고 한다.

마찬가지로 〈라 보엠〉 1막과 4막 하숙집 장면에서 남자들이 장난치는 장면의 대본 작업에는 푸치니 자신의 체험이 상당 부분 반영되었다. 푸치니와 한 살 차이로, 젊은 시절 밀라노에서 생활했던 일리카도 푸치니가 체험한 하숙 분위기를 잘 알았다. 그러나 무일푼에 꿈 하나뿐이었던 치기 어린 밀라노에서의 하숙생활은 이미 10여 년 전의 일이었다. 작곡가는 방약무인한 젊은이들의 소동과 기행을 오페라로 만들면서 이런 분위기를 다시 피부로 느끼고 싶었다. 그래서 '클럽 라 보엠'이 생겨났다.

"정숙을 금하라"

푸치니는 토레델라고 호숫가 자신의 집에서 떨어진, 역시 호숫가에 있는 허술한 오두막을 빌려 제2의 작업실 겸 친구들의 오락실로 개조했다. 지붕은 호숫가의 갈대로 씌운 초가였다. 친한 친구였던 시골 화가 판니의 회상이다. 정확히 이곳을 사들여 놀기 시작한 시점은 그의 회상에 나오지 않는다. 푸치니는 동네의 시골 화가, 농부, 어부 들을 불러 모았다. 오두막은 '클럽 라 보엠'으로 불렸다. 갖가지 식음료가 있었고, 언제고 호수로 들어갈 수 있는 보트도 바로 앞에 묶여 있었다. 소박하나마 낙원의 분위기를 지닌 리조트였다. 푸치니는 이 집에서 지켜야 할 규칙도 정했다. "잘 마시고 잘 먹을 것. 합법적 도박 금지. 정숙 금지. 현명한 자 입장 불가"

이 규칙에 따라 그야말로 〈라 보엠〉 1막과 4막에 어울릴 법한 온갖 기상천외한 장난들이 매일 펼쳐졌다. 푸치니는 곧 작은 피아노 한 대를 들여놓았다. 낮에 피아노를 뚱땅거리며 빈 악보에 뭔가를 적기도 했고 친구들과 어울리기도 했다. 그가 피아노를 치든 말든 오페라를 쓰든 말든 친구들은 떠들고 다투고 웃었다. 10시쯤 카페는 파했고, 친구들은 흩어졌지만 푸치니는 종종 이들 몇몇을 집에 데려가 밤새 계속 마시고 놀았다. 그가 정색을 하고 악보를 정리하는 시간은 친구들이 곯아떨어진 뒤부터 새벽 4시까지의 시간이었다.

호숫가에 겨울 찬바람이 불던 어느 날, 친구들은 언제나처럼 카드를 치며 떠들고 있었다. 갑자기 피아노 앞에 앉아 있던 푸치니가 외쳤다. "조용히 해봐, 끝났어."

친구들은 조용히 카드를 내려놓았다. 푸치니는 피아노를 치기 시작했다. 4막, 미미의 죽음을 알게 된 로돌포가 절규하고, 마르첼로가 "힘내"라며 그를 끌어안고, 비탄에 찬 오케스트라의 총주 속에 막이 내리는 마지막 장면이 이어졌다.

그 순간 우리는 인간의 고통을 완전히 느꼈다. 우리의 미미가 가엾게 죽어간 것이다. 미미의 부드러운 목소리를 더 이상 들을 수 없었다. 우리 앞에 오페라의 장면이 생생히 지나갔다.

피아노 앞의 푸치니

푸치니는 친구들과 신나게 놀다가도 어느 순간 우수에 젖은 표정을 짓곤 했다고 한다. 클럽라 보엠에서 친구들에게 〈라 보엠〉의 마지막 장면을 들려준 후에도 푸치니는 눈물을 흘렸다.

판니의 회상이다.

연주를 마친 푸치니는 피아노 건반 앞에 팔을 내려놓고 얼굴을 묻었다. 고개를 든 그의 얼굴은 눈물로 얼룩져 있었다. "친구들. 이렇게 미미는 죽었다."

판니는 덧붙여 오페라 주인공들에게 '클럽 라 보엠' 친구들의 중요한 특징이 상당 부분 투영되었다고 말했다. 판니는 철학자 콜리네, 화가 마르첼로는 체코, 로돌포는 푸치니의 모습이었다는 것이다.

푸치니는 작업 기간 내내 자신의 까탈스러움과 변덕을 감내한 두 대본작가 앞에서도 거의 마무리된 악보의 주요 장면을 쳐 보였다. 자코사는 리코르디에게 보낸 편지에서 이렇게 썼다. "푸치니의 음악은 내 모든 예상을 뛰어넘었네. 이제 그가 단어의 악센트 하나하나까지 그렇게 간섭하고 독재를 행사한 이유를 잘 이해하겠네."

〈라 보엠〉 초연은 토리노 레지오 극장으로 예정되었다. 〈빌리〉에서 〈마농 레스코〉에 이르기까지 푸치니의 오페라에는 늘 따뜻한 반응을 보였던 곳이기 때문에 자신이 있었다. 지휘봉을 들 인물은 청년 아르투로 토스카니니Arturo Toscanini였다. 10년 전 그가 지휘계에 센세이셔널한 데뷔를 한 일화는 널리 알려져 있다. 베르디의 〈아이다〉 리우데자네이루 공연에 앞서, 실력 없는 지휘자가 단원들과 갈등을 일으켰고 잠적해버렸다. 대책을 찾던 흥행사는 19세의 첼리스트 토스카니니가 현악 파트를 모두 외우고 있다는 이야기를 듣고 그에게 지휘봉을 쥐어주었다. 공연은 대성공이었다. 유럽으로 들어온 그는 토리노와 파르마, 브레시아 등 이탈리아 주요 극장을 누비며 승승장구 중이었다.

그는 브레시아에서 〈빌리〉를 지휘한 바 있고 1894년 피사에서는 〈마농 레스코〉를 지휘했는데 연습이 진행되던 도중 푸치니가 찾아가 처음 회동했다. 두 사람은 얼마 전 세상을 떠난 카탈라니를 애도하며 오랜 시간을 대화에 할애했을 것이다. 토스카니니는 이후에도 평생 카탈라니에 대한 애정을 접지 않았다. 딸과 아들의 이름도 카탈라니의 〈라 왈리〉에 나오는 주인공 '왈리'와 '왈터'로 지었다.

푸치니와 토스카니니가 처음 만났을 때만 해도 그들은 이후 길게 이어질 애정과 증오를 예상하지 못했다. 센티멘털하고 어딘가 의뭉스러운 푸치니와 감정을 격하게 드러내는 토스카니니는 어딘가 잘 맞지 않는 듯하면서도 조화를 이루었다.

1896년 2월 1일 토리노 레지오 극장에서 〈라 보엠〉이 처음 무대에 올랐다. 29세의 토스카니니가 지휘봉을 들었다. 객석의 반응은 미지근하거나 그 이하였다. 3막에서는 출연진이 다섯 차례 무대 위로 다시 불려나왔지만 4막에서는 단 두 번뿐이었다. 푸치니는 사람들이 "푸치니 안됐네. 이번은 틀린 것 같아" 하고 소곤거리는 소리를 들었다. "그때 나는 울음이 나올 것 같았다"라고 푸치니는 회상했다.

현지 언론의 리뷰도 좋지 않았다. 카를로 베르세치오라는 평론가의 리뷰는 오늘날에도 회자되며 이 '예언가'의 이름에 오명을 씌우고 있다. "이 작품은 오페라 작품 목록에서 결국 살아남지 못할 것이다." 오히려 까칠하기로 유명한 밀라노에서 온 평론가들이 "푸치니에게 많은 진보가 있었다. 세련된 작품이다"라고 평했다.

혜안은 평론가들이 아니라 흥행사 리코르디에 있었다. 리코르디

1896년 초연된 〈라 보엠〉의 악보집과 1898년 출간된 개정판 표지

네 번째 오페라 〈라 보엠〉을 토리노에서 초연했을 때 청중의 첫 반응은 형편없었다. 그러나 분위기는 하루하루 달라졌고, 곧 전 유럽의 극장에서 러브콜이 쏟아졌다. 첫 공연을 마치고 싸늘한 반응에 울음을 터뜨릴 것만 같았던 푸치니는 엄청난 공연료로 초연의 충격을 보상받았다. 마침내 세계적인 음악가로 발돋움하는 순간이었다.

는 푸치니에게 "지금까지 수많은 오페라가 성공하거나 실패하는 걸 보았지만 〈라 보엠〉은 전혀 다른 무언가를 가지고 있다"며 낙관적인 평가를 내렸다.

분위기는 하루하루 달라졌다. 토리노 초연은 24회 공연 전 석이 매진되었고, 청중의 반응도 날마다 뜨거워졌다. 같은 달 23일에 열린 로마에서의 첫 공연은 대성공을 거두었다. 유럽 전역의 극장이 리코르디에 공연 접촉 타진 전보를 보내기 시작했다. 〈라 보엠〉은 다음 해 런던 코벤트가든 로열오페라에 초대되었고 빈 국립오페라 시즌에 포함되었으며 푸치니는 런던, 파리, 브뤼셀 등으로 공연 세부 사항을 감독하러 바쁘게 뛰어다녔다. 엄청난 공연료가 들어오기 시작했다. 첫 작품 〈빌리〉가 푸치니의 존재를 알렸고, 세 번째 작품 〈마농 레스코〉가 이탈리아에 그의 이름을 각인했다면, 네 번째 오페라는 전 세계에 동시대 대표 오페라 작곡가로서의 푸치니의 이름을 확실하게 새겨두었다.

잊을 뻔한 것이 있다. 레온카발로가 쓰고 있던 〈라 보엠〉이다. 이 라이벌 작품은 어떻게 되었을까. 푸치니의 〈라 보엠〉보다 1년쯤 늦게 베네치아의 페니체 극장에서 초연되었다. 약 1년 동안 레온카발로의 〈라 보엠〉은 이탈리아의 여러 도시로 푸치니의 작품과 경쟁하며 진출했다. 그러다가 어느 틈엔가 잊혔고, 결국 20세기 후반 다시 간간이 공연되기 전까지 오페라 흥행의 역사에서 자취를 감추고 말았다.

미미, 모든 보헤미안의 연인

이제 가장 큰 사랑을 받는 오페라, 푸치니의 〈라 보엠〉 속으로 들어가보자. 방약무인한 천둥벌거숭이 삼류 예술가들을 만나러.

• 1막

관현악의 리드미컬한 전주와 함께 막이 열린다. 전주의 선율은 푸치니가 밀라노 음악원 졸업 작품으로 썼던 '교향적 기상곡'의 첫 부분을 그대로 옮겨놓은 것이다. 자신의 '기상적Capricious'이었던 젊은 시절 내면을 파리 젊은이들의 극에 집어넣으려는 작곡가의 생각을 알 수 있다.

파리. 학생과 지식인, 예술가들의 거리 라탱 지구에 있는 낡은 하숙집. 크리스마스이브다. 화가 마르첼로가 〈홍해〉라는 그림을 그리고 있고 시인 로돌포는 희곡을 쓴다. 둘은 방이 춥다며 불평하고 결국 로돌포는 자기가 쓰던 희곡 원고를 난로에 집어넣는다.

음악가 쇼나르가 부자의 집에서 뜻밖에 눈 먼 돈을 벌었다며 장작과 음식을 가지고 의기양양 들어온다. 친구들이 즐거워하는 가운데 집주인 베누아가 집세를 재촉하려 들어오지만 예술가들은 집주인에게 술을 먹인 뒤 그가 부인 외 다른 여인에게 눈독 들이고 있다는 고백을 유도해 '부도덕하다'며 트집을 잡아 쫓아낸다.

이윽고 친구들은 인근의 카페 모무스에서 크리스마스이브를 보내기 위해 나간다. 로돌포가 잠시 뒤 가겠다며 남은 원고를 쓰는데 노크 소리가 들린다. 촛불이 꺼져 불을 붙이러 왔다며 아름다운 여인이 들어선다. 유머러스했던 음악은 급변해, 미묘한 마음의 흔들림을 표현하는 감각적인 색채가 넘실거리기 시작한다.

문을 들어선 여인은 갑자기 실신한다. 건강이 좋지 않은 듯하다. 정신이 든 여인에게 로돌포는 와인을 권한다. 촛불을 붙인 여인이 갑자기 "아, 바보, 내 방 열쇠를 어디 뒀지"라고 말하는 순간 바람이 불어 촛불이 꺼진다. 로돌포는 자신의 촛불도 꺼뜨린다. 어둠 속에서 두 사람이 더듬거리며 열쇠를 찾다 로돌포가 짐짓 우연인 척 여인의 손을 잡는다. 그리고 자신을 소개하는 아리아가 시작된다. '그대의 찬 손Che gelida manina'으로 불리는 노래다.

> 작은 손이 얼음처럼 차군요,
> 내가 녹여드리죠.
> 찾아보아 뭐하겠어요?
> 이렇게 어두운데.
>
> 하지만 다행히도
> 오늘은 달밤이로군요.
> 달이 이렇게
> 우리 곁에 가까이 있네요.
>
> 잠시만요, 아가씨,
> 두어 가지 이야기해도 될까요,
> 내가 누구고, 무얼 하며,

어떻게 사는 사람인지, 괜찮겠죠?

나는 누구일까요? 시인이에요.

무얼 할까요? 글을 쓰죠.

어떻게 살까요? 살아요…….

속 편하고 가난하게

마치 조물주처럼

사랑의 운율과 찬가를 읊죠.

꿈과 환상,

공중의 궁전을 그리노라면

마음은 백만장자랍니다.

그런데 어쩌다 도둑 둘이

내 보석상자에서 귀중한 보물을 훔쳐가버렸네요.

아름다운 두 눈이 말이죠.

당신과 함께 들어와서 말이죠.

내 소중한 꿈,

사랑스러운 꿈이

공중으로 순간에 흩어져버렸어요!

하지만 상관없어요.

왜냐하면 그 자리를

희망이 채웠으니까요!

이제 나에 대해 아셨죠?

이번엔 당신이 누구인지 들려줄래요?

이야기해주세요!

자코사는 이렇게 유려하고 아름다운 '시인다운 자기소개'의 시를 엮어냈다. 처음 읽어보면 간지러워 손이 곱을 지경이지만, 푸치니의 아름다운 멜로디와 함께 곱씹어보면 달빛이 꿀처럼 흐를 정도로 감미롭다.

푸치니가 시에 붙인 선율은 그 자체로 달콤하기도 하지만, 주의해서 들을 필요가 있다. 5분 남짓한 이 짧은 노래에 〈라 보엠〉 전곡의 주요 주제가 들어 있기 때문이다. 조심조심, 여성을 안심시키려는 듯 나지막하게 같은 음표를 읊조리는 첫 부분 "작은 손이 얼음처럼 차군요Che gelida manina"와, 바로 이어지는 "찾아봐야 뭐하겠어요?Cercar che giova?", 이어 노래 후반부의 "속 편하고 가난하게In povertà mia lieta" "내 보석상자에서Talor dal mio forgiere" 등의 가사와 동반한 선율이다. 이 선율 또는 모티프는 4막에 그대로 옮겨져 재현된다. 이유가 무엇인지, 작곡가가 무엇을 의도한 것인지는 차차 살펴보도록 하자.

촛불을 붙이러 갑자기 나타났던 미지의 여인도 경계심을 풀고 자신을 소개한다. 아마도 이 남자의 자기소개가 마음에 들었기 때문일 것이다.

예, 나는 미미라고 합니다.

하지만 이름은 루치아죠.

내 이야기는 길지 않아요.

수를 놓는 일을 하죠.

(⋯)

부드럽고 달콤한 향기가 나는 걸 좋아해요.

사랑과, 봄과,

꿈과 환상적인 이야기를 들려주는 것들을요.

(⋯)

방에서 혼자 지내고

건물들의 지붕과 하늘을 올려보죠.

얼음이 녹으면,

햇살은 내 것이에요!

사월이 보내는 첫 입맞춤이 내 것이죠!

먼저 노래의 첫 소절에 주목할 필요가 있다. "예, 나는 미미라고 합니다Si, mi chiamano mimi"라고 소개하는데 멜로디가 반음계적으로 살살 올라가면서 '미미'에서 살짝 들었다가 놓는다. 어딘가 병약하고 파리한 느낌을 준다. 가만, 이것은 푸치니가 예전에 썼던 수법이다. 전작인 〈마농 레스코〉 4막 시작 부분, 고열로 들떠 의식을 잃어가는 마농은 이렇게 반음계적으로 올라가는 선율을 구사하며 살짝 들었다 놓는다. 사실은 그 선율 자체도 예전 작품에서 인용한 것이다. 푸치니는 1890년, 그에게 후원의 손길을 보낸 적 있던 사보이공 아마데오가 죽자 그를 추모하는 현악사중주 '국화crisantemi'를 썼다.

애도를 나타내는 그 첫 악장 첫 선율을 마농이 죽어가는 부분에 사용했고, 그것을 닮은 선율이 "나는 미미라고 합니다"의 첫 부분에 나타나는 것이다.

남자 주인공이 자기소개를 청하자 여자 주인공이 내놓는 첫 선율은 죽어감과 애도의 선율이었다. '예, 안녕하세요? 저는 죽을 운명입니다'라는 이야기와 같지 않은가. 물론 푸치니는 이를 교묘하게 돌려 말했다. 대부분은 이를 알아채지도 못한다. 그러나 첫 선율이 어딘가 병약하고 파리하다는 점은 누구나 느끼기 마련이다. 이 여성은 어떻게 될 것인가?

그러나 이어지는 노래는 그다지 울적하지 않다. 꿈만 먹고 사는 시인의 자기도취적인 노래에 비해 소박한 일상을 차분히 설명해나가는 듯하다. 그러나 "얼음이 녹으면 햇살은 내 것"을 노래할 때 관현악은 마법처럼 녹아 흘러 부풀어 오른다. 동시대 어떤 관현악 장인의 교향시에서도 경험하기 힘든 매혹의 순간이다. 이 노래에도 뒤의 4막에 재현될 모티프가 몇몇 등장한다.

미미의 소개가 끝나자마자 친구들이 밖에서 어서 나오라고 로돌포를 부른다. 먼저 가라고 보낸 뒤 이미 사랑에 빠진 두 사람의 2중창이 펼쳐진다. 녹아 흐르는 관현악은 그 빛을 더한다. 로돌포가 키스하려 하자 미미는 피하며 "친구들에게 함께 가자"고 제안한다. 두 사람은 팔짱을 끼고 나간다.

- 2막

인파 속의 카페 모무스. 로돌포가 미미와 함께 나타나 친구들에게 소개한다. 로돌포는 얇은 지갑을 털어 미미에게 모자도 사준다. 이윽고 예전 마르첼로의 애인이었던, 활달하고 야한 여인 무제타가 늙은 부자 알친도로와 함께 나타난다. 무제타는 주목을 끌고자 소란을 피우더니 '무제타의 왈츠'로 알려진 아리아 '내가 길을 걸어갈 때Quando m'en vo'를 부른다. 자신의 미모를 자랑하는 내용이다.

무제타는 갑자기 발이 아프다며 소리를 지르고, 알친도로에게 새 신을 사오도록 보낸 뒤 마르첼로에게 달려가 두 사람은 포옹한다. 웨이터가 계산서를 내밀자 일행은 알친도로에게 계산을 미루고 카페를 벗어난다. 군악대 행진 속에 흥겨운 분위기에서 막이 내린다. 미묘한 분위기극으로 불리는 이 오페라에 활기를 가득 불어넣는 부분이다.

• 3막

새벽. 시외에서 파리 시내로 들어오는 세관. 한층 창백해 보이는 미미가 나타나 마르첼로를 불러내 로돌포의 사랑이 식었다며 도와달라고 호소한다. 술집에 있던 로돌포가 나오는 기척에 미미는 나무 뒤로 숨는다. 로돌포는 미미가 듣고 있는 줄 모르고 마르첼로에게 자기는 미미를 진정 사랑하지만 병을 고쳐줄 돈이 없어 헤어지려 한다고 말한다. 나무 뒤에서 듣던 미미가 나오는 기침을 참지 못하는 바람에 로돌포는 미미를 발견한다. 냉혹한 현재의 상황을 확인한 두 사람은 헤어지자는 데 마음을 모으고, 미미는 "내게 선물로 준 모자를 기념으로 보관해달라"고 말한다.

이런 가운데 술집에서 싸우는 소리가 들린다. 마르첼로가 무제

〈라 보엠〉의 한 장면

어둠 속 1막에서 로돌포의 노래는 유려하고 아름답기 그지없다. 2막의 활기를 뒤로하고 3막에서는 실연의 순간이 찾아온다. 4막, 사랑을 고백하며 죽어가는 비극의 씨앗은 1막에 예비되어 있었다.

타에게 "다른 남자를 유혹했다"며 분노를 터뜨리고, 무제타는 조롱으로 응대한다. 이별을 아쉬워하는 미미와 로돌포, 언쟁을 벌이는 마르첼로와 무제타의 서글픔과 유머가 교차하는 4중창 '이제 끝인가?Dunque è proprio finita?'가 흐른다. 이 멜로디는 실제로는 푸치니가 밀라노 음악원 재학 시절 쓴 가곡 '태양과 사랑'에서 가져온 것이다. 미미와 로돌포는 "겨울은 이별하기엔 너무 춥다"며 따뜻한 봄까지 이별을 미루기로 한다.

• 4막

겨울과 봄도 지나고, 로돌포와 마르첼로는 각자의 연인과 헤어져 1막과 같은 하숙집에 함께 있다. 두 사람은 헤어진 여인들 생각에 사로잡혀 일이 손에 잡히지 않는다. 이윽고 각자의 연인을 그리는 2중창 '미미여, 너는 돌아오지 않고O Mimì, tu più non torni'를 부른다.

이때 쇼나르와 콜리네가 예전처럼 갑자기 생긴 음식을 들고 와 신이 난 친구들은 희곡 속의 주인공들처럼 춤 경연도 열고 부지깽이와 삽으로 칼싸움도 벌이며 장난을 치는데 갑자기 무제타가 뛰어 들어온다. 무제타는 미미가 많이 아프다며 아래에 와 있다고 알린다. 로돌포와 친구들이 부축해 미미를 데리고 들어와 침대에 눕힌다.

자, 푸치니가 1막에서, 특히 남녀 주인공이 자기를 소개하는 두 아리아에서 깔아놓은 달콤한 선율과 동기들이 되돌아오는 부분이 여기부터다. 1막과 같은 장소. 그렇지만 두 사람이 처한 환경은 1막과 전혀 다르다. 1막에서는 두 사람이 사랑에 빠지지만, 이 마지막 막에서는 가장 아픈 후회와 슬픔, 이별이 예고되어 있다. 그리고 빼놓을 수 없는 것, 시간의 흐름이다. 1막과 4막 사이에는 긴 단절이 있었다. '우리의 과거는 얼마나 아름다웠나. 그러나 어쩌다가 시간이 흘러 이렇게 아픈 때가 왔는가'라는 상념이 주인공들의 마음을 칠 것이다. 그러나 실제로 가슴을 치는 것은 작품을 듣고 보는 청중이다.

무제타는 귀걸이를 팔아 의사를 부르고, 콜리네도 외투를 팔기로 한다. 다른 친구들도 두 사람에게 시간을 주기로 하고 밖으로 나간다. 둘만 남은 연인들은 처음 만날 때의 기억을 더듬으며 이야기를 나눈다. 미미는 "다들 나갔나요?sono andati"라고 물으며 절절한 사랑을 고백한다.

다들 나갔나요? 자는 척했어요.
단둘만 있고 싶어서.
하고 싶은 말이 참 많아요.

아님, 하나뿐인데……. 그런데 큰 이야기예요. 바닷물처럼.
깊고 바다처럼 끝이 없는.
당신은 나의 사랑이고, 나의 삶 전부예요!

삶의 끝을, 아마도 분명히 내색하지 않지만, 예감하며 외치는 열렬한 사랑의 고백. 청중의 눈가가 다시금 뜨거워지는 순간이다.

이 노래에는 한 가지 별난 점이 있다. 네 박자로 이루어진 선율은 한 마디가 지날 때마다 시작 부분이 정확히 한 음씩 떨어진다. 그래서 "바닷물처럼come il mare"에 이르면 한 옥타브가 떨어진다. C단조의 라-솔-파-미-레-도-시-라 조의 주음主音으로 가라앉듯이 잠기는 이 선율은, 사랑 고백이면서도 이 순간 여주인공의 비극성을 잔인하게 드러낸다. 미미는 기진해가는 것이다! 그러나 다음 순간에는 온몸의 남은 생명력을 짜내듯이 다시 크고 절절하게 "당신은 나의 사랑이고 전부"라고 외친다.

너무 힘을 쏟았는지 미미의 기침이 터진다. 밖에서 들어오지 않고 머뭇거리고 있었을 친구들이 놀라 뛰어들어오고, 미미는 무제타가 사온 토시를 끼고는 희미한 의식 속에서 로돌포에게 고맙다고 한다. 로돌포도 그만 울음이 터진다. 미미는 손이 따뜻해졌다며 잠이 든다. 하지만 친구들은 미미가 숨을 거둔 것을 알아챘다.

로돌포가 친구들의 이상한 분위기를 알아채고는 미미의 이름을 애처로이 부른다. 미미의 최후의 아리아 '다들 나갔나요?'의 선율이 관현악 총주로 비장하게 회상되는 가운데 막이 내린다.

이것이 전 세계에서 가장 사랑받는 오페라 〈라 보엠〉의 개요다. 미미와 로돌포의 첫 번째 인연이 시작되는 장면으로 돌아가보자. 방을 비추던 촛불이 꺼지는 바람에 미미는 불을 빌리러 낯선 방문을 두드린다. 그런데 일부 연출가는 미미가 멀쩡히 켜진 촛불을 들고 오다 로돌포의 방문 앞에 이르러 촛불을 훅 불어 끄고 문을 두드리도록 한다.

작은 변화지만 미미의 성격에는 커다란 변화를 줄 수 있다. 미미는, 평소에 이곳에 사는 로돌포를 눈여겨보았을 것이며, 그를 유혹하기 위해 구실을 만들어 로돌포를 방문한 것이 된다. 기존의 '순수한 처녀' 미미의 모습과는 전혀 다르다. 이런 해석은 과연 맞을까?

뮈르제의 원작소설을 읽어보면 미미의 이런 모습은 수긍이 간다. 19세기 중엽 파리 라탱 지구에는 시골에서 올라온 미미나 무제타와 같은 처녀들이 카페 여급을 비롯한 다양한 일을 하고 있었고, 이들은 로돌포 같은 이류 예술가나 학생 등 여러 부류의 남자들과 자유로운 연애를 즐겼기 때문이다.

그렇지만 나는 '로돌포를 유혹하기 위해 방문을 두드린 미미'에 동의하지 않는다. 푸치니는 대본작가들을 설득해 미미의 모습을 훨씬 순수한 존재로 바꾸어놓았다. '나는 미미라고 합니다'에서 미미가 자신을 소개하는 모습은 방에서 꽃을 수놓는 일 외에는 주일에 성당에 가서 기도하는 것이 일상의 거의 전부다.

촛불을 불어 끄고 "초가 꺼져서 왔어요"라고 말하는 여성이라면, 자기소개도 꾸며서 할 수 있다. 하지만 '적극적인 성격의 미미'가 어울리지 않는 것은 아리아의 가사가 아닌 캐릭터를 뒷받침하는 '음악' 때문이다. 미미를 묘사하는 조심스럽고도 파리한 선율과 화음, 플루트와 하프가 지어내는 소극적이고 병약한 음색은 그의 성격이 순수하면서 청초함을 드러낸다. 미미와 관련된 음악이 크고 밝게 부풀어 오를 때는 욕망이 아닌 희망을 노래할 때뿐이다.

왜 푸치니는 대본작가들을 설득해서, 또한 자신의 음악으로 미미를 이토록 순수하게 만들었을까? 음악학자이자 푸치니 연구가인 모스코 카너Mosco Carner는 "어머니 알비나의 모습이 미미에 투영되었기 때문"이라고 설명한다. 카너의 설명이 아니더라도 설명 가능한 일이다. 나 또한 직관적으로 그렇게 느꼈다.

물론 알려진 알비나의 모습과 미미의 모습은 차이가 크다. 알비나는 체구가 크고 강건했으며 남편은 없고 자녀만 일곱 명인 집에서 매사 적극적으로 통제하는 여장부였다. 상상하자면, 푸치니도 애초에 어머니의 모습을 미미에 투사할 생각은 없었을 것이다. 4막 대본을 읽으면서 그의 심장에 뭔가 덜컥 떨어진 것은 아닐까. 그의 전작 세 편에서도 여주인공들은 목숨을 잃지만, 그 장면이 생략되어 있거나, 칼에 찔리거나, 황야에서 기진해 죽어갔다. 가구가 갖춰진 방에 누워 서서히 생명의 불꽃이 꺼져가는 장면은 처음 다루는 것이었다.

거기서 푸치니는 자신이 애달프게 곁에서 지켜본 어머니의 죽음을 떠올렸을 것이다. 자신은 넘치도록 사랑을 받았지만 제대로 보답을 하기도 전에 그 대상이 서서히 죽어가는 모습을 지켜볼 수밖에 없었던 안타까움이 〈라 보엠〉 종막에 투영되었을 것이다.

토레델라고 호숫가의 '클럽 라 보엠'에서 푸치니가 친구들 앞에 이 새 작품을 설명하며 피아노 건반에 얼굴을 묻고 흐느낀 일도 이해할 수 있다. 미미의 죽음은 주인공의 죽음에서 그치지 않고, 자신이 지켜주지 못했던 소중한 대상의 죽음이었다.

알비나 마기 푸치니의 죽음은 장남 푸치니에게 거대한 회한을 안겨주었다. 그러나 모정으로 가득 찬 이 어머니는 그 회한조차도 커다란 선물로 넘겨주었다. 푸치니의 슬픔은 음악으로 표현되어 그의 작품을 세계에서 가장 사랑받는 오페라로 자리 잡게 했다.

멜랑콜리를 겨냥한 사냥꾼

〈라 보엠〉은 푸치니 오페라의 구성상 특징이 가장 잘 드러나는 작품이기도 하다. 말하자면 '푸치니 공식'이라고 일컬을 만하다. 앞서 〈빌리〉에 대해 이야기하면서 간단히 소개한 바 있지만, 더 자세하게 설명하자면 다음과 같다.

1. 전반부(1막)의 분위기는 밝고 경쾌하다. 연인들의 사랑이 성립된다. 전곡의 주요 주제들이 제시된다.

2. 중간부는 있을 수도, 생략될 수도 있다. 있다면 사랑에 위기가 닥치고, 남자는 무책임하거나 위기 대응에 무능력하다. 이별이 이루어지거나 암시된다.

3. 줄거리상 꽤 긴 시간이 흐른다.

4. 후반부(마지막 막)에서 연인들은 다시 만난다. 그러나 분위기는 전반부와 사뭇 상반된다. 연인들이 다시 만났지만 상황은 어둡고 비극적이다. 전반부에 나왔던 주요 주제들이 회상된다. 여주인공이 죽어간다.

이것이 전형적인 푸치니 성공 오페라의 공식이다. 첫 작품 〈빌리〉부터(후반부에 이미 여주인공이 죽어 있지만) 이 공식을 따랐다. 두 번째 〈에드가〉, 세 번째 〈마농 레스코〉에 이르면서 이 공식은 점차 심화되었고, 〈라 보엠〉〈나비 부인〉에 이르러 그 절정에 달한다. 중요한 것은 전반부와 후반부 사이, 남녀 주인공이 이별해 있는 동안의 시간 간격이다. 후반부에서 1막의 동기들이 회상되면서, 그동안에 흐른 세월의 절절함이 주인공의 마음뿐 아니라 청중의 마음을 가격하며 눈물을 이끌어낸다.

푸치니의 우호세력들은 그를 일컬어 '단테의 가장 충실한 후배'라고 불렀다. 『신곡La divina commedia』의 작가 단테는 푸치니보다 6세기 앞서 그의 터전과 가까운 피렌체에서 살았다. 단테와 푸치니의 연관성은 『신곡』 지옥편의 파올로와 프란체스카 일화에서 두드러진다. 시동생을 사랑했다가 남편에게 죽임을 당한 프란체스카는 지옥에 도착해 "괴로운 현재 속에서 행복했던 과거를 회상하는 것만큼 슬픈 것은 없습니다"라고 털어놓는다. 푸치니가 마지막 막에서 첫 막의 모티프를 회상하며 행복했던 시기의 정감을 대조하는 기법은 바로 이 프란체스카의 독백을 상기시킨다.

미미를 떠나보낸 뒤 로돌포는 어떻게 되었을까? 원작소설에서 로돌포와 마르첼로는 각각 문인과 화가로 성공을 거두고 안락한 파리 근교의 중산층 예술가 대열에 진입한다. 그들은 과연 행복했을까? 마지막 장면에서 마르첼로는 로돌포가 듣는 가운데 뇌까린다. "우리는 죽었다. 미미가 죽었을 때 죽은 것이다."

〈라 보엠〉과 함께 푸치니도 그의 청춘을 떠나보냈다. '교향적 광시곡' '태양과 사랑' 등 밀라노 시절에 쓴 청춘의 주제들은 이 청춘 주인공들의 드라마에 삽입됐다. 이후 작품에서 그의 청춘시대의 흔적은 거의 등장하지 않았다.

이 오페라는 20세기와 21세기의 대중문화에도 색다른 영향을 미쳤다. 1996년 뉴욕에서 발표되어 그해를 휩쓴 록뮤지컬 〈렌트〉는

〈라 보엠〉에 등장하는 방약무인한 젊은이들의 하숙생활을 현대로 옮긴 것이었다. 1994년 방영되기 시작한 TV드라마 〈프렌즈〉도 〈라 보엠〉이 선보인 남녀 독신 친구들의 자유로운 생활에서 아이디어를 얻었다. 이후 비슷한 설정의 드라마나 시트콤이 유행했다. 미국 시트콤 〈빅뱅이론〉도 그중 하나다.

토레델라고의 야외 오페라 〈라 보엠〉이 시작하기 전까지 시간이 남았다. 호숫가에는 익숙한 사나이의 동상이 나를 반긴다. 물론 푸치니다. 고향 루카에서 의자에 앉아 있던 그는 이제 코트 주머니에 두 손을 넣은 채 일어서서 아는 척을 한다. 호수를 정면으로 바라보지도 않고, 등지지도 않고, 오페라 축제 무대 쪽의 호반을 응시한다.

다가가서 눈을 맞춰본다. 눈높이가 맞지 않고 여전히 꿈꾸는 듯한 시선으로 먼 곳을 바라본다. 역시 푸치니답다. 입에 예의 담배가 물려 있다. 그 또한 푸치니답다.

그와 맞추었던 눈을 오른쪽으로 돌려본다. 거대한 저택을 상상했다면 실망할 수도 있다. 전면이 2층인 노란색 건물이 나타난다. 정원은 아늑해 보이지만 특별하지는 않다. 집은 안이 들여다보이는 철제 담장으로 둘러싸여 있다. 푸치니가 창작 생활의 대부분을 보낸 집, 푸치니 빌라로 현재는 박물관으로 운영되고 있다. 이 건물은 〈토스카〉를 쓰던 시절 공사를 시작해 1900년 그가 먼저 살던 집 부근에 들어섰다.

아무 때나 들어갈 수는 없다. 오전 10시부터 하루 네 차례, 한정된 시간에만 문을 열었다가 닫는다. 사진을 찍어서도 안 된다. 그다지 비밀스러워 보이지도 않고, 이미 인터넷에 수많은 사진이 공개되어 있는데, 자코모 푸치니와 엘비라 푸치니의 자취는 야트막한 제한 뒤편에 잠들어 있다.

빌라의 중심인 거실에는 검은 업라이트 피아노가 하나, 그 왼쪽으로 창가 환한 쪽에는 악보 작업을 할 수 있는 책상이 있다. 20세기 초에 걸맞은 아늑한 장식들이 붙어 있는 가구들이지만, 특별한 화려함은 없다. 푸치니 생전에 찍힌 사진도 그대로다.

거실을 뒤로 돌아 자그마한 예배실(채플)로 발걸음을 옮긴다. 푸치니, 그리고 그와 사랑을 나누고 수많은 다툼을 벌였던 부인 엘비라가 묻힌 곳이다. 두 손을 모으고 고개를 숙인다. 푸치니는 경건한 가톨릭 신자가 아니었다. 그가 기독교 신앙을 부인한 적은 없었다. 친구 중에는 그의 전기를 쓴 달 피오렌티노 신부가 있었고, 이 예배실은 그가 죽은 뒤 마지막 안식의 장소로 새로 조성된 곳이다.

여름 호숫가의 공기는 뭉근하고 후텁지근하다. 무르익은 봄, 온갖 꽃들이 피어 있을 때 다시 이곳을 찾고 싶다. 그리고 새벽에 이 호숫가를 걷고 싶다. 정적을 깨는 모터보트의 소음과 함께 엽총과 사냥한 새 꾸러미를 둘러멘 작곡가의 환영이 나타날지도 모른다. 피를 묻힌 새들의 모습은 잔혹하겠지만, 푸치니 극의 결말 역시 흔히 잔혹하지 않던가. 이제 그 잔혹함의 최고치를 만나러 간다. 푸치니 그의 다섯 번째 작품〈토스카〉의 무대, 로마다.

바르디 백작의 저택_오페라가 태어난 곳

푸치니의 이름에 끌려 〈잔니 스키키〉의 무대 피렌체를 찾은 음악 팬이라면 베키오 다리 외에도 잊지 말고 들러야 할 곳이 있다. 바로 '오페라의 탄생'과 연관된 장소들이다.

특정 예술 장르가 발명된 시기와 장소가 있다는 것은 새삼스럽다. 소설이 발명된 곳을 알 수 있을까? 회화나 조각이 시작된 지역을 말할 수 있을까? 뤼미에르 형제가 발명했다는 영화처럼 '기술'을 전제로 하지 않는 한, 알기 힘든 일이다. 그렇지만 오페라는 그 탄생 시기와 탄생 지역이 있다. 오페라에서 뮤지컬이 흘러나왔으니 서양문화사에서 현존하는 모든 음악극의 뿌리가 여기에 있다고 할 수 있다. 바로 이곳 피렌체, 바르디 백작의 저택이다.

1597년 르네상스기, 전 유럽의 문화 수도였던 피렌체에서도 문화의 후원자로 이름난 바르디 백작의 집에 지식인들이 모여들었다. 이 모임은 '카메라타 피오렌티나Camerata Fiorentina', 즉 '피렌체의 작은 방'이라고 불렸다. 갈릴레오 갈릴레이의 부친인 빈첸초 갈릴레이도 그 중심 멤버 중 하나였다. 이 책벌레들이 모여 토론한 내용 중에는 '극의 타락'도 포함됐다. "오늘날 연극은 타락했다. 연극의 전성기는 그리스극이었다. 당시의 극을 오늘날 되살려보면 어떨까?"

의기투합한 이들은 시인 리누치니가 대본을 쓰고 작곡가 페리와 카치니가 곡을 붙여 그리스 신화에서 소재를 딴 첫 오페라 〈다프네Daphne〉를 만들었다. 반 밀레니엄을 넘는 서양 음악극 전통의 시작이었다.

그 카메라타는, 바르디 백작의 저택은 어디 있을까? 베키오 다리의 동남쪽 바로 다음에 나오는 그라치에 다리에서 북쪽으로 올라가면 나오는 벤치 거리Via dei Benci 5번지가 그곳이다.

웬만하면 박물관으로 개조할 만한데, 지금도 사람이 살고 있을 6층의 건물은 문이 굳게 닫혀 있다. 그 자체로 장려한 건물이지만 '바르디 궁전Palazzo Bardi'이라는 이름이 무색하게 주변의 비슷한 건물 사이에서 눈길을 끌지는 않는다. 정면에 박혀 있는 대리석 명판이 건물의 역사적인 무게를 일깨워줄 뿐이다. 이 집에 살았던 주인들의 군사적 성과를 열거한 뒤, "그리스극의 전통을 되살려 레치타티보(가사를 읊듯이 노래하는 것)와 아리아(오페라 속의 노래)로 이뤄진 오페라라는 극의 혁신을 이뤄 근대 예술에 공헌하였다"고 쓰여 있다.

시끌벅적한 베키오 다리를 다시 건너면 1458년 지어진 피티 궁전Palazzo Pitti에 금세 닿는다. 1549년 피렌체의 지배자인 메디치 가문이 이 궁전을 사들였고 규모를 크게 확장했다. 1600년 10월 6일, 이곳에서 야코포 페리Jacopo Peri의 오페라 〈에우리디체Euridice〉가 상연되었다. 역사상 두 번째 오페라였다. 이 작품에 앞서 시험 공연되었던 페리의 〈다프네〉는 오늘날 악보가 사라졌기 때문에, 이 사건은 세계 최초의 본격적인 오페라 공연이자 오늘날 그 면모를 짐작할 수 있는, 그리고 그 음악이 알려져 있는 최초의 오페라 공연이 되었다. 소재는 널리 알려진 그리스 신화의, 오르페우스가 죽은 아내 에우리디체를 찾아 명계冥界로 내려가는 이야기다.

궁전 내부에는 갤러리가 일곱 곳이나 있고 야외 공간에는 화려한 이탈리아식 정원이 있다. 오페라의 자취를 찾지 않더라도 이곳 피렌체에서 외면하기엔 아쉬운 곳이다. 동양에서 온 대부분의 관광객은 이곳까지 이르지 않고 아르노 강 북쪽에서 대부분의 일정을 마무리한다.

이 궁전에서 오페라 공연이 열린 장소는 어디였을까. 명확히 알 수는 없다. 궁전의 모습 자체도 오늘날과는 크게 달랐을 것이다. 어쨌거나 지식인과 예술가들이 꾸는 꿈을 지배자의 부富가 실현해줄 수 있는 공간이 당시 17세기 초의 피렌체였다.

피티 궁전

04

GIACOMO PUCCINI

무대에 담긴 영원의 도시들

〈토스카〉와 〈잔니 스키키〉

피렌체의 아르노 강

고향 토스카나를 무대에 올리다

베르디와 달리 푸치니는 애국적이거나 '향토주의적'인 작곡가가 아니었다. 그 점은 그가 활동기간 내내 열혈 '애국자'들로부터 공격을 받는 빌미가 되기도 했으나, 그가 활동했던 시기의 시대정신 자체가 '독일이나 프랑스의 예술과 소재로부터 영감을 받자'는 데 방점이 찍혀 있기도 했다.

그가 내놓은 열두 편('3부작'을 작품 세 편으로 보았을 때)의 오페라 가운데서도 이탈리아가 작품 배경인 작품은 〈토스카〉와 '3부작' 중 마지막 막幕인 〈잔니 스키키〉뿐이다. 푸치니는 자신이 잘 아는 도시가 무대인 이 두 드라마에 각별한 정성을 쏟았고 생생한 색채를 무대 위에 투사했다. 〈토스카〉의 배경인 로마와 〈잔니 스키키〉의 이야기가 펼쳐지는 피렌체를 차례로 찾아가기로 한다.

'영원의 도시' 로마만큼이나 사람의 상상력을 자극하는 도시가 있을까. 유럽 문명의 토대를 이룬 대제국의 수도였고, 반달족을 비롯한 북방 민족의 침략을 받은 뒤에는 끝없을 것 같은 폐허의 시대가 이어졌다. 15세기 이후 교황의 터전으로 다시 번창하기 시작했고, 17세기에 이르면 베르니니와 같은 조각가와 건축가가 새롭고 밝은 빛으로 이 고도의 외형을 바꾸어나갔다. 고대와 중세, 근대와 현대는 이 도시의 오랜 지층 위에 겹겹이 쌓였고 지금은 서로 구분할 수 없이 뒤섞여 형언할 수 없는 독특한 매력을 발산하고 있다.

이탈리아 통일 이후 한동안 피렌체에 터를 잡고 있던 이탈리아 정부는 1871년 마침내 프랑스-프러시아 전쟁 와중에 교황청을 보호하고 있던 프랑스 군대를 몰아내고 로마를 수도로 선언했다.

16년 뒤인 1887년에는 프랑스의 흥행작가 빅토리앵 사르두가 이 도시를 무대로, 버나드 쇼의 표현을 빌리자면, "공장에서 만들어 빼낸 것 같은" 깔끔하고 긴박감 넘치는 연극 〈라 토스카〉를 파리에서 선보였다. 당대 최고의 여배우 사라 베르나르가 주연을 맡았고, 체코 장식미술가 알폰스 무하가 그린 긴 배너가 샹젤리제 거리를 따라 걸렸다. 대성공이었다. 사람들이 이 대흥행작의 홍보 배너를 계속해서 뜯어가는 바람에 흥행사가 다시 인쇄하느라 골머리를 앓을 정도였다.

이 극의 성공에 이탈리아의 오페라 작곡가들과 흥행사들도 일제히 눈을 돌렸다. 두 번째 오페라 〈에드가〉를 초연한 직후 푸치니와 리코르디는 이 소재를 차기작으로 검토한 바 있었다. 그러나 "내 기질과 맞지 않는다"는 푸치니의 말에 리코르디는 간단히 동의했고, 세 번째 작품은 〈마농 레스코〉가 되었다.

연극 〈라 토스카〉 현수막

빅토리앵 사르두의 〈라 토스카〉 공연 당시 걸렸던 홍보 그림은 아르누보 양식의 대표 화가이자 장식미술가 알폰스 무하의 작품이다. 연극의 대성공 이후 이 작품의 오페라 작곡자는 누가 될 것인지 관심이 집중되었다.

그러나 이제 사정은 달라졌다. 〈라 보엠〉으로 전 세계를 휩쓴 푸치니는 전 세계에서 가장 주목받는 오페라 작곡가였고, 〈토스카〉는 과연 누가 오페라로 만들지 전 세계인이 지켜보는 소재였다. 둘의 결합은 엄청난 결과를 낳을 것임에 분명해 보였다, 성공이든 실패든. 이미 〈토스카〉의 오페라화를 위한 저작권까지 확보해두었던 리코르디는 심지어 작곡에 들어갔던 소속 작곡가 프랑케티를 설득해 푸치니에게 넘기도록 만들었다. (어떤 방법으로 설득했는지는 알려지지 않았다. 반쯤 아마추어 작곡가였고 베니스의 대운하에 저택을 가지고 있을 정도로 부유했던 프랑케티는 이후에도 푸치니의 친구로 남았다.)

이 작품은 푸치니의 다섯 번째 오페라이자, 독일, 벨기에, 프랑스를 배경으로 했던 전작들과 달리 그의 작품으로는 '처음으로' 이탈리아를 무대로 펼쳐지는 작품이 될 것이었다.

심지어 '노老' '대大' 베르디까지 이 소재에 큰 관심을 보였다. 푸치니의 〈토스카〉가 초연되기 6년 전인 1894년 10월, 베르디는 자신의 〈오텔로〉 파리 초연을 참관하기 위해 파리에 갔다가 연극 〈라토스카〉를 관람했다. 그는 특히 카바라도시가 처형 전 세상과 이별을 고하며 읊는 대사(푸치니의 오페라에서 아리아 '별은 빛나건만'으로 노래된다)에서 눈물을 글썽일 정도로 감명을 받았다.

만약 푸치니가 아닌 베르디의 〈토스카〉가 나왔다면 어떤 작품이 되었을까? 자신의 생을 돌아보는 남자의 '회한의 아리아'는 베르디 평생의 장기였다. 그러나 그의 나이는 이미 81세였고, 그 전해 마지막 오페라 〈팔스타프〉를 내놓은 뒤였다. 이후 푸치니가 〈토스카〉 작곡에 들어갔다는 소식을 들은 베르디는 "푸치니는 운이 좋다"고 촌

평했다고 한다.

루카를 출발해 피렌체에서 갈아탄 기차는 한 시간 반 만에 로마 중심가 동쪽에 자리 잡은 테르미니 역(종착역)에 닿았다. 늘 그랬듯 이동하기 편리하도록 역 근처 수수한 호텔에 자리를 잡았다. 튼튼한 다리와 느긋한 마음을 가진다면, 걸어서 다닐 만한 거리에 있다. 로마의 지하철도 단 두 개 노선인 데다, 지하철역에서 가까운 볼거리라고 해봐야 스페인 계단 하나 정도다.

가져야 할 게 또 하나 있다. 지금과 같은 여름이라면 꼭 필요한, 이글이글 타는 태양에 대한 내성이다. 유럽의 한여름은 습하지 않아 견딜 만하다고들 하지만, 선글라스를 진짜로 끼고 나온 건지 다시 한 번 눈가를 쓸어보게 만드는 남유럽의 강렬한 햇살에는 단단히 각오를 해야 한다.

질투에 눈먼 여인

널따란 나초날레 거리를 서남쪽으로 통과해 비토리오 에마누엘레 2세 거리를 따라 걷는다. 목도 마르고 앉고 싶은 생각이 간절해질 때 바로크풍의 성당이 눈에 들어온다. 목표를 확인해두었으니 눈에 들어왔을 뿐, 시선 닿는 곳마다 문화재요 역사명소인 로마 한가운데서 일반적인 여행자의 눈에 뜨일 만한 정도는 아니다. 정면에 부조된 네 명의 성자상. 그 가운데 있는 파란 작은 문. '산탄드레아 델라 발레Sant'Andrea della Valle' 교회다.

잠시 뜨거운 햇살을 피하기 위해, 또는 단지 호기심에서 문을 열어본 여행자라면 입에서 '엇' 하는 소리가 나왔을 것이다. 천장과 벽을 가득 메운 화려한 프레스코화 때문이다. 그리고, 밝다. 입구 반대편 제단 쪽 큐폴라cupola(돔 같은 양식의 둥근 천장) 창으로 햇빛이 쏟아져 들어오고, 금색을 입힌 기둥들이 그 밝음을 한층 강조한다. 제단 바로 뒤편에는 엑스 자 십자가에 매달려 처형되는 성자의 그림이 있다. 12사도 중 한 사람이며 베드로의 동생인 안드레(안드레아)다. 전설에 따르면 베드로는 예수와 같은 모습으로 처형될 수 없다며 십자가에 거꾸로 매달려 순교했고, 안드레는 그와도 또 다른 엑스 자 모양의 십자가를 택했다.

이 그림에서, 또한 이름에서 보듯 이 성당은 성 안드레를 기리는 성당이다. 안드레는 이탈리아 남쪽 아말피의 수호성자였고, 그곳에 그의 유체가 모셔져 있었다고 전해진다. 아말피의 부호들이 뜻을 모아 로마에 이 성당을 지은 것이 1590~1650년의 일이다. 당시에는 주변을 압도하는 모습이었을 것이다. 이 성당의 큐폴라는 로마에서도 성 베드로 성당과 판테온Pantheon 다음가는 규모다.

그러나 그 장려함에 취하기 위해 이곳에 들어온 것은 아니다. 이 성당에 가장 먼저 들른 것은, 바로 오페라 〈토스카〉 1막 무대가 이

로마의 산탄드레아 델라 발레 성당

화려한 프레스코화와 금색의 기둥들, 쏟아지는 햇빛이 〈토스카〉 1막의 배경이 되는 산탄드레아 델라 발레 성당의 내부를 밝히고 있다. 너무나 밝아서 탈옥한 안젤로티가 숨어들 곳은 없어 보인다.

곳이기 때문이다. 줄거리를 살펴보자.

막이 오르면 산탄드레아 델라 발레 교회의 내부. 갓 탈옥한 정치범 안젤로티가 뛰어들어와 숨는다. 잠시 후 화가 카바라도시가 들어와 자신이 그리던 막달레나의 초상화 앞에 서서 애인 토스카의 초상과 비교하면서 아리아 '오묘한 조화Recondita armonia'를 부른다. 안젤로티가 나타나, 사람을 보고 도망치려다가 친구 카바라도시라는 것을 알고 기뻐한다. 그는 카바라도시에게 도피를 도와달라고 부탁한다.

이윽고 카바라도시의 연인 토스카가 카바라도시를 부른다. 안젤로티에게 음식을 주며 숨기느라 지체하자, 질투심 많은 토스카는 그가 여인을 숨긴 것이 아닌지 의심하며 연인을 닦달한다. 다른 여자의 모습을 모델로 그림을 그리고 있는 것도 토스카의 의심과 질투를 부추긴다.

토스카가 다시 나간 후 카바라도시는 안젤로티에게 은밀한 도주로를 가르쳐주며 자기 별장으로 가서 숨으라고 말한다. 카바라도시가 나간 뒤 경무총감 스카르피아가 부하들을 데리고 들어와 탈옥수가 숨어 있는지 찾도록 명령한다. 부하들이 안젤로티가 먹은 음식을 발견하고, 스카르피아는 카바라도시가 그의 도피와 연관되었음을 직감한다. 토스카가 다시 나타나자 스카르피아는 여인의 부채를 보여주며 토스카가 카바라도시를 의심하도록 부추긴다. 토스카는 질투에 차서 카바라도시의 별장으로 달려가고, 스카르피아는 부하가 그를 미행하도록 한다.

이때 나폴레옹 군이 패배해 쫓겨났다는 소식이 들어오고, 성가대가 이를 감사하는 찬미가 '테 데움Te deum'을 부른다. 스카르피아는 노래를 따라 "토스카, 네가 신까지 잊게 만드는구나"라고 외치며 토스카에 대한 야욕을 드러낸다.

이 오페라의 배경은 1800년이다. 원작자인 사르두는 상세한 날짜까지 명기해두었다. 1막은 6월 17일 오후, 2막은 같은 날 밤, 3막은 다음 날인 6월 18일 새벽이다.

4년 앞서 1796년 이탈리아를 침공한 나폴레옹은 2년 뒤 위성국인 '로마공화국'을 세웠다. 나폴레옹이 패퇴한 뒤 로마는 보수 왕정인 나폴리 왕국의 손에 들어갔고, 나폴레옹은 1800년 다시 알프스를 넘어 들어왔다. 두 세력은 피에몬테 주의 마렝고에서 6월 14일 격돌했다. 그 사흘 뒤가 〈토스카〉의 시간적 배경이다.

막이 오르고 처음 등장하는, 도망치는 죄수 안젤로티는 나폴레옹 편인 로마공화국의 집정관(콘술) 중 하나였다. 그를 쫓는 스카르피아는 나폴리 왕국 수하의 경찰 책임자다.

1막에는 주인공 남녀의 애정행각도 묘사되고 두 '진보파' 친구의 불안한 대화도 이어지지만 음악적으로 핵심적인 대목은 두 곳이다. 두 여인의 아름다움을 비교하는 아리아 '오묘한 조화'와 승전을 감사하는 찬미가에 스카르피아의 개인적인 욕망을 얹는 '테 데움'이다. '테 데움'은 선율적으로 커다란 기복이 없지만 관현악의 총주와 합창, 오르간이 어울리는 장려한 화음을 효과적으로 고조하면서 강렬한 인상을 남긴다.

여기 흥미로운 사실이 하나 있다. 푸치니 사후, 그가 이사한 뒤에도 팔지 않고 있던 토레델라고의 푸치니 빌라에서 할아버지인 작곡가 도메니코 푸치니의 '테 데움' 악보가 발견되었다. 나폴레옹이 마렝고 전투에서 패배했다는 소식을 듣고 축하하기 위해 당시 루카의 보수주의 통치자가 주문한 곡이었을 것이다. 고향집인 루카에서 토레델라고로 악보를 가져올 사람은 푸치니 자신뿐이었다. 혹시 그는 할아버지의 '테 데움' 악보를 보고 이 장면을 구상한 것일까.

할아버지 푸치니의 '테 데움'은 손자가 오페라에 삽입한 '테 데움'과는 음악적으로 닮지 않았다. 사르두의 원작 희곡에도 '테 데움' 장면이 들어 있다. 할아버지의 악보를 찬찬히 들여다보던 푸치니의 머릿속에 스쳐간 것은 무엇이었을까. 그만이 알고 있을 것이다.

원작이 있고 대본작가가 있다고 해도, 최종적인 산물을 빚어내는 것은 오페라 결과물의 최종 책임을 진 작곡가의 의사다. 어느 오페라 작곡가보다도 대본작가들을 괴롭혔던 푸치니라면 더 말할 나위가 없다. 할아버지의 '테 데움' 외에 그의 개인사를 연상시키는 대목은 또 있다. 질투심 강한 여인 토스카다. 자신이 불렀는데 연인이 늦게 응대했다고 "여기 여자가 있었느냐"고 캐묻고, 자기가 아닌 다른 여인을 그렸다고 해서 불같은 질투를 폭발시킨다. 그렇게 뜨겁게 질투한 여인을 또 한 사람 알고 있다. 바로 푸치니의 부인 엘비라다.

물론 그 원인은 푸치니 자신에게 있었다. 후일 수많은 문제를 일으킬 그의 바람기는 〈토스카〉 작업 시절 이미 충분히 발동되고 있었다. 엘비라는 그런 남편을 늘 감시했고 끊임없이 분노했으며 의심의 눈초리를 거두지 않았다. 물론 사르두의 원작 희곡에도 토스카의 질투가 스카르피아의 계략을 완성시킨다는 점은 동일하다. 그렇다고 해도 질투를 폭발시키는 여주인공의 모습에서 작곡가의 아내를 연상하는 점이 어색하지는 않다.

살인을 부른 사랑

다시 로마 시내의 뜨거운 태양 속으로 들어간 뒤 두 번째 목적지로 발걸음을 옮긴다. 2막 무대인 파르네제 궁전(팔라초 파르네제)이다. 단 5분. 극 속에 나오는 스카르피아도 달리 점검하거나 확인할 일이 없었다면 똑같이 이 길을 걸어 이동했을 것이다.

이탈리아 주재 프랑스 대사관에 한국인이 사전 허락 없이 들어갈 수는 없다. 지어질 당시 이 건물은 파르네제 가문의 로마 거처였다. 파르마 대공을 세습한 집안이자 15세기 교황 바오로 3세를 비롯한 로마의 여러 세력가를 배출한 집안이다. 이후 나폴리 왕국으로 소유권이 넘어갔고, 〈토스카〉의 역사적 배경인 1800년에는 나폴리 왕국의 관청으로 쓰였다. 왕정의 대리인인 경시총감 스카르피아의 집무실이 이곳으로 설정된 이유다. 현재는 1년에 며칠간 화려한 내부 장식을 공개하는 날이 있다고 한다.

이곳을 배경으로 펼쳐지는 2막의 줄거리는 다음과 같다.

파르네제 궁전 안 스카르피아의 집무실. 승전을 축하하는 음악회에서 토스카가 노래하는 소리가 들려온다. 부하 스폴레타가 들어와 안젤로티는 놓쳤지만 카바라도시를 체포했다고 보고한다. 스카르피아는 카바라도시에게 죄수를 은닉한 곳을 말하라고 심문한다. 음악회를 끝낸 토스카가 이 자리에 불려온다. 카바라도시가 고문당하

로마의 파르네제 궁전

〈토스카〉 2막에서 나폴리 왕국 수하 경찰인 스카르피아의 집무실로 등장한다. 파르네제 궁전은 산탄드레아 델라 발레 성당에서 5분 거리에 있다. 〈토스카〉의 역사적 배경인 1800년에는 나폴리 왕국의 관청으로 쓰였으나 지금은 이탈리아 주재 프랑스 대사관이 되어 사전 허락 없이는 들어갈 수 없다.

는 모습을 본 토스카는 그에게 실토해도 좋으냐고 묻지만 카바라도시는 입을 다물어달라고 한다. 참다못한 토스카는 안젤로티가 별장 우물에 숨어 있다고 말해버린다. 카바라도시는 끌려나간다.

스카르피아와 토스카만 남은 가운데 토스카는 연인을 살려달라고 탄원하고, 스카르피아는 자신의 애욕을 채울 수 있기를 요구한다. 절망에 빠진 토스카가 아리아 '노래에 살고 사랑에 살고Vissi d'arte, Vissi d'amore'를 부른다.

드디어 자기에게 몸을 바치겠다는 토스카 앞에서 스카르피아는 부하 스폴레타를 불러 거짓 총살집행을 하라고 하면서 의미 있는 눈짓을 한다. 토스카가 카바라도시와 함께 도망가기 위한 허가서를 달라고 하고 스카르피아는 허가서를 써준다.

이 사이 토스카는 식탁에서 나이프를 집어든다. 스카르피아가 토스카를 껴안으려 하자 토스카가 칼로 그를 찌른다. 쓰러진 스카르피아의 발치에 촛대를 놓아두고 성호를 그은 뒤 토스카는 허가서를 집어들고 나간다.

이 막은 매우 강렬한 음악을 요구한다. 카바라도시를 스카르피아가 고문하는 장면, 토스카가 스카르피아를 찌르는 장면 등은 극적 긴장감을 극대화한다. 그러나 솔직히 말해서 이 장면들에는 음악적으로 각별한 인상이 남지 않는다. 2막에서 가장 길이 남을 부분은 토스카의 아리아 '노래에 살고 사랑에 살고'다. 실은 '예술에 살고 사랑에 살고'가 원문에 가깝다.

예술에 살고, 사랑에 살고,

생명을 해한 적이 없어요!

늘 신심으로 제단에 꽃을 바쳤죠.

(…)

그런데 이 비참한 시간에

주여, 왜 내게 이러십니까?

스카르피아의 위협으로부터 자신의 연인을 구하려면 몸을 빼앗겨야 하는 절체절명의 위기 속에서 여주인공은 신을 부르며 간구한다. 그 간구는 세계인과 공감했다. 이 아리아는 1950~1960년대에 마리아 칼라스의 목소리에 실려 수없이 방송을 탔다. 오늘날 이 노래의 인기는 그때보다는 다소 못한 듯하다.

비록 성호를 그었지만 이 여주인공이 찾아낸 해답이 종교적이라고 할 수는 없었다. 그의 운명은, 연인의 운명은 어떻게 되었을까. 이미 알고 있더라도 3막의 현장으로 가보자. 로마를 방문한 사람이라면 누구나 한 번쯤 눈에 담아두었을 산탄젤로 성(천사성)이다.

절망에 몸을 던지다

한낮의 열기에 녹초가 된 몸을 이끌고 숙소로 돌아가 긴 낮잠에 빠진 뒤 해 질 녘이 되어 다시 호텔을 나선다. 저녁이 가까워 오지만 아직 태양은 이글이글하다. 안 되겠다, 도보 코스의 절반이라도 줄여야겠다. 지하철을 타고 스페인 계단La Spagna에서 내린다.

출구를 나서자 계단 아래로 새빨간 태양이 명품거리인 콘도티 거리를 따라 마치 연극 조명처럼 계단에 앉은 젊은이들의 얼굴을 비추고 있다. 멋진 광경!

지도 앱을 펼쳐보니 테베레 강이 멀지 않다. 강을 따라 걸어보기로 한다. 한적한 강변의 정경이 펼쳐진다.

이내 오른쪽으로 '천사의 성' 산탄젤로 성이 모습을 드러낸다. 왼쪽으로 계단을 따라 강둑을 올라선다. 정면에 거대한 원통의 성이 떡 하고 모습을 드러낸다. 처음 보았을 때는 놀랍다고 할까, 기괴하다고 할까. 어머니의 화장품 통 같은 기묘한 비례에, 톱니바퀴를 연상시키는 상층의 도드라지는 조형이 어딘가 시대를 초월한 메카니컬한 느낌까지 준다. 모든 양식의 건물을 만날 수 있는 로마에서도 이건 어딘가 모르게 이질적이다. 정면에 성을 배경으로 테베레 강을 건너는 다리가 있고, 프라하의 카렐 다리와 비슷하게 양쪽으로 조각상들이 늘어서 있다.

천사성 산탄젤로는 139년 로마 황제 하드리아누스Hadrianus의 무덤으로 지어져 카라칼라Caracalla까지 로마 황제들이 묻혔다. 이후 590년 그레고리오 교황은 유럽에 창궐한 흑사병이 물러나기를 기원하는 기도를 올리다가 이 성 꼭대기에서 대천사 미카엘이 칼을 칼집에 집어넣는 환상을 보았다. 징벌이 이제 끝났다는 뜻이었고, 흑사병 확산이 멈추었다고 전해진다. 이 성이 천사의 성이라고 불리는 이유다.

이 거대한 성이 가장 큰 존재감을 과시하게 된 것은 16세기였다. 빠른 걸음으로 10분 남짓한 거리의 바티칸에 터를 잡은 교황들은

로마의 산탄젤로 성
성 꼭대기에 대천사 미카엘이 내려와 흑사병을 멈추었다 해서 '천사성'으로도 불린다. 테베레 강가에서 바라본 거대한 원통 모양은 다양한 건축 양식을 포용하는 로마에서도 이질적이고 기괴한 느낌을 준다.

비상시에 숨어 수비전을 벌일 요새로 이 견고하고 높은 성을 선택했다. 성벽을 따라 지붕이 있는 긴급 통로도 설치했다.

실제 1527년 신성로마제국 황제 카를 5세가 로마를 침공하자 교황 클레멘스 7세가 이 통로를 통해 산탄젤로로 도피했다. 1536년에는 미카엘 대천사의 상이 성 꼭대기에 세워졌다. 그레고리오 교황이 환상을 본 지 1천 년 가까이 지나서였다. 1669년에는, 오늘날 로마의 모습 '절반'을 구현한 조각가 겸 건축가 베르니니가 다리 위의 조각상을 세웠다.

이 성의 근대는 가장 우울한 역사로 사람들의 기억에 남게 된다. 감옥 겸 처형장으로 사용되었기 때문이다. 대천사상 옆에는 종을 달아 처형이 있을 때마다 가여운 영혼을 저세상으로 보내는 것을 알렸다. 오페라 〈토스카〉의 배경이 된 1800년의 산탄젤로 성도 감옥 겸 처형장으로서의 모습이다.

오늘날 이 성은 입장권을 사서 들어갈 수 있는 관광 포인트 중 하나다. 내부에는 무기 박물관이 있고, 곳곳에 대포알로 쓰였던 거대한 돌공이 쌓여 있다. 표를 사서 안으로 들어간다. 넘어가기 직전의 붉은 해가 서쪽 하늘을 가득히 물들이고 있다. 7시 반이면 문을 닫으니 서둘러야겠다.

성의 규모가 거대한 만큼 하늘이 보이는 공간도 있다. 로마의 스카이라인을 느긋이 감상할 수 있는 성 위의 노천카페에서는 연인들이 그윽한 눈빛으로 정담을 나누고 있다. 이곳 어디에서 카바라도시는 삶의 마지막을 돌아보았을까?

이 성을 배경으로 펼쳐지는 〈토스카〉 3막 내용은 다음과 같다.

산탄젤로 성의 새벽. 양치기의 노랫소리가 들린다. 처형을 앞둔 카바라도시는 토스카에게 마지막으로 편지를 쓰다가 슬픈 감정을 이기지 못하고 토스카와 사랑에 들떴던 시절을 그리워하는 아리아 '별은 빛나건만E lucevan le stelle'을 부른다. 순간 갑자기 토스카가 나타나 카바라도시는 깜짝 놀란다. 토스카가 통행증을 받고 스카르피아를 죽였다는 전말을 이야기하자 카바라도시는 "이 부드러운 손이……"라며 놀라워하지만 두 사람은 다시 희망에 찬다. 토스카는 처형은 연극이라고 귀띔하며 쓰러지는 척 연기를 잘하라고 이른다.

총성이 울리고 카바라도시는 쓰러진다. 병사들이 사라지자 토스카가 그의 곁으로 가서 이제 일어나라고 말하지만 카바라도시는 이미 숨이 끊어져 있다. 실제 총을 맞은 것이다. 스카르피아의 기만이었다. 경악한 토스카가 연인의 이름을 외쳐 부르는 사이 스카르피아의 부하들이 그를 찾아 뛰어올라온다. 토스카는 "스카르피아, 신 앞에서 만나자"고 외치며 성에서 몸을 던진다.

내가 이 작품에서 가장 사랑하는 부분이 3막이다. 호른 솔로에 이어지는 피콜로와 현의 소슬한 합주부터가 사랑스럽기 그지없다. 천년 고도의 새벽.

이 오페라의 배경이 된 1800년만 하더라도 성 베드로 성당의 영화로운 모습 주변에는 고대 로마의 폐허와 휑한 공터가 공존했다. 잡초가 자라난 구릉에는 양치기들이 양을 풀어놓았다. 어린 양치기가 실연의 아픔을 노래하는 소박한 노래를 부른다. 고음현에서 저음현으로, 하프와 방울소리가 출렁거리는 관현악은 순식간에 귀로 전해지는 공간감을 광대한 야외로 확대한다. 새벽바람이 귓전을 거

산탄젤로 성에서 내려다본 로마

카바라도시가 죽자 비탄에 잠긴 토스카는 성에서 몸을 던진다. 그가 죽기 전에 본 광경도 이러했을까? 로마 황제들의 무덤에서 요새로, 감옥 겸 처형장으로 드라마틱하게 변한 성의 역사를 알면 〈토스카〉 3막의 배경이 왜 이곳인지 더 잘 이해할 수 있다.

쳐 옷깃을 뚫고 들어오는 것 같다.

뒤에 〈나비 부인〉에 대해 이야기하면서도 소개하겠지만, 푸치니는 새벽을 표현하는 데 남다른 애정과 집착을 보였다. 그는 〈라 보엠〉 초연 다음 해인 1897년 11월에 로마를 방문했다. 새벽에 숙소를 나와 산탄젤로 성 부근을 거닐며 실제 분위기를 머릿속에 담아두기 위해 무척 공을 들였다고 한다. 이 3막 초반에 나오는 크고 작은 교회의 새벽 종소리도 그가 직접 오선지에 꼼꼼히 메모한 결과를 펼쳐낸 것이었다.

목숨이 경각에 달린 수인囚人 카바라도시의 노래 '별은 빛나건만'의 가사는 다음과 같다.

　　별들은 빛났고,

　　대지는 향기로웠노라.

　　정원의 문이 끽 소리 내며 열리고

　　모래를 밟는 발자국소리…….

　　향기롭게, 그녀는 들어와

　　내 품에 안기었어라.

　　아, 달콤한 입맞춤, 부드러운 애무여,

　　떨며 나 그 아름다운 베일을 벗기었노라.

　　영원히, 내 사랑의 꿈은 사라지고

　　그 순간은 스러져, 나 절망 속에 죽노라.

　　절망 속에 죽노라!

이토록 삶을 사랑한 적이 없었거늘,

이토록 삶을 사랑한 적이!

　의외였다. 사춘기 시절 이 노래를 이탈리아 출신 테너 주세페 디 스테파노Giuseppe di Stefano의 노래로 처음 들었을 때, 이렇게 감각적인 내용일 거라고는 생각하지 못했다. 포옹과, 입맞춤과, 애무와, 그리고 여성의 의복을 벗기며 몸을 떠는 찰나의 탐미라니.

　누구나 그랬을 것이다, 단 한 사람 푸치니 외에는. 처음에 대본작가들이 마련해준 가사도 '죽음이란 무엇인가'를 논하는 사뭇 사변적이고 철학적인 내용이었다고 한다. 그러나 푸치니의 요구는 달랐다. 오늘날 보는 것과 같은 감각적이고 욕망에 충실한 내용을 넣어달라는 것이 작곡자의 의도였다는 것이다.

　새삼스러운 점이라면, 그럼에도 그가 붙인 선율과 관현악은 가사처럼 탐미적이고 감각적이기보다는 오히려 한껏 비장하고 극적인 무게로 가득 차 있다는 점이다. 일리카와 특히 자코사, 두 대본작가는 불공평함을 느꼈을 것이다. 자기는 이렇게 비장한 음악을 써놓고, 우리에게는 욕망으로 부풀어 오르는 가사를 요구하다니……. 그리고 두 감각 사이의 긴장은 이 아리아를 터질 듯이 팽팽하게 만들어버린다. 그것이 푸치니의 천재적인 작곡가적 본능이었다.

유혈극의 흥행

〈토스카〉는 1900년대가 막 열린 1900년 1월 14일 로마의 콘스탄치 극장에서 초연되었다. 한 세기의 시작은 그 100년대의 1년에, 말하자면 20세기는 1901년에 시작된다. 그러나 2000년 새 밀레니엄을 맞을 때처럼, 사람들은 그 연도를 부르는 언어가 변화하는 데서 새로운 시대의 시작을 받아들인다. 그렇기에 당시에도 1900년대의 개막은 흥분을 부르는 이벤트였다. 교황청은 희년禧年/Jubileo을 선포했다.

전 유럽과 신대륙에서까지 로마로 순례자들이 모여들었다. 호텔마다 만원이었다. 딱 100년 전인 1800년의 로마를 그린 〈토스카〉 초연도 이 여행자들을 노린 이벤트였다. 누구나 이 초연을 기다렸다. 유력 신문들도 호기심으로 '〈마농 레스코〉와 〈라 보엠〉의 대가' 푸치니의 신작을 관측했다. 예전 청년 푸치니에게 장학금을 주었던 마르게리타 왕비도 공연 참석을 알렸다.

그러나 새로운 시대의 개막은 즐거움으로만 가득 찬 것이 아니었다. 이탈리아 왕국의 경기는 침체기였고 무정부주의자들의 테러 위협이 빈발했다. (실제 그해 움베르토 국왕이 결국 암살되었다.) 긴장 속에 막이 오른 직후 객석 뒤편에서 소란이 일었고 누군가 "막 내려!"라고 소리쳤다. 실은 입장이 늦은 사람들이 허겁지겁 뛰어들어오며 소란이 인 것이었다. 마르게리타 왕비는 길이 막혀 1막에 늦었기 때문에 이 소란을 보지 못했다. 이후 공연 진행은 순조로웠다.

여러 아리아와 장면이 앙코르를 받았고 작곡가도 여러 차례 무대

〈토스카〉의 홍보 포스터와 피아노 편곡집 표지

초연 당시 평론가들의 혹평에도 불구하고 결과는 대성공이었다. 전작 〈라 보엠〉에 이어 푸치
니는 연달아 히트작을 내놓았던 것이다. 평론가들과의 불화는 이탈리아에서 가장 잘나가는
작곡가이며 베르디의 후계자로서 푸치니가 처러야 할 세금이었다.

에 불려나왔다. 기대를 충족하는 초연이라 할 만했다. 그렇지만 다음 날 아침의 리뷰들은 호의와는 거리가 멀었다. "세 시간 동안 잡음을 들었다" "조각난 대화를 이렇게 오래 들어야 하나" "작곡가의 재능이나 기질과 맞지 않는 소재다" "새디즘, 살인, 폭력과잉의 작품이다."

평론가들과의 불화는 이탈리아에서 가장 잘 나가는 작곡가이자 '베르디의 후계자'로 선전된 푸치니가 치러야 할 세금이었다. 애국주의자들은 푸치니가 해외 경향들을 모방한다고 비난했고, 국제파들은 푸치니가 예전에 쓴 자기 작품들을 복제한다고 욕했다. 〈토스카〉에서 푸치니는 이 충고들을 받아들여 로마를 배경으로 한, 센티멘털리즘에서 벗어나는 작품을 썼지만, 이번에는 '프랑스적 타락'을 대표하며 그에게 맞는 소재도 아니라는 비난이 돌아왔다. 여성 취향에서 간신히 몸을 돌리려 했지만 베르디 같은 남성적이고 힘있는 극이 아니라 폭력만 배웠다는 것이다.

실제로 〈토스카〉가 '기질상' 푸치니와 맞지 않는다는 평가는 틀리지 않다. 창작 단계에서 작곡가도, 두 대본작가도 걱정해 마지않았던 일이기도 했다. 무엇보다 극의 하이라이트와 음악의 하이라이트가 엇갈린다. 2막을 설명하면서도 언급했지만, 카바라도시가 고문을 당하는 장면이나 토스카가 스카르피아를 찌르는 장면 등 한껏 극적인 고조의 장면에서 관현악이 큰 합주를 흘려보내고 있을 뿐, 음악적으로는 특별한 점이 없다. 반면 우리에게 오늘날 강한 인상을 남기는 유명 아리아 '오묘한 조화' '테 데움' '노래에 살고 사랑에 살고' '별은 빛나건만' 등은 모두 다 빼버려도 줄거리 전개에는 전혀 영향을 주지 않을 것이다.

　그래도 주인공 셋이 잇따라 피살, 처형, 자살로 끝을 맺는 이 '푸치니답지 않은' 유혈극으로 푸치니는 연타석 홈런을 쳤다. 전작 〈라 보엠〉과 마찬가지로 〈토스카〉 또한 곧바로 유럽을 넘어 신대륙까지 장악하며 푸치니와 리코르디의 지갑을 두둑하게 채워주었다.

　이제 1918년에 발표된, 끝에서 두 번째 오페라 '3부작'의 마지막 편 〈잔니 스키키〉의 무대, 피렌체로 향한다. 푸치니의 고향 루카가 있는 토스카나의 주도이기도 하다.

첫 키스의 추억

　오 사랑하는 나의 아버지,

　나는 그이가 좋아요. 잘생겼어요. 잘생겼어.

　포르타 로사에 가서

　반지를 사고 싶어요.

　그래요, 가고 싶어요!

　만약 이 사랑이 헛된 것이라면

　베키오 다리에 가서

　아르노 강으로 뛰어들 거예요!

　나는 슬프고 고통스러워요!

아 하느님, 죽고만 싶어요!

아버지, 제발!

아버지, 제발!

푸치니의 여성 아리아 중에서도 가장 사랑받고 널리 불리는 〈잔니 스키키〉 중의 '오, 사랑하는 나의 아버지'다. 피렌체가 무대인 영화 〈전망 좋은 방〉에도 삽입되어 널리 알려진 아리아지만 정작 이 노래의 가사를 알면 대뜸 놀라게 된다.

'오, 사랑하는 나의 아버지'라는 제목과 아름다운 선율에서 아버지에 대한 따뜻한 사랑의 고백을 연상했는데, 알고 보니 강으로 뛰어들겠다고 한다.

여기서 두 겹의 오해가 발생한다. 이 노래를 아버지에 대한 사랑의 노래로 여겼던 선입견이 첫 번째 오해다. 두 번째 오해는 다음과 같다. "좋아하는 사람이 생겼는데 아버지에게 강으로 뛰어들겠다고 위협하다니, 아버지가 결혼을 반대하는군."

하지만 그것 역시 오해다. 라우레타의 아버지 잔니 스키키는 두 사람의 결혼을 반대하지 않는다. 그러나 이 글에서 더욱 중요한 것은, 이 노래에 등장하는 '베키오 다리'와 '아르노 강'이다. 토스카나의 주도 피렌체의 한가운데를 흐르는 강과 그 남북을 연결하는 오래된 다리다.

푸치니는 60세 때인 1918년에 발표한 〈잔니 스키키〉에서야 처음으로 자신의 고향인 토스카나를 무대 위에 등장시켰다. 그때까지 독일, 벨기에, 파리, (외국이나 다름없는 이국주의의 대상인) 로마, 심지어 일본까지 소재로 삼았던 것을 생각하면 뒤늦은 '애향주의'였던 셈이다.

사실 피렌체도 푸치니의 마음의 고향은 아니다. 르네상스기와 19세기까지만 해도 이탈리아인은 도시 대 도시의 경쟁심을 지니고 있었으며, 푸치니의 고향 루카는 꽤 늦은 시기까지 독립된 대공국으로 자존심이 있었으므로 피렌체에도 은근히 시기심과 경쟁심을 갖고 대했을 것이다. 그러나 푸치니는 토스카나의 말씨, 키안티 포도주, 세련된 문화에 대한 자부심을 늘 갖고 있었고, 그런 자부심은 지역의 중심인 피렌체에 대해서도 마찬가지였다.

피렌체의 남북을 잇는, 오래된 베키오 다리 위는 언제나 관광객으로 북적인다. 멀리서 보면 이 다리의 바깥 벽면에 집들을 그려넣어 일일이 채색한 것 같다. 이 다리 위에는 본디 정육 상인들이 자리 잡고 있었는데, 고기 찌꺼기를 강에 버려 강물이 오염되자 메디치가의 페르디난도 1세가 이들을 이주시키고 보석 상인들이 입주하도록 했다.

다리를 건너보면 바깥 풍경을 좀체 볼 수 없다. 보석 상점이 들어서서 시선을 차단하고 있기 때문이다. 그러나 다리 한가운데에 뚫어놓은 세 개의 아치를 통해서는 강변의 경치를 볼 수 있다. 당연히 관광객으로 바글거린다. 누군가 "오, 사랑하는 나의 아버지……"를 읊조리듯 부르면 곳곳에서 따라 부르는 목소리가 들리다 이내 왁자한 깔깔거림으로 바뀐다. 주기적으로 반복되는 패턴과도 같다.

세 개의 아치 주변은 서울의 남산타워처럼 사랑을 맹세하는 자물쇠로 가득하다. 다리 자체가 워낙 낡아 하중을 줄여야 하기에 시 당

피렌체의 베키오 다리

피렌체를 찾는 이라면 누구나 들르는 베키오 다리에서 많은 연인이 영원한 사랑을 꿈꾼다. 그러나 푸치니의 오페라 〈잔니 스키키〉에서는 위험한 다리다. 라우레타는 사랑하는 사람과 결혼하지 못하면 이 다리에서 몸을 던지겠다고 했다.

국은 정기적으로 이 자물쇠를 철거한다. 변하지 않는 사랑의 상징으로서는 무상한 일이다. 그나저나 〈잔니 스키키〉의 라우레타는 왜 포르타 로사 시장으로 반지를 사러 가겠다고 했을까? 반지도 다리에서 사고, 절망했을 때 강물로 뛰어드는 것도 같은 다리에서 해도 될 텐데! 단테의 시대에는 이 다리에 보석 상점이 없었던 것이다.

〈잔니 스키키〉는 푸치니의 아홉 번째 오페라인 '3부작Il Trittico' 중 마지막 세 번째 막에 해당하는 작품이다. 무슨 뜻인가 하면, 푸치니는 열 차례 오페라를 발표했는데 그중 끝에서 두 번째 작품은 줄거리가 죽 이어지는 것이 아니라 세 개의 단막 오페라를 하룻밤에 이어 공연할 수 있도록 설계했다. 그래서 '3부작'이다.

〈잔니 스키키Gianni Schicchi〉는 '3부작' 중 세 번째 막이며, 첫 번째 단막극은 〈외투Il Tabarro〉, 두 번째 단막극은 〈수녀 안젤리카Suor Angelica〉다.

〈잔니 스키키〉의 줄거리는 다음과 같다.

피렌체의 부호 부오소 도나티의 침실에 친척들이 모여 있다. 부오소가 막 운명한 참이라 다들 슬픈 척하고 있지만 실제 관심사는 유산의 향방뿐이다. 친척 중 젊은 리누치오가 유언장을 찾아내자 다들 환성을 지른다. 리누치오는 큰어머니 치타에게 "잔니 스키키의 딸 라우레타와 결혼을 승락하지 않으면 유언장을 내놓지 않겠다"고 고집하고, 치타는 마지못해 허락한다.

치타가 유언장을 읽고, 부오소가 전 재산을 수도원에 기증하기로 한 사실이 밝혀진다. 친척들은 분노하지만 리누치오는 '예민하고 빈틈없는' 잔니 스키키라면 이 곤란한 상황을 반전시킬 수 있을 것이라고 말한다. 그는 피렌체를 찬미하는 '피렌체는 꽃과 같이Frenze è come un albero fiorito'를 부른다.

잔니 스키키가 등장해 조문 인사를 한다. 치타는 부오소의 유산을 받을 수 없게 된 데 화가 나 리누치오를 라우레타와 결혼시킬 수 없다며 씩씩거린다. 화가 난 잔니 스키키가 돌아가려 하지만 라우레타가 "리누치오와 결혼할 길이 나지 않으면 아르노 강에 몸을 던지겠다"는 아리아 '오, 사랑하는 나의 아버지O mio babbino caro'를 부르자 기분을 돌려 수를 내보기로 한다.

의사 스피넬로치오가 부오소의 상태를 보러 온다. 잔니는 침대에 누워 부오소의 목소를 흉내 내어 "저녁에 다시 오십시오"라며 의사를 돌려보낸다. 그는 공증인을 데려오도록 하고, "유언장의 위조에 대해서는 공범자 전원의 손을 절단하고 추방한다"는 피렌체 법을 상기시키며 "안녕 피렌체"라고 읊조린다.

공증인이 오자 잔니 스키키는 다시 부오소의 목소리로 '유언'을 시작한다. 하나씩 유산을 분배하지만 모든 이의 관심사인 집과 당나귀와 방앗간에 대해서는 차례로 '둘도 없는 나의 친구 잔니 스키키'에게 돌아가는 것으로 말한다. 친척들이 욕하며 항의하려 하자 '안녕 피렌체'를 상기시키며 전원을 침묵시킨다.

공증인이 돌아가자 친척들이 벌떼처럼 항의하지만 잔니 스키키는 오히려 "내 집에서 나가라"며 쫓아버린다. 조용해지자 젊은 두 연인은 피렌체 거리를 바라보며 포옹한다. 잔니 스키키는 전통극 코메디아 델라르테의 형식을 빌려 관객에게 "이보다 더 재산을 잘 처리할 수 있겠습니까. 그런데 저는 이 일로 지옥에 떨어지게 됩니

〈잔니 스키키〉의 한 장면

세 개의 단막 오페라를 하룻밤에 이어 공연할 수 있도록 설계한 이른바 '3부작' 가운데 〈잔니 스키키〉는 가장 좋은 평가를 받은 작품이다. 단테의 『신곡』 속 단 한 문장이 이 작품의 출발이 되었다.

다. 여러분이 재미있게 보셨다면 (원작자) 단테 선생도 용서해주실 겁니다"라고 말한다.

원작자가 단테라……. 푸치니가 단테의 위대한 후배라는 점, 『신곡』지옥 편의 프란체스카의 말에 나오듯이 "고난의 시간에 행복했던 옛날을 회상하는 것만큼 슬픈 일은 없습니다"라는 원칙을 구현한 데서 그렇다는 말은 앞서 소개한 바 있다.

단테 알리기에리Dante Alighieri(1265~1321)는 푸치니보다 600년 앞서 세상을, 풍요한 토스카나의 자연 속에서 살았다. 그의 필생의 연인(사실로서의 연인이 아니라 거의 이념으로서의 연인) 베아트리체와 만난 곳도 베키오 다리 위라는 설이 있지만 확인되지는 않는다.

잔니 스키키라는 인물이 등장하는 것도 프란체스카 이야기처럼 단테 『신곡』의 지옥편이다. 그렇지만 그 내용은 놀랄 만큼 간단하다. '잔니 스키키라는 자가 죽은 부오조 도나티 행세를 해서 유산을 탈취했다'라는 언급이 전부다. 이 한 줄로부터 대본작가 조바키노 포르차노가 상상력을 발휘해 오페라 하나를 써낸 것이다. 그런데 이 원래의 소재가 단지 픽션은 아닐 수도 있다. 단테의 처가가 바로 도나티 가문이었던 것이다. 처가에서 전해내려오는 이야기를 듣고 『신곡』에 이를 인용한 것일 수도 있다. 어디선가 잔니 스키키의 목소리가 들리는 것 같다. '앗하하!'

오페라의 무대인 부오조 도나티의 집이 어디인지 확인할 수 없을 바에야 단테의 자취를 찾아볼까? '단테의 집 박물관'은 도시의 중심인 시뇨리아 광장 북쪽으로 멀지 않은 곳에 있다. 교회 첨탑 같은 높은 건물에 단테의 집 박물관임을 알리는 붉은 현수막이 붙어 있다.

독일 관광객을 이끌고 온 가이드가 손끝으로 길바닥을 가리킨다. 자세히 살펴보니 단테의 얼굴 모양이 돌 포도석에서 모습을 드러낸다. 무명 조각가가 단테를 경모하는 뜻에서 순식간에 쪼아 완성한 것이라고 하는데, 믿거나 말거나.

피렌체를 떠나기 앞서, 기울어져가는 태양을 바라보며 이곳을 찾는 관광객이 마지막으로 들르는 '미켈란젤로 광장'을 찾았다. 시내 한가운데의 광장이 아니라 피렌체 시내와 아르노 강, 두오모가 내려다보이는 언덕이다.

〈잔니 스키키〉의 마지막 장면은 이렇다. 잔니가 부오소의 재산 대부분을 강탈한 데 분노한 부오소의 친척들이 분노를 터뜨리지만, 입을 열면 모두가 다친다는 잔니의 으름장에 모두 쫓겨나고 만다. 조용해진 무대 위에 젊은 두 연인이 등장한다. 남자는 그의 여인을 힘껏 부른다. "나의 라우레타!Lauretta mia!" 둘은 피렌체의 경치를 바라보며, 아름다운 이 도시와 멀리 피에솔레 언덕의 광경을 찬미한다. "우리가 첫 키스를 나누었던 곳!" 구스타프 말러의 느린 악장을 연상시키는, 피렌체의 이 대기에 녹아버릴 듯한 세기말풍 현악이 흐른다.

오페라 속에 부오소의 저택이 어디 있는지는 나오지 않는다. 그러나 피렌체의 경관이 한눈에 내려다보이고 맞은편 피에솔레가 아련한 이 광장 부근의 어딘가를 상상해도 되지 않을까. 그렇게 피렌체의 저녁은 저물었다.

3부작 _ 하룻밤에 세 작품, 세 개의 재미

'3부작'은 단막 오페라 세 편을 하룻저녁에 공연할 수 있도록 설계된 특이한 작품이다. 왜 푸치니는 이런 특이한 구조의 오페라를 만들고자 했을까?

혹자는 단테의 『신곡』이 지옥-연옥-천국 편이라는 세 겹의 구조를 갖고 있기에 이를 오마주하면서 마지막 장면을 단테 원작에서 빌려와 마감한 것이라고 말한다. 그러나 설득력 있는 설명은 아니다.

당시 푸치니에 대한 비평가들의 공격은 집요하고도 거셌다. 작품 하나를 내놓을 때마다 "지나치게 의고적"이라는 평과 "이해할 수 없는 현대적 기법의 차용"이라는 평, 혹은 "지나치게 전통에 머무른다"는 평과 "외국 작곡가들의 기법을 함부로 빌려온다"는 평처럼 상반되고 모순된 헐뜯음에 시달려야 했다. 기존 작품의 장점을 살리고자 하면 "발전이 없다", 새로운 시도를 꾀하면 "조국의 위대한 오페라 역사에 대한 인식이 없다"는 비난에 시달려야 했다. 파우스토 토레프랑카라는 비평가는 심지어 푸치니의 오페라가 "여성적이고, 동성애적이며 유대적"이라고 극언을 퍼부었다. 스카필리아투라 예술가들이 훗날 베르디에 대해 그랬던 것처럼, 토레프랑카도 뒤에 푸치니에 대한 '반성문'을 쓰게 되지만 푸치니가 받은 상처는 컸다.

이런 상황에서 세 작품을 하나의 패키지로 내놓아 비평가의 비난의 화살을 분산하려는 전략이었다. 여성적이며 나약하다는 공격은 거친 살인극인 첫 막 〈외투〉로, 전통을 무시한다는 공격은 끝 막 〈잔니 스키키〉로 막아낼 수 있을 터였다. 긴 기다림 끝에 절망한 여주인공이 죽어간다는 전통적인 '푸치니 공식'의 드라마는 중간 막 〈수녀 안젤리카〉로 배치해 푸치니 멜로의 팬들을 달래줄 수 있었다. 말하자면 '짬짜면' 같은 전략이었던 것이다.

이미 푸치니는 앞서 〈나비 부인〉에 이어질 작품으로 이와 비슷한 전략을 고려했던 바 있다. 러시아 작가 막심 고리키의 단편 두세 개를 골라 하나는 자연주의적(말하자면 '베리스모적') 작품으로, 또 하나는 비평계가 요구하던 베르디적 서사적 강력함을 지닌 작품으로, 또 하나는 어떻게든 그 자신의 장점이 잘 드러나는 작품으로 꾸며 다양한 요구를 만족시킨다는 전략이었다. 이 전략은 장고 끝에 폐기되었지만 그 기억은 비평가들의 집요한 물어뜯기 속에서 다시금 수면으로 떠올랐다. 이 전략의 맹점은, 사람들의 호기심과 행동 사이의 상관관계가 없다는 점이다. 즉 푸치니의 시도는 관객의 관심은 끌었지만 실제 관객은 많이 들지 않았다.

'3부작'은 1918년 12월 뉴욕 메트로폴리탄 오페라 극장에서 초연되었다. '3부작'은 비평가들의 입맛을 만족시켰을까. 신대륙과 구대륙에서 평자들은 모두 마지막 막인 〈잔니 스키키〉에만 높은 평가를 내렸다. 베르디가 만년에 이룩한 희극인 〈팔스타프〉와 견주면서 칭찬하는 목소리도 많았다. 반면 앞의 두 작품은 대체로 "알맹이가 없고 지루하다"는 평가가 많았다. 오늘날에도 사정이 크게 다르지는 않다.

과연 '3부작'의 앞 두 막인 〈외투〉와 〈수녀 안젤리카〉는 우리가 잊어도 될 작품일까. 〈외투〉는 이른바 '베리스모Verismo'에 대한 푸치니식 응답이었다. '베리스모'란 사실주의를 뜻한다. 그러나 예술사조상으로는 프랑스의 에밀 졸라 계열의 문학에서 온 '자연주의'에서 영향을 받았다. 기층민중의 잔혹한 삶과 폭력을 그대로 문학작품에 투영하는 경향이다. 그러나 '베리스모'란 훗날 확대 해석된 개념으로 보아야 한다. 당대에 베리스모란 프랑스의 영향을 받은 일개 경향이었지 오늘날의 상상처럼 음악가나 저널리스트들이 뚜렷하게 입에 올리는 개념은 아니었다.

그래도 "푸치니는 거친 민중의 삶을 담아내지 못해왔다"는 힐난이 신경 쓰였다. 그래서 파리 센 강의 바지선을 배경으로 펼쳐지는 치정살인극(〈팔리아치〉나 〈카발레리아 루스티카나〉를 연상시키는) 〈외투〉가 나왔다. 늙은 선장과 젊은 아내, 매력적인 젊은 남자 일꾼…… 나머지는 상상하는 바와 같다.

〈외투〉 포스터

〈수녀 안젤리카〉 포스터

〈수녀 안젤리카〉는 무책임한 남자와 무책임한 사회에 희생당하며 죽어가는 전형적인 푸치니의 여주인공을 담고 있었다. 〈나비 부인〉 이후 14년 만에, 그의 고정 팬들이 기다려 온 주인공이 되돌아온 셈이다. 그러나 푸치니의 센티멘털 극을 만들려면 두 남녀의 행복한 만남과 긴 시간의 이별, 그리고 재회, 최소한 세 개의 막 또는 장면이 있어야 한다.

이 단막극은 행복한 만남과 이별을 빼고, 긴 시간이 흐른 뒤의 '불행한 현재'만을 남겨놓았다. 남자주인공도 생략되었다. 줄거리는 이렇다. 약藥에 밝은 수녀 안젤리카가 수도원에서 금욕적인 생활을 이어가던 중 숙모가 찾아온다. 그는 안젤리카의 과거를 비난하고, 가문에 대한 그의 권리를 포기하는 각서에 서명하라고 한다. 안젤리카는 자신이 두고 온 아들의 안부를 묻는다. 숙모는 냉정하게 아이는 죽었다고 말한다. 충격을 받은 안젤리카는 쓰러진다. 그날 밤 약을 제조해 삼키고는 환각 속에서, 오랫동안 만나지 못했던 자신의 아이가 품으로 걸어 들어오는 환상을 보며 숨을 거둔다.

'3부작'의 첫 막인 〈외투〉에서 한 장면만은 꼭 권하고 싶다. 여주인공 조르제타가 행복했던 과거를 회상하는 '나의 꿈은 달라요È ben altro il mio sogno!'다. 9월 센 강의 황혼을 배경으로, 젊은 남자 루이지와의 2중창으로 분위기는 한껏 고조된다. 푸치니 특유의 드라마틱한 클라이맥스 '한 방'이 듣는 이의 가슴을 강타하는 부분이다. 두 번째 막 〈수녀 안젤리카〉는 한 시간을 끌어나가기에는 무리한, 밋밋한 드라마가 이어진다. 그러나 아이가 죽었

음을 알게 된 안젤리카의 아리아 '엄마도 없이, 이제 너는 하늘의 별이 되었구나Senza mamma, Ora che sei un angelo del cielo'는 그의 수법을 뻔히 아는 우리의 눈물샘을 다시금 자극한다. '아기예수를 젖을 먹여 키운' 성모 마리아의 은덕을 찬미하는 성가 속에 안젤리카의 아이가 그의 품으로 걸어오는 장면("Ah! son dannata! O madonna, salvami") 또한 그렇다.

〈잔니 스키키〉 포스터

05

GIACOMO PUCCINI

폭풍의 시대에 날아오른 나비

〈나비 부인〉

미켈란젤로 광장에서 바라본 피렌체 시내

도리아의 비밀은 어디에

앞에서 버릇없고 불량하며 산만한 청소년기의 자코모 푸치니를 만났다면 이제 그는 한 가정을 꾸리고 있는 가장이자, 몇 편의 대흥행작을 작곡한 유명인이 되었다. 여성에 대한 그의 태도는 어땠을까.

의외로 사춘기 시절 푸치니가 성과 관련해 말썽을 부렸다는 기록을 찾기는 어렵다. 잘생긴 소년이었던 그를 한 '부인'이 유혹해서 성에 일찍 눈떴다는 에피소드가 떠돌지만, 구체적인 근거는 없다. 밀라노 음악원 재학 시절에도 여성과 관련된 특별한 기록이 남아 있지 않다. 그의 눈에 쏙 들어온 스칼라 극장의 발레리나에게 저녁을 사기 위해 외투를 전당포에 맡겼다는 에피소드 정도만 있다.

그러나 자유분방했던 그의 기질로 볼 때 분명 크고 작은 사랑의 기억들이 더 있었을 것이다. 그의 필생의 반려가 된 엘비라가 동급생의 아내였던 것만으로도 이성에 대한 그의 자유분방한 자세는 충분히 짐작할 수 있다. 그리고 물론, 엘비라는 그의 마지막 사랑이 아니었다.

〈토스카〉가 초연된 1900년 또는 그 전해, 푸치니는 기차에서 매력적인 젊은 여성과 담소를 나누게 된다. 40대 초반의, 옷 잘 입고 부유함이 흘러넘치며 약간 수줍어하지만 매너 좋은 이 남자가 누구인지 그 여성은 아마도 금방 알아보았을 것이다. 성姓이 알려지지 않은 코리나라는 여성과 푸치니는 피사에서 함께 내렸다. 두 사람은 이내 사랑에 빠졌다.

푸치니는 법적으로 미혼이었다. 엘비라의 남편인 제미냐니가 이혼에 합의해주지 않았기 때문이다. 이 점을 코리나는 곧 알게 되었을 것이다. 그러나 법적으로 떳떳하든 아니든 두 사람은 만남을 비밀로 해야 했다. '푸치니 부인' 엘비라의 성격은 불같았다. 푸치니는 그를 '나의 경찰'이라고 불렀다. 매사를 의심한다는 뜻이었다. 물론 푸치니가 늘 원인을 제공했다.

엘비라와 제미냐니 사이의 딸이자 푸치니가 친딸처럼 아꼈던 의붓딸 포스카가 집에 있을 때는 그럭저럭 부부 사이의 중화제 역할을 했다. 그러나 이 무렵 포스카가 결혼해 밀라노로 떠나버리자 부부는 한층 날카로운 상황에 처하게 됐다. 푸치니와 코리나의 만남은 부쩍 잦아졌다. 1902년 봄에는 푸치니가 정부와 만난 것을 안 엘비라가 단식투쟁을 하기도 했지만 푸치니는 눈도 깜빡하지 않았다.

푸치니와 코리나는 처음에 토레델라고 인근의 바닷가인 비아레조에서 만났지만, 사람들의 눈과 엘비라의 감시를 피해 점차 인근 숲의, 사냥꾼들이 머무는 건물에서 만남을 가졌다. 하루는 푸치니가 먼저 자리를 떠났고 코리나가 막 떠나려던 참에 엘비라가 이곳을 덮쳤다. 그녀가 우산으로 마구 때리고 찔러 코리나는 단단히 봉변을 당했다.

집으로 돌아온 엘비라의 고성에 푸치니가 서둘러 방문을 잠그려 했지만 늦었다. 다음 날 사람들이 푸치니에게 "얼굴이 어떻게 된 거냐"고 하자 작곡가는 겸연쩍게 웃으며 "덤불에 넘어졌다"고 둘러댔다. 엘비라는 무슨 수를 쓰든 두 사람의 관계를 끊어버리고 싶었지만 속수무책이었다.

그러던 1903년 2월 25일, 푸치니 부부와 아들 토니오가 고향 루카에서 친지들을 만나고 밤늦게 토레델라고 집으로 돌아오는 길이었다. 칠흑 같은 밤, 구덩이가 있었는지 돌부리에 걸렸는지 기사까지 포함해 네 사람이 탄 차는 시골길에서 전복되었다. 차는 10미터 이상을 굴러 길보다 낮은 밭에 처박혔다.

다행히 이 사고를 주민이 목격했다. 사람들이 마을 의사를 데리고 현장에 왔을 때 엘비라와 토니오는 약간의 타박상만 입은 상태였고 운전기사는 차에서 굴러떨어진 채 고통을 호소하고 있었다. 그런데 유명한 작곡가가 보이지 않았다. 그는 뒤집힌 차 아래 깔려 의식이 없었다. 천우신조로 차 아래에 구덩이가 움푹 패여 있어 깔려 죽지는 않았다. 오른쪽 다리에서는 피가 흘러내렸다.

우연이었을까. 그리고 몇 시간 뒤 새벽에 엘비라의 법적 남편이었던 나르치소 제미냐니가 사망했다. 사실 우연만은 아니었을 수도 있다. 푸치니와 친했던 마을 신부 달 피오렌티노에 의하면, 이날 푸치니 부부는 제미냐니가 죽어간다는 이야기를 듣고 루카를 방문했

차를 타고 있는 푸치니와 사고로 부서진 자동차

호기심 많고 자유분방한 푸치니는 자동차나 보트 등을 좋아했고, 연이은 성공으로 구입할 수 있는 재력도 뒷받침되었다. 하지만 1903년 당시 사고로 1년간 치료를 받아야 했을 때는 그리 즐겁지 않았을 것이다.

다는 것이다. 제미냐니가 의식이 있는 동안 해결할 문제가 남아 있었는지, 아니면 단지 용서를 빌기 위해서였는지는 알 수 없다. 어쨌든 두 사람은 제미냐니 집에 발도 들이지 못하고 쫓겨났는데, 그러고서 얼마 뒤 푸치니가 탄 차가 전복되는 사고가 일어났고 또 몇 시간 뒤엔 제미냐니의 맥박이 멈췄다는 것이다.

〈라 보엠〉과 〈토스카〉로 세계를 뒤흔들었던 당대 최고 인기 작곡가의 중상 소식은 유럽 전역의 저널리즘에게 호재였다. 모든 신문에 소식이 대서특필되었고, 바로 다음 날에만 300여 통의 전보가 토레델라고로 쇄도했다.

만약 푸치니 부부가 제미냐니를 보러 루카에 간 것이 맞다면, 죽어가는 제미냐니의 영혼은 매우 효과적으로 옛 동창 푸치니에게 보복했고 대신 전처 엘비라에게는 선물을 안겨주었다. 푸치니와 정부 코리나의 만남은 작곡가가 '당신과 결혼할 것'이라고 언질을 주었기에 가능했다. 어차피 당시 법에 의해 엘비라는 제미냐니가 살아 있는 동안 푸치니와 합법적인 부부가 될 수 없었다. 그러나 이제 제미냐니는 죽었고, 법적으로 11개월 뒤 엘비라는 '자유로운 몸'이 되었다.

푸치니도 제미냐니가 사망할 경우에 대한 계획을 나름대로 가지고 있었을 것이다. 그러나 그는 1년 이상 침대에 누워 꼼짝할 수 없는 몸이었다. 몸을 자유로이 움직일 수 없는 그의 앞에 엘비라, 그리고 '부인'의 편이 된 누이들이 결혼 서류를 들고 왔다. 그는 서명할 수밖에 없었다. 코리나와의 관계는 그렇게 끝났다.

코리나는 코리나대로 법적으로 대응하겠다고 나섰다. 이는 푸치니가 다리가 낫자마자 감옥에 갇힐 수 있다는 것을 뜻했다. 대본작가 일리카에게 보낸 편지에서 푸치니는 울적한 어투로 "친구도 없고, 아무도 날 사랑하지 않는다. 외롭다"고 호소했다.

1904년 1월 3일, 자코모 푸치니와 엘비라는 비로소 법적으로 하나가 되었다. 공식화되진 않았지만 아마도 거액의 보상금으로 코리나와 합의를 했을 것이다. 푸치니는 누이에게 "이걸로 만족스러워?"라는 편지를 보냈다. 그의 인생에서 행복한 단계는 아니었다.

물론 이 옷 잘 입고 키 크고 잘생긴 남자가 코리나와처럼 지속적이고 상시적인 관계만 가진 것은 아니었다. 그는 기회가 있을 때마다 여성에게 추파를 던졌고 반대로 수많은 여성이 이 백만장자 대작곡가에게 매료되었다.

조금 달라 보였던 인물은 영국 여성 시빌 셀리그먼이었다. 1904년 가을 푸치니와 교유하게 된 이 지적이고 우아한 여성은 푸치니에게 유럽 대륙의 여러 지식인을 소개해주었고 오페라로 쓸 만한 소재를 찾는 데도 여러 차례 적절한 조언을 주었다. 가족들도 교류했다.

1906년 시빌과 그 아들이 토레델라고를 방문했다. 이들은 엘비라와 포스카도 만났다. 시빌의 아들 빈센트는 이날의 만남을 기록했다. "푸치니 씨는 옷차림에 매우 신경을 썼고 실제로 옷을 멋지게 입었다. 걷는 모습도, 시가에 불을 붙이는 모습조차도 세련된 사람이었다. 친절한 웃음이 매력적이었는데, 행복한 순간에조차도 그의 입가에는 어딘가 모를 멜랑콜리가 떠돌고 있었다. 그의 부인 엘비라는 멋지고 손발이 컸다. 그런데 기분이 변덕스러워 무서웠다."

이런 기록을 남긴 걸 보면 아들도 어머니와 푸치니 씨의 관계를 의심하지 않았던 것으로 보인다. 세상이 놀란 것은 시빌 셀리그먼의 여동생 때문이었다. 푸치니도, 시빌도 세상을 떠난 뒤 이 동생은 "언니와 푸치니는 만난 직후 불꽃처럼 깊은 관계를 가졌었다. 이후 진정되어 정신적 관계로 발전했고 그런 관계가 오래 계속된 것"이라고 천기를 누설했다.

1903년 푸치니의 자동차 사고는 이 집에 또 다른 중대한 불운의 씨앗을 가져다주었다. 침대에 누워 움직일 수 없는 환자를 위해 추가로 인력이 필요했고, 그중에 도리아 만프레디도 있었다. 인근 마을의 가난한 6남매 중 한 아이로, 1903년 열여섯 살의 나이에 토레델라고의 푸치니 빌라에서 일하기 시작했다. 시빌 셀리그먼의 아들 빈센트도 도리아를 또렷이 기억했다. 그의 기억에 의하면 도리아는 친절하고 상냥하고 부지런해서 누구나 좋아했다. 똑똑해서 집안이 돌아가는 일도 잘 파악했다고 한다.

시간이 흘러 1908년 어느 여름날, 엘비라는 밤늦게 다림질하는 도리아를 꾸짖었다. "낮에 하지 왜 밤에 그걸 하느냐." 도리아는 낮은 더워서 서늘한 밤을 기다렸다고 했다. 엘비라는 "다음부터는 네 집으로 가져가서 해"라고 했다. 그러나 세탁물을 가지고 다니는 것도 성가신 일이었다.

또다시 도리아가 밤늦게 다림질하는 것을 본 엘비라는 의심이 불붙기 시작했다. "저것이 내 남편에게 가까이 가기 위해 밤늦게 일하는 척하는 것에 틀림없어." 엘비라는 당시 남편 앞으로 오는 모든 편지를 검열하고, 남편이 집에 들어오면 옷에 뭐가 묻었는지, 무슨 냄새가 나는지를 병적으로 탐색했다. 단지 병적이라고만 할 수도 없는 것이, 많은 경우에 의심을 캐다보면 타당한 근거가 나왔던 것이다.

엘비라는 결국 도리아에게 '창녀'라고 입에 담지 못할 소리를 하며 집에서 쫓아냈다. 일반적인 경우라면 쫓아내고 그걸로 끝냈을 것이다. 그런데 평생 남편의 바람기에 시달려온 엘비라는 분을 삭이지 못하고 만나는 모든 사람에게 남편이 하녀와 바람을 피웠다고 욕하기 시작했다.

푸치니는 참다못해 아내가 있는 토레델라고의 집을 나와버렸다. 그해 가을은 파리와 런던, 밀라노를 떠돌며 보냈다. 시빌 셀리그먼에게는 "목숨을 끊고 싶을 정도로 비참하다"고 편지를 보냈다. 추적할 남편이 눈앞에 없으니 엘비라의 강박은 한층 심해졌다. 크리스마스를 일주일 앞두고 푸치니는 돌아왔다. 성탄 미사가 열리는 성당 앞에서 도리아와 마주친 엘비라는 동네 사람들 모두가 보는 앞에서 도리아를 때리며 큰소리로 욕을 하고 죽여버리겠다고 말했다.

푸치니는 다시 집을 뛰쳐나왔다. 로마로 가서 마침 영국 왕실 음악가직을 내려놓고 와 있던 토스티를 찾아가 "마음을 달랠 수 있도록 위로를 해달라"고 말했다. 그러는 동안 엘비라는 도리아의 집을 찾아가서 그 가족들에게 모욕을 주었다. 도리아의 어머니와 오빠마저도 엘비라의 부당한 말을 믿기 시작했다.

1월, 도리아는 눈물로 가족에게 편지를 적었다. "나는 엘비라 부인이 말하는, 어떤 잘못도 저지르지 않았습니다. 푸치니 주인님은 제게 아무런 짓도 하지 않았어요." 그리고 농약상에 가서 해골 표시가 있는 염화수은 약을 샀다. 세 알을 삼켰다. 삶의 고뇌가 바로 멈

엘비라와 푸치니

두 사람의 연애도 여느 오페라 못지않게 드라마틱했지만, 안타깝게도 엘비라는 푸치니의 유일한 사랑도, 마지막 사랑도 아니었다. 덕분에 엘비라는 남편을 단속하느라 늘 신경을 곤두세웠다.

추지는 않았다. 도리아는 닷새 동안이나 배를 쥐어뜯으며 고통 속에 죽어갔다.

이탈리아만이 아니라 전 세계의 언론이 이 흥미로운 사건에 달려들었다. 로마에 머무르고 있는 푸치니에게 베를린에서까지 사실 여부를 묻는 전보가 날아들었다. 푸치니는 "모든 것이 끝났다. 나는 철저히 파괴되었다"라고 시빌을 비롯한 지인들에게 썼다. "가엾은 소녀, 그렇게 착하고 따뜻했던 아이가 이렇게 죽다니. 견딜 수 없다."

로마의 호텔, 그의 서랍에는 권총이 있었다. 푸치니는 한참이나 총을 만지작거렸다고, 훗날 회고했다. 가엾은 도리아는 이후 돌아온다. 다른 곳이 아니라 바로 푸치니의 오페라 속에.

여러 여성을 희생시키고, 심지어 한 여성을 죽음으로 몰아넣은 푸치니의 '폭풍의 시대'는 그의 명성과 활동 범위가 최고, 최대에 이른 '잘나가는' 시기이기도 했다. 1896년 〈라 보엠〉에 이어 1900년 〈토스카〉로 이어지는 초대형 블록버스터 폭발은 20세기가 열리는 시점에 '베르디의 뒤를 잇는 이탈리아 오페라계의 챔피언'으로서 푸치니의 위상을 우뚝하게 했다. 마침 그 길을 열어주겠다는 듯 '토스카의 해'인 1900년 1월 27일 베르디가 서거했다. 국가적 의식으로 치러진 장례식에서는 푸치니의 대본작가이기도 한 자코사가 추도 연설을 했다.

〈라 보엠〉과 〈토스카〉의 흥행이 유럽을 넘어 미국과 남미에까지 이어지면서 전 세계에서 돈이 다발로 들어왔다. 푸치니는 이제 모르는 사람이 없는 '셀러브리티'였다. 쏟아지는 현금으로 그해 여름 토레델라고에 새 빌라도 지었다. 푸치니 빌라다.

유명인이 되었지만 집에 있을 때 그의 일상은 크게 바뀌지 않았다. 시골 촌부들과 놀고, 새벽에는 엽총을 꺼내 보트를 타고 물새 사냥에 나섰다. 한적한 호숫가의 새벽을 그의 총성이 깨웠다. 그는 새벽을 사랑했다.

그의 작품에 유독 새벽 장면이 자주 등장하는 것도 우연은 아닐 것이다. 첫 오페라 〈빌리〉에서 남자 주인공이 혼령들에게 희생당하는 장면부터가 새벽이다. '클럽 라 보엠'의 떠들썩한 분위기를 즐기며 쓴 〈라 보엠〉 3막, 이별의 4중창이 흐르는 장면도 새벽이다. 〈토스카〉에서는 아예 로마의 새벽을 고요하고 엄숙한 관현악의 간주곡풍으로 처리했고, 새벽이 지나가기 전에 카바라도시의 '별은 빛나건만'과 처형 장면을 흘린다. 그 밖의 다른 작품에서도 그가 사랑한 새벽 고요함의 자취를 쉽게 찾을 수 있다. 마지막 작품인 〈투란도트〉에서 흘러나오는 오늘날 세계인이 사랑하는 아리아 '잠들지 말라'도 마찬가지다. 이 아리아는 아예 새벽이라는 시간을 빼놓고는 성립되지 않는다.

"나를 사랑해주세요"

〈토스카〉가 초연되고 새 집을 지은 1900년, 푸치니는 〈토스카〉 영어판 공연을 보러 런던에 갔다가 〈마다마 버터플라이〉라는 연극을 관람했다. 극의 내용을 놓치지 않고 따라갈 정도로 영어를 잘 알아듣지는 못했지만, 그는 극의 내용에 매료되었다.

이 연극은 존 루터 롱J. L. Long이라는 소설가의 단편에서 가져온 것이었다. 미국 해군 장교가 일본 나가사키에서 게이샤와 결혼 계약을 하고 살기 시작한다. 말하자면 '현지처'를 구한 것이었고 반은 장난인 결혼이었지만, 상대방인 게이샤는 평생을 함께할 진지한 결혼으로 믿는다. 남자는 돌아오겠다는 말을 남기고 떠나버렸다가 '진짜' 미국인 부인을 대동하고 돌아오고, 그사이 아들을 낳은 게이샤는 할복자살을 시도하지만 실패에 그친다. 여기까지가 소설의 줄거리다. 연극에서도 이 게이샤가 죽는 장면은 등장하지 않지만, 죽었다는 암시가 다분하다.

푸치니가 이 연극을 보고 매료된 데는 당대 기술의 발전도 한몫을 했다. 남편이 나가사키에 돌아온 것을 알게 된 게이샤는 목조 가옥 한가운데 다다미 위에 무릎을 단정히 꿇고 앉아 기다리다가 밤을 꼬박 새운다. 날이 서서히 밝아지는 효과가 기존에 없던 전기조명으로 가능해졌다. 전기 저항을 천천히 줄이면서 밤에서 새벽을 거쳐 아침이 오듯 무대가 서서히 밝아지는 것이다. 이탈리아에서 온 작곡가는 밤-새벽-아침의 인공적인 전환이 무척 마음에 들었다. 집 앞 호수에서 물새를 사냥하는 새벽도 머리에 떠올랐을 것이다.

푸치니는 원래 소재를 고르는 데 있어 장고에 장고를 거듭했고, 두세 가지 소재를 함께 진척시켰다가는 포기하기도 하면서 무척 시간을 많이 들이는 스타일이었다. 하지만 〈나비 부인〉은 처음부터 무척 그의 구미에 맞는 소재였다. 첫 오페라 〈빌리〉에서부터 네 개

작품이 그랬듯, 첫 장면은 주인공 남녀가 행복하게 만나고, 긴 시간 동안의 이별이 이어진 뒤, 두 사람은 다시 만나지만 그들을 둘러싼 환경은 예전의 행복했던 시절이 아니다. 단 한 작품 〈토스카〉에만 적용되지 않았던, 그 고유의 '푸치니 공식'에 꼭 맞는 소재였다.

이 점은 문제로 작용할 수도 있었다. 호락호락하지 않은, 까칠한 청중과 비평가가 "푸치니는 또다시 발전을 보이지 못하고 과거의 그로 되돌아갔다"고 질타를 퍼부을 수 있었다. 하지만 〈토스카〉에서 변신을 보여주었고, 게다가 먼 동양(일본)이라는 아주 새로운 무대를 보여주니까 '변신'으로 느껴지도록 만들 수 있다고 자신했을 것이다.

음악학자 모스코 카너Mosco Carner는 푸치니의 소재 선택이 '여성적-남성적' 패턴을 반복한다고 설명한다. 〈라 보엠〉은 감상적, 이어지는 〈토스카〉는 남성적, 이어 〈나비 부인〉은 다시 감상적, 이를 잇는 〈서부의 아가씨〉는 남성적이라는 식이다. 베토벤의 홀수 교향곡이 육중한 반면, 짝수 교향곡은 한층 쾌활한 것과도 비교할 수 있다. 납득할 만한 분석이며, 전문가가 아니더라도 그 패턴의 이유를 어렵지 않게 알 수 있다. 이 작곡가는 비평가와 대중의 반응에 따라 차례로 강약을 준 것이다. '나는 예전에 본 감상적인 푸치니가 좋다'와 '푸치니도 변해야 한다'는 상반된 요구 사이에서의 줄타기였다.

푸치니는 일본 외교관 부인 오야마 히사코에게 부탁해 일본 노래 레코드와 악보를 입수했다. 소프라노 미우라 타마키三浦環에게도 조언을 구했다. 이 성악가는 이후 푸치니 생전에 여러 차례 나비 부인 역을 맡았다.

미우라 타마키와 푸치니

푸치니가 조언을 구했던 일본인 소프라노 미우라 타마키는 실제로 나비 부인 역을 여러 차례 맡기도 했다.

어느 때와 마찬가지로 푸치니의 끊임없는 요구와 변덕 때문에 대본 작업부터가 순조롭지 않았다. 이번에도 〈라 보엠〉〈토스카〉처럼 자코사와 일리카, 두 대본작가와 함께였다. 코리나와의 (남이 하면 스캔들, 자기가 하면 로맨스인) 관계가 작업에 영감을 주었을 것이다. 그러다 1903년 2월, 자동차 전복 사건이 일어나는 바람에 작업은 지연되었고, 엘비라와 마지못해 정식 결혼한 지 한 달 남짓 지난 1904년 2월 17일로 작품 초연 날짜가 잡혔다. 학창 시절 그리도 자주 걸었던 밀라노 갈레리아 앞의 스칼라 극장이 초연 무대였다. 처음 푸치니가 선보인 〈나비 부인〉은 2막으로 구성되어 있었다. 다음은 초연 후 개작된 작품의 모습이다.

• 1막

나가사키 항구가 내려다보이는 집의 정원. 결혼중매인 고로가 오늘 결혼할 신랑 핑커튼에게 집을 소개한다. 미국 영사 샤플레스가 언덕을 올라온다. 핑커튼은 그에게 가벼운 마음으로 하는 현지 결혼의 들뜬 기분을 노래한다. 샤플레스는 편치 않은 기분을 이야기하지만 핑커튼은 흘려듣는다.

고로가 신부와 친척들의 도착을 알리고 이들은 천천히 언덕을 올라온다. 신부 초초상은 결혼의 기쁨을 '바다에도 땅에도 봄의 향기가'라는 노래로 표현한다.

혼례 중 초초상은 한때 유복했으나 가세가 기울어 기생이 되었다고 설명하고 부친이 할복자살했던 단검을 꺼내 보인다. 이때 초초상의 삼촌인 승려 본조가 나타나 초초상의 개종과 결혼을 비난하며 소란을 피운다. 결혼식은 소란으로 끝나고 눈물짓는 초초상을 핑커튼이 위로한다.

날이 어두워지자 스즈키가 흰 예복을 가져온다. 신랑신부는 첫날밤의 행복을 노래하는 2중창 '나를 사랑해주세요Vogliatemi vene'를 부른다.

- 2막(또는 2막 1장)

3년이 지나 같은 집. 핑커톤은 결혼 후 항해를 떠나 소식이 없다. 스즈키가 부처에게 간절한 기도를 올린 뒤 외국인 남편들은 떠난 뒤 돌아오지 않더라고 이야기한다. 화가 난 초초상이 그를 나무라고 스즈키가 울먹이자 남편이 돌아올 것으로 믿는 아리아 '어떤 갠 날Un bel di'을 부른다.

핑커튼의 편지를 든 샤플레스와 고로가 찾아온다. 고로는 부호 야마도리와 재혼할 것을 나비 부인에게 권하고, 야마도리도 들어서지만 나비 부인은 단호히 거부한다. 고로와 야마도리가 떠난 후 샤플레스도 재혼을 권하지만 나비 부인은 들어가 아이를 데리고 나온다. 나비 부인과 핑커튼 사이의 아이에 대해 알지 못했던 샤플레스는 결국 핑커튼이 미국에서 재혼했다는 이야기를 꺼내지 못하고 돌아간다.

대포 소리가 들린다. 나비 부인이 망원경으로 핑커튼의 배 '에이브러햄 링컨'이 들어온 것을 확인한다. 스즈키와 초초상은 기뻐하며 꽃으로 집 안팎을 치장한다. 초초상과 스즈키, 아들은 밖을 내다보며 핑커튼이 올 것을 기다리지만 밤은 저물어간다. 꼿꼿이 앉아 기다리는 나비 부인을 배경으로 항구의 수병들이 부르는 허밍코러스가 들린다.

• 3막(또는 2막 2장)

간주곡에 이어 관현악이 날이 밝음을 표현한다. 스즈키는 나비 부인에게 쉴 것을 권한다. 나비 부인이 들어가자 핑커튼과 샤플레스가 핑커튼의 미국인 부인 케이트와 등장한다. 스즈키가 그동안의 전말을 이야기하자 핑커튼은 자책감을 토로하며 후회하는 아리아 '안녕 꽃피는 집이여Addio fiorito asil'을 부른다.

나비 부인이 나와 샤플레스와 케이트를 보고 사태를 직감한다. 체념한 그는 핑커튼에게 30분 뒤 오면 아이를 넘겨주겠다고 전해 달라고 한다. 혼자 남은 그는 부친이 물려준 단검의 '명예롭게 살 수 없는 자, 명예롭게 죽을지라'는 글귀를 읽는다. 스즈키는 아이를 엄마 방에 들여보낸다. 나비 부인은 '내 아들아 하느님이 보내주신 O! me, sceso dal trono'을 애절히 부른 뒤 병풍 뒤로 사라진다.

관현악이 나비 부인의 할복을 표현하고, 핑커튼이 나비 부인의 이름을 부르며 달려 들어온다.

준비는 순조로웠고 관계자들은 모두 성공을 예감했다. 〈라 보엠〉과 〈토스카〉의 대성공을 목도했던 음악 팬들도 기대가 컸을 것이다. 그러나 결과는 어느 누구도 예상하지 못한 것이었다. 공연은 야유로 뒤덮였다. 청중 일부는 입에 담지 못할 말을 퍼부었다. "여자가 배가 나왔다!" "지휘자의 아이냐?"

〈나비 부인〉의 리허설 장면

푸치니의 끊임없는 요구와 변덕에도 대본작가의 활약으로 〈나비 부인〉은 점차 완성되어갔다.
푸치니의 자동차 전복 사고로 지연되기는 했으나 엘비라와 정식으로 결혼한 지 한 달 후 스칼
라 극장에서 초연됐다. 당시 푸치니의 연인 코리나와의 관계가 작품에 반영됐을 것이다.

날 밝는 장면에서 새소리를 모방한 휘슬이 울리자 청중은 '멍멍' '음매' 하는 소리를 냈다. 소란은 계속 커져갔고 주연 여가수는 오케스트라 반주부를 들을 수 없을 정도가 되자 울음을 터뜨렸다.

다음 날, 리코르디가 소유한 일간지《코리에레 델라 세라》에는 공연에 대한 현장기가 실렸다. 무기명 기사를 두고 아마도 줄리오 리코르디 사장이 썼을 것이라는 수군거림이 일었다. "완벽한 소란을 일으키는 데 성공한 청중은 양처럼 만족한 표정으로 걸어나왔다."

왜 이런 소란이 일어났을까? 이유는 밝혀지지 않았다. 일부에서는 리코르디와 라이벌이었던 손초뇨 출판사가 사람들을 동원해서 소란을 획책했을 것이라고 의심을 품었다.

그러나 단순히 일부의 '기획'으로 공연이 대파국으로 끝난다는 가정은 그다지 자연스럽지 않다. 손초뇨 측이 소란의 도화선을 만들었을 가능성은 상상할 수 있다. 분명한 것은 그날 〈나비 부인〉 초연이 오래 기대되어온 이벤트였다는 것이다. 자존심 강하고 까다롭기로 유명한 밀라노 오페라 팬들이 "이 잘나가는 작곡가에게 이번에는 한번 모욕을 줘보자"는 데 자연스럽게 공감대를 형성했을 수 있다. 전말은 베일에 싸여 있다.

다시 찾아온 기념비적 새벽

푸치니는 자신이 선택한 전략을 후회했다. 이 가엾은 '실패작'에 대해 '나의 작은 설탕 바른 음악la mia musica zuccherata'이라고 불렀다. 이후

이 표현은 그가 자신의 전작에 대해서도 즐겨 쓰는 전형적인 문구가 되었다. 그러나 그 뒤에도 리코르디가 중후한 소재를 요구할 때마다 "거대 오페라Operone를 쓰기는 싫다"고 그는 짜증을 냈다.

결국 개작에 들어갔다. 통으로 한 장면을 이루었던 2막을 둘로 나누었다. 나누어진 두 개의 막을 각각의 막으로 볼 것인지는 오늘날 의견이 엇갈린다. 누군가는 이 오페라를 2막짜리로, 또 다른 누군가는 3막짜리로 표기한다. 테너 비중이 너무 적다는 지적에 따라, 돌아온 남자 주인공 핑커튼이 후회하는 아리아 '안녕 꽃피는 집이여'를 새로 넣었다.

개작한 〈나비 부인〉은 5월 24일 브레시아에서 처음 공연되어 대성공을 거두었다. 이듬해 10월 툴리오 세라핀Tullio Serafin 지휘로, 소란이 일었던 밀라노에 돌아와 대성공했다. 그림자는 걷혔다. 〈나비 부인〉은 푸치니의 세 번째 세계적 '블록버스터'가 되었다.

세월이 지나, 거대한 소란을 일으킨 초연 당시의 악보도 되살아났다. 2016년 12월, 스칼라 극장 시즌 개막작은 리카르도 샤이Riccardo Chailly가 지휘하는 〈나비 부인〉으로, 1904년의 첫 악보를 되살린 공연이었다. 공연은 이탈리아 전역에 TV로 생중계되었고 일간지 《레푸블리카Repubblica》는 1면에 출연진이 무대 위에서 관객의 환호에 답하는 사진을 실었다. 지휘자 샤이는 "초연 악보는 개작본보다 더 격렬하고 극적이며 연극적으로 풍성하다"고 말했다. 1904년 소란으로 훼손되었던 푸치니의 명예는 112년 만에 완벽하게 회복되었다.

다음은 '허밍 코러스'와 함께 이 오페라에서 가장 사랑받는 부분인 여주인공 초초상의 2막 아리아, '어떤 갠 날'이다.

어떤 갠 날, 보일 거야.
먼 수평선에서
연기가 피어오르고
배가 나타나.

하얀 배인데
항구로 들어오면서 고동을 울릴 거야.

보여? 그이가 온 거야!
만나려 내려가지 않을 거야. 안 가.
여기 언덕 위에서
시간이 걸려도 기다리지.
그렇다고 피곤하진 않을 거야.

그리고 복잡한 시가지로부터,
작은 점처럼, 한 남자가
언덕을 걸어 올라와.

누굴까? 누굴까?
여기 오면
뭐라고 말할까?

먼 데서 부르겠지. "버터플라이!"
나는 대답하지 않고
숨어 기다릴 거야.
놀라게 하려고, 또 조금은,
내가 죽을 것 같아서.

그는, 날 보고선
약간은 걱정스레
이렇게 부르겠지,

"자그만, 예쁜 아내
귤꽃 같은 것"

마지막으로 날 그렇게 불렀거든.
분명히 그렇게 될 거야. 약속이야
두려워하지 마
믿으면서 그를 기다릴 거야.

　　푸치니의 아이디어였을까, 대본작가 두 사람의 머리에서 나온 것
이었을까. 이 장면은 원근법적이다. 멀리 수평선 끝의 한 점에서 시
작해서, 점과 같은 배가 형태를 갖추고, 거기서 점과 같은 인간이 내
리는 모습이 간신히 보이고, 그 점은 이내 가까이 다가와 노래의 주
인공에게 환희를 안긴다. 꿈과 같은 장면이다. 〈마농 레스코〉에서

부터 푸치니의 포로가 되었던 조지 버나드 쇼는 늘 이 아리아 음반을 곁에 두고 들으면서 자신을 무장해제시키는 그 마력에 찬사를 아끼지 않았다.

이번에도 '남녀의 행복한 만남-긴 이별-불행 속의 재회'로 이어지는 푸치니 공식은 성공을 거두었다. 유럽인에게 이국인 동양의 환상은 그 아련함을 강화했고, 드뷔시에서 영감을 빌려온 몽환적인 화음이 적절히 효과를 발휘했다. 푸치니의 장기인 '새벽'은 나비 부인이 오도카니 앉아 밤을 지키는 기념비적인 장면과 간주곡, 새들이 지저귀는 일출 장면으로 또다시 강한 인상을 각인했다.

이 작품은 100여 년이 지난 오늘 〈라 보엠〉과 근사치를 이루는 푸치니의 두 번째 흥행작으로 자리 잡았다. 〈라 보엠〉이 그랬듯이 이 작품의 문화적 유전자(밈)도 대중문화 속으로 침투했다. 1989년엔 무대를 베트남으로 옮긴 뮤지컬 〈미스 사이공〉이 발표되었다. 1994년에는 이 오페라에서 모티프를 얻은 영화 〈M. 버터플라이〉가 나왔다. 군사적 팽창과 현지처 문제는 19세기의 사회문제로 그치지 않았다.

〈나비 부인〉이 우리를 매료하는 숨은 요인 중 하나는 '긴장'이다. 〈나비 부인〉은 처음부터 끝까지 일상의 무의미함에서 벗어난, 극도로 긴장된 시간들의 이야기다. 1막에서 주인공은 결혼이라는 긴장된 행복을 겪고, 2막에서는 남편의 귀환이 임박했음을 알아채고는 긴장 속에 환희하고 절망하다가 죽는다. 이 긴장된 시간을 푸치니는 꽃내음 같은 감미로운 관현악으로 엮어낸다. 이 작품 속에서 대기는 향기로 충만하고, 감미로운 선율과 기다림으로 채워져, 마침

〈나비 부인〉 포스터와 리코르디판 악보

1904년 초연 때 2막으로 구성됐다. 2016년 12월 스칼라 극장 시즌 개막작은 리카르도 샤이 지휘의 〈나비 부인〉으로, 2막짜리 이 악보를 되살린 공연이었다. 개작본보다 원작이 더 격렬하고 극적이며 연극적으로 풍성하다는 현재의 평가와는 달리, 첫 선을 보였을 때는 객석에서 야유가 터져나왔다.

내는 긴장과 감미로움이 구분할 수 없이 섞여버린다.

이제 우리 눈앞에는 세계적 명사이자 백만장자인 푸치니가 펼쳐
진다. 1905년, 지구 반대편 우루과이의 수도 몬테비데오에서는 푸
치니 페스티벌이 열렸다. 첫 오페라 〈빌리〉를 제외한 〈에드가〉 〈마
농 레스코〉 〈라 보엠〉 〈토스카〉 〈나비 부인〉 등 다섯 작품이 공연되
었다. 〈에드가〉 외에는 모두 당시 전 세계 극장을 장악한 메가 블록
버스터 오페라로 평가받고 있었다. 부부 왕복 1등급 여객선 티켓과
최고급 숙소, 천문학적 개런티가 제공되었다.

푸치니는 승용차를 바꾸었고 모터보트도 샀다. 가정용 영화 촬영
기도 사서 1910년대에 세계 최초의 홈비디오족 중 하나가 되었다.
오늘날 간단한 인터넷 검색으로도 자동차를 타고 집에 도착하는,
보트를 타고 사냥을 나가는, 친지들과 대화하는 푸치니의 홈비디오
영상을 만나볼 수 있다. 베니스 비엔날레를 보러 여행하고, 유럽 각
지의 모터쇼를 찾아다녔다.

1909년 이탈리아 브레시아에서 열린 에어쇼를 체코 프라하에서
온 한 객원기자가 현장 스케치로 기고했다. 기사에는 "에어쇼를 보
러 온 작곡가 푸치니 씨는 코가 술꾼처럼 붉어 보였다"고 쓰여 있었
다. 객원기자의 이름은 오늘날 소설가로 잘 알려진 프란츠 카프카
였다.

그에 앞서 1906년 가을엔 좋지 않은 소식이 있었다. 9월, 자코사
가 사망함으로써 '라 보엠-토스카-나비 부인'의 3대 성공작을 산출
한 푸치니-자코사-일리카 '황금 트리오'는 막을 내렸다. 리코르디

는 일리카 홀로 푸치니를 뒷받침하라고 설득했지만 일리카는 거절했다.

좋은 소식도 있었다. 11월, 〈나비 부인〉은 뉴욕 메트로폴리탄 오페라 극장에서 기념비적이라 할 만한 성공을 거두었다. 이에 고무된 극장 측은 이듬해 1월 작곡가 부부를 초대했다. 〈마농 레스코〉와 〈나비 부인〉의 메트로폴리탄 초연을 포함한 푸치니 페스티벌을 연다는 계획이었다. 여객선에 설치된 두 사람 전용 욕조에는 전구 70개가 불을 밝혔다.

당대 세계적인 테너 엔리코 카루소의 안내로 뉴욕을 산책한 이탈리아의 작곡가는 거리를 메운 수많은 자동차, 마천루, 새로운 기계들에 매료되었다. 친지에게 보낸 편지에는 농담 섞어 "이렇게 많은 아름다운 여성들이 나를 보기 위해 안달이라니!"라고 적었다. 뉴욕의 신문들은 "푸치니 씨는 이전까지의 이탈리아 마에스트로와 다르게 매우 세련된 풍모를 가졌다"고 보도했다.

환영연에서 푸치니는 "초청해주신 분께, 뉴욕의 훌륭한 청중에게, 내 작품에 보여주신 따뜻한 환영에 감사드립니다. 당부대로 안전하게 돌아가겠습니다. 아메리카 포에버!"라고 말해 갈채를 받았다. '아메리카 포에버'(미국이여 영원하라)는 〈나비 부인〉에서 핑커튼이 하는 대사다. 부인 엘비라는 "남편께 보여주신 관심에 대해 매우 행복하게 생각합니다. 모든 분께 진심으로 감사합니다. 특히 친절하게 대해주신 미국의 여성들께 감사합니다"라고 말했다. 오늘날 돌이켜보면 어딘가 가시가 들어 있는 말처럼 들린다.

또 하나의 블록버스터

푸치니에게 파란의 시기는 이제 지나갔다. 그는 다음 작품의 소재를 찾아다녔다. 그러나 이 작곡가의 '결정장애'는 이제 한계치를 넘어서고 있었다.

이 당시 그가 책상 위에 올려놓고 작업을 고려했던 소재들을 살펴보면 사뭇 흥미롭다. 다눈치오의 희곡을 바탕으로 한 「마리 앙투아네트」가 있었고, 『플랜더스의 개』로 유명한 위다의 「나막신」도 고려됐다. 에밀 졸라와 알퐁스 도데의 소설도 논의 대상에 올랐고, 시빌 셸리그먼은 「폼페이 마지막 날」, 「이노크 아든」 등을 권했다. 푸치니의 〈마리 앙투아네트〉, 〈폼페이 마지막 날〉, 〈이노크 아든〉이 나왔다면 어떤 작품이 되었을까. 상상만으로도 흥미롭다. (이 시기에 앞서 〈토스카〉 초연 이후 차기작으로 고려된 소재 가운데는 위고의 『레미제라블』도 있었다. 푸치니의 〈레미제라블〉이 오페라로 등장했다면 어떤 작품이 되었을지 상상하는 것 역시 앞의 소재들 못지않게 흥미롭다.)

도리아 사건의 충격으로 주춤했던 '남자'로서의 활동도 어느 순간 재개되었다. 1913년에는 독일인 요제피나 폰 슈텐겔 남작부인에게 한참 빠져 있었다. 심지어 세간의 눈을 피해 단둘이 바이로이트의 바그너 페스티벌을 관람하러 가기도 했다. 바그너의 부인 코지마와 푸치니를 둘 다 알고 있던 한 지인이 코지마에게 푸치니의 관람 사실을 알렸고, 코지마는 푸치니 씨를 데려오라고 부탁했다. 난처해진 푸치니는 "저는 푸치니가 아닌데요"라고 말하며 연인과 함께 자리를 빠져나갔다.

그해 오스트리아 제국의 수도 빈을 방문한 푸치니는 (제2차 세계대전 당시 폭격을 당해 사라진) 카를 극장을 위해 오페레타(빈, 파리 풍의 가벼운 오페라)를 쓴다는 계약서에 서명했다. 이는 독일어권에 팬 층을 크게 늘려놓을 수 있는 기회로 여겨졌다. 프랑스의 오펜바흐, 오스트리아의 주페와 레하르 등이 흥행작을 연속해서 공급한 뒤 이 나라들에서는 대사와 밝은 춤곡, 탐미적인 분위기가 어우러지는 오페레타가 인기를 끌고 있었다.

처음 이 작곡가의 생각은 부정적이었다. "오페레타만 아니면 뭐든지 하겠다"고도 했다. 대본을 받아들고는 더욱 어이가 없었다. 내용은 이랬다. 파리에서 패트런(돈 많은 후원자)을 두고 사교계 생활을 하는 여인이 젊은 남자와 눈이 맞아 프랑스 남부 해안으로 함께 떠난다. 그러다가 남자의 어머니가 보낸 편지("너의 참 사랑을 찾았다니 엄마는 기쁘다")를 읽고 당혹감과 후회에 빠진다. 여인은 눈물을 보이는 남자를 남겨두고 다시 파리의 예전 생활로 돌아간다.

그래도 푸치니는 생각을 바꾸었다. 당시 작곡계가 스트라빈스키의 〈봄의 제전〉 등을 선보이며 기존의 음악 문법을 깨부수고 있는 점이 그는 불쾌했다. 사교적이고도 외교적인 그는 급진적인 작곡가들과 친분을 맺기도 했고 악보를 면밀히 검토해 그 구조를 이해했다. 하지만 좋아할 수는 없었다. 비평가들이 이런 신조류에 호의적인 것은 더욱 이해할 수 없었다. 친한 음악가들과 주고받은 편지에서 그는 이렇게 썼다. "나는 있는 힘을 다해 아름다운 음악으로 응답할 것이다. 이 미친 시대에 대항하기 위하여."

얼마 지나지 않아 제1차 세계대전이 발발했다. 이탈리아는 몇 달이나 결정을 미루다 프랑스-영국의 연합군 편에 가담했다. 자연히 이들과 전쟁을 펼치는 오스트리아에서 작품을 공개할 기회는 사라졌다. 푸치니는 작품을 소개할 장소를 찾느라 애를 먹었다. 전쟁은 그와 연인까지 떼어놓았다. 한순간에 '적국의 연인'이 된 로미오와 줄리엣, 아니 푸치니와 남작부인은 한동안 중립국인 스위스의 루가노에서 만남을 가졌다. 그러나 이를 알게 된 스위스 주재 이탈리아 영사가 이 작곡가의 국경 출입을 막았다. 반역 혐의를 피하기 위해서라도 둘은 눈물을 머금고 이별해야 했다.

우여곡절 끝에 '오페레타'가 아닌 '오페라'로 장르를 바꿔 단 〈라 론디네〉('제비'라는 뜻)는 1915년 10월 완성되었다. 푸치니 평생의 은인이자 후원자였던 줄리오 리코르디가 1912년 사망한 뒤 회사를 그의 아들 티토가 이어받았는데 그는 원래부터 푸치니에게 호의적이지 않았다. 〈라 론디네〉의 악보에 대해 그는 "레하르(오스트리아 오페레타의 대표 작곡가), 그것도 나쁜 레하르"라고 말했다. 푸치니는 자신의 적진이었던 손초뇨 출판사에 작품을 내밀었다. 이 오페라는 1917년 3월 27일 모나코의 몬테카를로에서 초연되었다. 이후 별다른 주목을 받지 못하고 세계 오페라 극장의 고정 레퍼토리 목록에서 모습을 감추었다.

출생 이전부터 불운했던 이 오페라는 출생 직후에도 불운했다. 이 작품이 오스트리아 극장의 의뢰를 받아 착수되었다는 사실을 알았던 모나코, 프랑스, 이탈리아 사람들은 "적敵의 오페라"라고 칭하며 불쾌감을 드러냈다. 특색 없는 줄거리도 문제였다. "결말이 무뎌진 라트라비아타La Traviata"(베르디의 오페라)라고 할 만했고, 하녀가 주인마님 옷으로 바꿔 입고 놀러나가는 2막의 설정은 요한 슈트라우스의 〈박쥐〉를 베낀 것이어서 비웃음을 샀다.

그러나 결과적으로 〈라 론디네〉는 그의 작품 중 가장 듣기 쉬운 작품이 되었다. 단 한 번 들어도 머리에 남는 선율을 갖추고 있다. 뭐라고 부르건 이 작품은 푸치니가 머릿속에서 한 바퀴 휘저어 더 감미로운 칵테일로 내놓은, 분명한 '오페레타'다. 오펜바흐나 레하르의 작품에서 볼 수 있는, 파란 하늘에 노을이 지고 별들이 빛나기 시작하는 듯한 달콤한 아스라함을 곳곳에서 맛볼 수 있다. 다 들어볼 생각이 없다면, 1막의 유명한 아리아 '도레타의 꿈' 외에 2막 파티 장면의 2중창 '그대의 신선한 미소를 마셔요Bevo al tuo fresco sorriso'나 3막 이별의 2중창 '어떻게 나를 떠날 수 있나Ma come puoi lasciarmi'를 들어보기를 권한다.

푸치니는 스스로 말한 바대로 '미친' 세상에 한없이 탐미적인 기념물을 내놓았다. 현대주의와 미래주의의 억압에 대한 푸치니의 반응이며, 제1차 세계대전으로 사라져간 '아름다운 시대Belle Époque'에 대한 그 나름의 만가輓歌였다.

1918년 11월, 전쟁이 끝났다. 푸치니 3대작의 세 번째 작품인 〈나비 부인〉도 이미 14년 전의 일이었다. 그의 창작력은 이제 시들어버린 것인가? 성공의 나날은 추억이 되었을까. 나중에야 알게 될 일이지만, 세계인이 가장 사랑하는 그의 소프라노 아리아와 테너 아리아는 그 이후에야 나오게 될 것이었다.

서부의 아가씨 _ 주인공이 죽지 않는 드라마

미국에서 푸치니는 〈나비 부인〉을 연극으로 만든 작가 벨라스코의 연극 〈서부의 아가
씨〉를 관람했다. 그는 배경에 로키 고봉들이 스쳐가는 무대 효과와 눈보라 효과에 매료
되었다. 그래서 다음 작품을 〈서부의 아가씨〉로 결정했다. 하지만 이듬해 도리아 만프레
디 자살 사건이 벌어진다. 작곡가의 영혼 한쪽을 베어간 이 사건으로 작업은 지체되었다.
초연은 〈나비 부인〉에서 6년 반이나 흐른 1910년에야 메트로폴리탄에서 열렸다.

이 작품은 오페라 장르에서 드문 서부극이었다. 그야말로 보안관과 무법자, 인디언까지
등장한다. 우리가 아는 서부극 영화의 익숙한 패턴이 등장하기도 전의 일이었다.

혼자 살롱을 운영하는 아가씨 미니는 존슨이라는 남자와 사랑에 빠지지만 실은 존슨은
황야의 무법자 라미레스였다. 미니를 사랑하는 보안관 랜스는 필사적으로 라미레스를 추
적하지만 미니의 기지로 놓쳐버린다. 랜스는 결국 존슨을 다시 체포해 목을 달아매려 하
지만 미니가 이번에는 존슨의 방면을 눈물로 호소하며 군중의 마음을 움직이고, 풀려난
두 사람은 황야로 사라진다.

이 시대 최고의 엔터테인먼트인 오페
라 장르에서 3연속 메가히트를 친, 현역
최고 유명 작곡가가 뉴욕에서 펼치는 쇼
에 전 세계가 관심을 보였다. 메트로폴
리탄 오페라 극장 박스마다 미국과 이탈
리아 국기가 꽂혔다. 암표 가격은 공식
가의 15배까지 치솟았다.

공연 결과에 대해 뉴욕 신문들은 "이
날 저녁 전체가 갈채의 허리케인으로 뒤
덮였다"고 전했다. 푸치니 자신은 "이 오
페라는 나의 두 번째 〈라 보엠〉이 될 것
이다. 그것도 더 웅장하고 더 세련된 〈라
보엠〉이다"라고 말했다. 그의 말대로 새

〈서부의 아가씨〉 초연 무대에서 딕 존슨 역을 맡은 카루소 엔리코

미니와 보안관 랜스가
카드 게임을 하는
〈서부의 아가씨〉 초연 장면

오페라는 전 세계에 퍼졌고 사랑을 받았다.

1912년 런던 코벤트가든 로열극장은 〈마농 레스코〉 〈라 보엠〉 〈토스카〉 〈나비 부인〉 〈서부의 아가씨〉 다섯 작품으로 푸치니 축제를 열었다. 이듬해에도 전 세계에 〈서부의 아가씨〉를 포함한 푸치니 '4대작' 혹은 '5대작'에 대한 열광은 계속되었다. 그러나 이후 열기는 차츰 수증기가 빠져나가듯 사그라들어 제1차 세계대전이 끝난 뒤엔 미국을 제외하면, 큰 눈길을 끌지 못했다.

이유가 무엇이었을까? 미국인은 비극을 싫어한다. 이 작품은 주인공들의 죽음으로 끝나지 않는 첫 번째 푸치니 오페라였다. 유럽인의 기호는 달랐다. 주인공들이 자신을 소개하는 아리아에는 인상적인 선율이 느껴지지 않는다. 여주인공 미니와 보안관 랜스의 긴박한 카드 장면도 이렇다 할 임팩트가 없다. 그래도 눈보라 속에 두 주인공 미니와 딕 존슨이 키스를 나누는 뜨거운 장면("Ugh… Neve! … Un bacio, un bacio almen!")은 쉽게 잊을 수 없는 명장면이다.

06

GIACOMO PUCCINI

얼음이 빛나는 마지막 순간

〈투란도트〉

비아레조 마을

비아레조의 황혼

푸치니의 마지막 오페라이자 유작인 〈투란도트〉 3막. 조용한 새벽 장면, 무대에서 모두가 물러가고 남자 주인공인 테너 칼라프 왕자 혼자 나타난다. 마치 이제 눈과 귀를 집중할 시간이니 모두가 주목하라는 듯. 관객의 시선이 이 인물에게 모이면 짧은 전주에 이어 칼라프의 노래가 시작된다.

아무도 잠들지 말라, 잠들지 말라,

그대 또한, 오 공주여,

차디찬 침실 속에서,

사랑과 희망으로 떠는

별들을 보고 있으리!

그러나 내 비밀은 내 안에 있어,

아무도 이름을 알지 못한다!

아무도, 아무도! 날이 밝으면

그대 입에 대고 이야기하리라!

그리고 나의 키스가 침묵을 풀어

그대는 내 것이 되리!

(합창: 아무도 그의 이름을 알지 못할 것이야,

우리는 아아, 죽게 되겠지)

밤이여, 사라져라!

별이여, 빛을 잃어라!

빛을 잃어라!

새벽이 오면 나는 이길 것이다!

이길 것이다! 이길 것이다!

이 오페라의 줄거리는 널리 알려져 있다. 중국의 황녀 투란도트
는 누구나 한번 보면 마음을 빼앗겨버리는 미모의 소유자였다. 그
러나 그와 결혼하기 원하는 신랑감은 투란도트가 내는 수수께끼 세
개를 모두 맞혀야 한다. 하나라도 틀리면 목이 달아난다.

나라가 망한 뒤 떠도는 타타르의 왕자 칼라프가 투란도트의 미
모에 반해 도전한다. 수수께끼를 모두 맞히는 데 성공하지만 투란
도트는 결혼하기를 거부한다. 이에 이번에는 칼라프가 투란도트에

게 문제를 낸다. 하룻밤이 지나기 전에 자신의 이름을 알아내보라고. 이름을 알아내지 못하면 자신과 결혼해야 하지만, 알아낸다면 자신이 기꺼이 죽음을 감수하겠다는 것이다. 밤이 차츰 지나가면서 칼라프 왕자가 이기리라는 예감으로 기뻐 부르는 아리아가 '잠들지 말라Nessun dorma'다.

〈투란도트〉는 푸치니의 대본작가가 새롭게 창작한 이야기가 아니고 긴 원작의 역사가 있다. 이전의 '투란도트' 스토리들은 왕자가 수수께끼를 모두 알아맞혀 황녀와 결혼에 성공하는 이야기로 끝난다. 칼라프의 이름을 알아내라는 제2의 도전은 푸치니의 오페라에만 등장한다. 이는 푸치니의 강력한 주장에 따른 것이었다. 왜 푸치니는 기존의 투란도트 이야기에 '이름 알아내기'라는 두 번째 이야기를 더했을까?

숙소가 있는 루카 중앙역의 로컬지선 플랫폼에서 탄 완행열차는 30분 만에 비아레조Viareggio에 도착한다. 어라, 기차역의 공기가 다르다.

푸치니의 고향인 루카는 오늘날까지도 중세의 공기가 지배하는 고도다. 또 그가 오래 터를 잡고 살았던 토레델라고도 사실 호수밖에 볼 것이 없는 한촌의 이미지가 강하다. 오늘날에야 푸치니 빌라를 순례하고, 푸치니 페스티벌을 참관하는 음악 팬들 덕분에 편의 시설과 마을이 생겨난 정도다.

그렇지만 비아레조는 다르다. 역에서부터 흥청거리는 리조트 도시의 공기가 느껴진다. 날씨는 흐리지만 얼굴 가득히 기대감이 어린 가족 여행객이 길을 걷고 있다. 등 뒤에서 영어가 들린다. 독일어도 들린다. 이곳은 토스카나의 서안을 따라 길게 펼쳐진 해안 관광지 중에서도 인기 높은 동네인 것이다.

수많은 사람의 목숨과 행복을 앗아간 제1차 세계대전은 푸치니에게도 수많은 불편과 불이익을 가져다주었다. 가족의 목숨을 잃은 사람들의 아픔과는 비교하기 힘들 것이다. 그러나 그가 정열과 수고를 쏟은 작품 〈라 론디네〉가 설 땅을 잃었고, 독일 오스트리아에 있는 수많은 벗과 독일인 연인과의 관계가 단절되었다. 그중에서도 그가 사랑해 마지않았던 '집'을 떠나야 했던 일은 특히 아픔이 컸다.

이탈리아 정부는 전쟁 중 징발 가능한 모든 자원을 총동원해야 했고, 마사추콜리 호숫가에는 토탄을 캐내 가공하는 공장을 지었다. 소음과 냄새가 푸치니의 집에 밀려들어왔다. 전쟁도 막을 내리고 얼마 뒤, 푸치니는 동네 성당의 신부와 함께 보트를 타고 호수에서 시간을 보내고 있었다. 남루한 차림의 한 남자가 멀리서 노를 저으며 다가왔다. 그는 얼굴을 찡그리며 두 사람에게 소리를 질렀다. "지금은 너희 세상이지! 곧 우리 세상이 될 거다!"

푸치니는 한숨을 쉬었다. "집에 돌아갑시다. 저 친구는 왜 우리한테 화를 내지?"

둘 다 이유를 알고 있었다. 이탈리아는 제1차 세계대전의 승전국이었지만 알프스 산속 치열한 고지전으로 수많은 사람이 목숨을 잃은 대가로 가난한 남티롤을 빼앗은 것 외에는 눈에 띄는 소득이 없었다. 저소득층과 농민의 생활은 한층 힘겨워졌다. 러시아 혁명에 영향을 받은 공산주의가 고개를 들었다. 성직자와, 겉보기부터 부

비아레조의 거리

비아레조에서는 푸치니가 오랫동안 머물던 토레델라고나 고향 루카와는 또 다른 자연을 만날 수 있다. 푸치니에게 비아레조는 코리나와의 추억이 담긴 장소였으며, 장차 최후의 작품 〈투란도트〉가 쓰일 장소였다.

비아레조의 푸치니 저택

푸치니가 〈투란도트〉를 작곡한, 마지막 집을 찾기 위해 발품을 팔아야 했다. 그러나 아무도
위치를 몰랐다. 이 바닷가 마을에서 대작곡가의 집은 잊혔다. 관리되지 않아 허물어질 것처럼
서 있는 푸치니 집에서 감미로운 아리아는 들려오지 않는다.

르주아인 푸치니 같은 부류는 공산주의의 영향을 받은 이들의 눈으로 볼 때 적이었다. 오페라 극장도 텅텅 비었고 음악계의 많은 인재가 미국과 남미에서 새로운 전망을 찾기 위해 여객선을 탔다.

전쟁이 끝나고 푸치니가 가장 먼저 한 일은 1918년 12월 '3부작'을 미국 뉴욕 메트로폴리탄 오페라 극장에서 초연한 것이었다. 〈서부의 아가씨〉처럼 미국에서 주문을 받은 것도 아닌데 미국에서 먼저 선을 보인 것은 당시 유럽이 전쟁으로 엉망이 되었기 때문이다.

1920년 지인에게 보낸 편지에서 62세의 작곡가는 넋두리했다. "모든 것이 부패했다. 사람들은 질서 없이 막 살아가고 있다. 이들에겐 국가의 보호도 없다. 나도 외국에 가서 살고 싶다."

푸치니는 근처 바닷가 마을 비아레조에 새 집을 짓기 시작했다. 한때 결혼에 이를 뻔했던, 코리나와의 로맨스 또는 스캔들의 추억이 남은 장소이기도 했다. 이후에도 그가 자주 여름을 보내러 왔던 이곳은 한적한 마을에서 새로운 해안 휴양지로 발전해가고 있었다. 부유한 영국인도 휴가 시즌을 보내러 이곳을 찾았다. 토탄 공장의 소음과 냄새, 시골 어부의 적의를 멀리하고 푸치니는 1921년 말 비아레조로 거처를 옮겼다.

63세. 이제 그에게는 3년이 남아 있었다. 새 집은 그의 최후의 작품 〈투란도트〉가 쓰일 장소였다. 이미 백만장자인 그는 토레델라고의 집을 팔지 않고 놓아두었다.

역에서부터 해안가로 걸어 나온다. 그림 같은 빌라들이 바둑판처럼 늘어서 있고, 남국의 이름 모를 꽃들이 정원마다 한여름의 향기를 마음껏 뿜낸다. 해변을 한 블록 남겨두고는 해송海松이 빽빽한 공원이 짙은 향기를 뿜어댄다.

공원 옆으로 해안과 한 블록 차이로 평행하게 난 기다란 길이 미켈란젤로 부오나로티 거리다. 호텔과 음식점들이 소나무 공원과 마주 보고 이어진다. 이 길가에 푸치니의 마지막 집이 있을 것이다. 정확한 주소는 나오지 않았지만, 인터넷으로 찾아본 바는 그렇다.

"여기 푸치니 집이 어디죠?"

"푸치니 집요? 이곳이 아니고 토레델라고로 가셔야 하는데."

"아니 그 집 말고, 〈투란도트〉를 쓴 마지막 집이오."

"아, 그런 집이 이 동네에 있어요? 몰랐는데."

세 곳의 호텔 프런트와 레스토랑 카운터에서 물어보았으나 답이 모두 같다. 이 바닷가 마을에서 대작곡가가 살던 집의 존재는 잊었다, 라고 생각한 순간, 인터넷 검색으로 눈에 익혀두었던, 분홍색 빌라가 눈에 들어온다.

사람이 사는 집이라기보다는 극을 공연하기 위해 설치해둔 무대와 같은 느낌이다. 폐허의 느낌이 물씬하지만 허물어진 건 아니었고, 그렇다고 해서 사람이 살거나 제대로 관리를 받는 느낌도 아니었다.

벽에 붙은 명판을 들여다보았다. "이곳에서 푸치니가 마지막 오페라 〈투란도트〉를 작곡했다." 안도감보다는 약간의 짜증이 일었다. 그 집 앞에서는 〈투란도트〉의 아리아 '잠들지 말라'가 들려오지 않았다.

아랍의 전설에 귀 기울이다

푸치니는 비아레조로 이사하기 3년 전인 1918년 '3부작'을 마친 뒤 완전한 공백기를 갖고 있었다. 그동안 작곡한 작품이라곤 합창 곡 〈로마 찬가〉(1920) 하나뿐이었다. 실은 문화계의 유력한 인물에게 주어지는 상원의원 자리를 갖기 위해 그가 조국에 '아부'한 작은 산물이었다. 푸치니는 권력욕이 있는 인물이 아니었지만, 위대한 선배 베르디가 상원의원으로 재직했던 사실은 평생 의식하고 있었다.

사람들의 눈에는 나이 먹고 대가로서의 권위를 확립한 그가 명예로운 직함이나 차지한 뒤 느긋한 휴식을 취하고 싶어 하는 것으로 여겨졌다. 그러나 푸치니는 언제나 그랬듯 마땅한 소재를 찾는 중이었다.

평생 '눈물 짜는 여성 취향' '설탕 바른 얕은 작곡가'라는 비판에 염증이 난 푸치니에게는 베르디 만년의 〈아이다〉나 〈오텔로〉처럼 스케일이 큰 소재가 필요했다. 〈라 론디네〉나 〈외투〉('3부작'의 첫 번째 작품)에서 호흡을 맞춰온 대본 작가 주세페 아다미를 닦달해 소재를 찾아보았으나 뚜렷한 성과가 없었다.

비아레조로 이사하기 전해인 1920년 3월, 푸치니는 밀라노에서 아다미와 함께 레나토 시모니를 만났다. 시모니는 당대 명성이 높았던 오페라 평론가 겸 희곡작가로, 아다미가 끌어들인 인물이었다. 예전 〈라 보엠〉〈토스카〉〈나비 부인〉 시절 그랬듯이, 복수의 대본작가에게 작업을 분산하는 것이 푸치니가 선호한 스타일임을 알았기 때문이다. 세 사람은 앞서 찰스 디킨스의 『올리버 트위스트』를 오페라로 만들기 위해 작업을 시작했지만, 곧 이 작곡가에게 적합한 소재가 아닌 것으로 결론이 났다. 세 사람의 만남은 새로운 소재를 찾기 위한 것이었다.

이날 대화 중에 '투란도트'가 튀어나온 것은 어쩌면 우연이 아니었다. 시모니는 선배 문인의 생애를 다룬 『카를로 고치』라는 희곡을 쓴 바 있었다. 베네치아 출신 극작가였던 카를로 고치Carlo Gozzi(1720~1806)는 동화적이고 이국적인 소재를 즐겨 다뤘으며 1762년 『투란도트』를 발표했다.

이 이야기는 아랍권에서 전해지는 '투란도흐트Turandokht' 이야기에 바탕을 둔 것으로 루이 14세 때 프랑스 작가 겸 외교관 프랑수아 프티 들라크루아가 옛 페르시아 제국의 이야기집을 정리한 『천일일화千一日話 / Les Mille et un jours』(『천일야화』와는 다름) 모음집에 소개됐고, 카를로 고치는 이 이야기를 바탕으로 1761년 자신의 대표작이 된 『투란도트』를 발표했다. 푸치니의 밀라노 음악원 시절 담당교수였던 바치니가 고치의 『투란도트』를 바탕으로 〈투란다〉라는 오페라를 쓴 바 있었다.

이방인이 수수께끼를 풀어 사랑을 쟁취한다는 고치의 희곡은 독일 고전주의 대표자 중 하나인 실러Friedrich Schiller(1759~1805)에게도 큰 영감을 주었다. 실러가 독일어로 번역 개작한 『투란도트』는 다시 베르디의 대본작가이기도 했던 안드레아 마페이가 이탈리아어로 옮겼다. 고치 이야기를 이어가던 중에 시모니는 근처 자기 집에 있던 마페이의 『투란도트』 책을 가져왔다.

이 책에 푸치니는 말 그대로 '꽂혔다.' 먼 동양의 설화에서 온 투란도트 이야기는 그의 열 번째('3부작'을 하나로 볼 경우) 오페라가 될 예정이었다. 〈나비 부인〉을 위해 일본 음악 소재를 수집한 일이 있었지만, 중국은 또 다른 문제였다.

파시니 카모시 남작이라는 외교관 출신의 동양 물품 수집가가 푸치니에게 소포를 보내왔다. 중국 음악이 담긴 뮤직박스(오르골)였다. 푸치니는 악보점에 사람을 보내 중국 음악 선율이 담긴 악보도 찾아보도록 했다.

푸치니의 사후 20여 년이 흘러 제2차 세계대전이 막을 내린 뒤 영국 BBC는 남편과 사별한 뒤 로마에 살고 있던 파시니 남작의 부인을 찾아갔다. 푸치니가 잘 듣고 돌려보낸 뮤직박스가 유품 속에서 나왔다. 태엽을 돌려보았지만 돌아가지 않았다. 노부인이 드라이버를 들고 와서 분해해보겠다고 하는 통에 방송사 직원들은 진땀을 흘렸다. 결국 뮤직박스를 작동할 수 있었다. 중국 민요 '모리화' 선율이 흘러나왔다, 〈투란도트〉 1막 소년들의 합창에서 청중의 귀를 붙들어놓는. 그 이후에도 전 막을 통해 중요한 동기로 등장하는 바로 그 선율이었다. 그 시작은 작은 오르골 하나였다.

푸치니가 〈투란도트〉를 쓴 마지막 집 앞에서 한참을 서성거렸다. 절반은 버려진 느낌이라고 해도, 이 집의 위치는 대단하다는 생각이 문득 들었다. 해변에서 송림으로 통하는 가장 넓은 대로의 한가운데 코너다. 푸치니 생전에는 휴양객이 손가락을 뻗어 "저기가 푸치니 집이라네" 했을 만하다.

일생의 대부분을 보낸 토레델라고 집을 사람들의 눈에 잘 띄지 않는 은거隱居의 장소에 마련했던 청년 푸치니와는 또 다른 면모다.

매년 여름 휴가를 보내던 장소에 집을 짓다 보니 그랬을 것이다.

이 집을 돌아 나오면 넓은 길 저편에 바다가 한눈에 들어온다. 작곡가의 거실에서도, 호수 대신 시원하게 뻗은 수평선과 파도가 잘 보였을 것이다. 한 블록만 나가면 해안이 펼쳐진다. 지금은 해변에 바로 나갈 수는 없다. 블록별로 쪼개진 사유지인 미니 리조트들이 해안에 죽 잇닿아 있다. 패밀리 레스토랑, 비치발리볼 같은 공놀이 시설, 놀이공원식의 라이드 시설까지 있다. 흐린 날씨이지만 아이들의 깔깔거리는 소리가 들려온다.

해안도로를 따라서는 명품숍과 호텔도 길게 늘어서 있다. 칸이나 니스와도 비슷한 분위기다. 날씨가 한층 밝았더라면! 문득 흰 해군 복장을 한 푸치니가 의붓손녀(엘비라와 제미냐니 사이의 딸인 포스카의 딸) 비키의 경례를 받는 사진이 떠오른다. 이곳에 푸치니가 이사 왔을 때는 비키도 열다섯 살이나 되었지만, 때로 두 사람은 나란히 이 해변을 걸었을 것이다.

푸치니 재능의 비밀

푸치니의 〈투란도트〉와 이전의 '투란도트' 이야기에는 확연히 다른 점이 있었다. 이전의 투란도트에서 남자 주인공은 공주가 내는 수수께끼를 풀고('수수께끼는 세 개, 목숨은 하나!Gli enigmi sono tre, una la vita!') 결혼에 성공한다. 그것으로 끝이다. 그런데 푸치니는 한 가지 도전을 추가했다.

푸치니와 어린 손녀

엘비라가 전 남편 제미냐니 사이에서 낳은 딸 포스카의 딸로, 푸치니에게는 의붓손녀다. 할머니의 이름을 따 '엘비라'라고 이름 붙였지만 주로 '비키'로 불렸다.

칼라프가 수수께끼를 알아맞혔는데도 공주가 순순히 결혼에 응하지 않자, 칼라프는 새로운 제안을 내놓는다. "오늘 밤이 지나가기 전에 내 이름을 알아내보시오. 만약 알아내지 못하면 당신은 내 것"이라는 제안이다. 새로운 얼개를 추가한 푸치니의 의도는 무엇이었을까?

푸치니는 "투란도트라는 존재가 단지 게임에 지는 존재가 아니라 스스로 사랑에 눈을 뜨는 존재로 만들고 싶었다"라고 말했다. 나는 거기에 더해 두 가지 이유를 중요하게 고려했다고 생각한다. 하나는 '새로운 것을 내놓으라'고 늘 닦달하는 비평계와 '잘 아는 예전의 푸치니'를 사랑하는 대중의 기호 사이에서 균형을 잘 잡으려는 작곡가의 전략이다. 또 하나는, 그가 이 작품 속에 '희생하는 여인'을 꼭 넣고 싶었기 때문이었을 것이다.

푸치니가 늘 예전의 수법을 반복한다고 불평하는 비평가의 목소리는 평생에 걸쳐 이 작곡가를 괴롭혔다. 그가 대중의 기호를 완벽히 장악하고 있었기 때문에 이에 상처를 내고 싶은 비평계의 욕구도 덩달아 높았다. 그래서일까, 푸치니는 늘 당대 작곡계의 '최신' 경향을 연구하고 이를 작품에 반영하거나 모방했다. 〈나비 부인〉에는 드뷔시의 몽롱한 화성이, 〈라 론디네〉에는 오스트리아와 프랑스의 오페레타 스타일이, 〈잔니 스키키〉에는 말러풍의 관현악법이 진한 색채감을 드러낸다. 그런데 이번에는 '당대 경향'의 수준이 완전히 달라져 있었다. 제1차 세계대전 이전에는 '소음'으로 치부되었을 법한 스트라빈스키와 쇤베르크의 '신음악'이 음악계의 핫이슈로 등장했을 것이다.

푸치니는 이들과 교류하려 노력했고 성과도 있었다. 다음은 스트라빈스키가 푸치니에 대해 남긴 회상이다.

파리 샤틀레 극장에서 나의 발레곡 〈페트루슈카〉가 연주된 뒤 사람들이 나를 푸치니에게 소개했다. 그는 골격이 크고 잘생겼으며 약간은 지나칠 정도로 세련된 인물이었다. 매우 친절했다.

그는 디아길레프와 다른 사람에게, 내 음악이 "자기에겐 끔찍하지만 매우 재능 있는 인물의 음악"이라고 말했다고 한다. 나는 드뷔시와도 푸치니에 대해 이야기한 일이 있는데, 흔히 알려진 것과 달리 드뷔시는 푸치니의 음악을 높이 평가했으며 나 또한 그랬다. 푸치니는 열정적이고 친절하고 '민주적인' 신사였다. 그는 강한 이탈리아식 프랑스어를 썼고 나는 강한 러시아식 프랑스어를 썼지만 그 점도, 음악의 차이도 우리의 친분에 문제가 되지 않았다.

'12음 기법'의 창시자로 20세기 현대음악을 열어젖힌 쇤베르크도 푸치니를 만났다. 피렌체에서 열린 쇤베르크의 〈달에 홀린 피에로〉 공연을 푸치니가 보러 왔다. 쇤베르크는 푸치니에게 이 곡의 악보를 건네주었고 푸치니는 악보를 넘기며 관람했다.

객석에서는 (이 급진적인 작품에 대해) 휘파람과 야유가 이어졌지만 두 사람은 20분 동안 좋은 분위기에서 이야기를 나누었다. 푸치니는 프랑스어로 "내게 이 작품에 대해 명쾌히 설명해주셔서 고마워요. 주의 깊게 잘 들었어요. 매우 흥미로운 작품이라고 느꼈어요"라고 말했다. 그러나 돌아가면서 동행자에게는 '이해할 수 없는 작품'

이라고 솔직하게 말했다고 한다.

푸치니가 사망했을 때 쇤베르크는 동료 작곡가인 카셀라에게 "큰 슬픔을 느낀다. 이 위대한 인물을 다시 볼 수 없으리라고 생각하지 못했다"고 토로했다.

이들보다 다소 '보수적인' 작곡가들을 탐구하는 데도 푸치니는 부지런했다. 1920년에는 아직 이탈리아에 대한 반감이 강하게 남아 있는 오스트리아 수도 빈으로 리하르트 슈트라우스의 오페라 〈그림자 없는 여인〉 초연을 보러 갔다. 당시 슈트라우스는 독일어권 신작 오페라 무대를 장악하는 제왕이었다.

푸치니가 높이 평가한 젊은 작곡가는 교향시에서 업적을 쌓은 오토리노 레스피기, 그리고 오스트리아인 에리히 볼프강 코른골트였다. 특히 코른골트를 높이 평가해서 열정적으로 후원했다. 코른골트는 오늘날 베토벤에 맞먹는 교향악 거장으로 자리매김한 구스타프 말러의 후원도 받았다. 푸치니와 말러는 (말러가 푸치니의 첫 오페라 〈빌리〉를 독일에서 초연했음에도 불구하고) 서로를 경원시했으며, 말러는 빈 국립오페라 극장 감독 재직 시절 푸치니의 작품을 단 하나도 무대에 올리지 않았다. 그렇지만 코른골트에 대한 매혹에는 두 사람이 일치했다.

유대인이었던 코른골트는 나치 집권 이후 미국으로 건너가 할리우드 영화음악의 거장이 되었다. 할리우드 보울 교향악단 수석지휘자를 지낸 존 모체리는 "말러의 음악문법이 코른골트를 통해 할리우드에 흘러들어간 덕에 오늘날 세계인이 말러 음악을 친근하게 받아들이게 되었다"라고 지적한 바 있다. 그 못지않게 코른골트의 음악에서 푸치니의 일부를 발견하는 일도 어렵지는 않다.

이즈음에서 새삼 확인해야 할 일이 있다. 푸치니는 스트라빈스키와 쇤베르크가 회상했던 것처럼 친절한 신사였나? 시빌 셀리그먼의 아들이 남긴 회상 등을 통해 이는 일찍이 확인한 바 있다. 어느 정도는 혼란스럽기도 하다. 청소년기에 주의산만해서 선생들과 어머니의 근심을 샀고, 성당 파이프오르간의 파이프를 팔아 담배를 샀고, 친구의 아내를 빼앗았고, 수많은 염문으로 부인과 수많은 여성을 눈물 흘리게 했던 '뻔뻔한' 남자가 과연 친절한 사람이었을까? 사실 이는 우리가 존중해 마지않는 그의 음악적 재능과는 별개의 문제다.

스트라빈스키와 쇤베르크의 회상 외에 1920년대, 푸치니의 만년에 그와 가깝게 지낸 인물의 회상이 있다. 지휘자 파우스토 클레바의 말을 들어보자.

푸치니는 항상 큰 노스텔지어에 차 있는 사람이었습니다. 굉장히 감상적이었죠. 그리고 완벽한 신사였습니다. 절대 큰소리를 내지 않고 친절하게 말했으며, 말을 조심했습니다. 사람들의 기분을 해칠까 봐 매우 신경을 쓰는 사람이었죠. 그리고 겸손했습니다.

이 친절한 푸치니는 60대의 나이에도 여성 편력을 그치지 않았다. 이번에는 독일 소프라노 로제 아더가 그 대상이었다. 함부르크 오페라와 빈 국립오페라에서 몇 번 주역으로 무대에 선 인물이었다. 우연한 만남에서 사진을 교환하는 단계로, 열정적인 편지로, 몇

투란도트를 소재로 한 작품들

아서 폰 람베르크의 에칭 작품(왼쪽)과 푸치니와 동시대 작곡가인 부조니의 〈투란도트〉 악보집 표지(오른쪽). 〈투란도트〉는 푸치니가 처음 시도한 '신화적 영웅극'이었다. 바그너의 신화극에서처럼, 인간보다 신의 모습에 가까운 초월적인 주인공이 필요했다. 그리하여 투란도트는 푸치니에 의해 원작보다 잔인하며 얼음처럼 냉혹하고 복수심 외의 감정은 갖지 않는 인물로 각색되었다.

차례의 밀회로 이어진 관계는 푸치니가 죽을 때까지 계속되었다. 이번에는 부인 엘비라에게 들키지 않았다. 그리고 알려지기로는 이 아더가 마지막이었다.

평론가와 대중 사이에서

당대 최신 음악 이야기를 하기 위해 먼 길을 헤맸다. 다시 본래의 궤도로 돌아오면, 원작에 없던 '칼라프 왕자의 이름 알아내기'를 끌어들인 데는 대중과 비평가의 요구 사이에서 위험을 분산하려는 푸치니의 전략 또는 고려가 작용했을 것이다.

〈투란도트〉는 푸치니로서는 처음 시도하는 '신화적 영웅극'이었다. 바그너의 신화극에서처럼, 인간보다 신의 모습에 가까운 초월적인 주인공이 필요했다. 공주의 성격에서 인간의 모습이 철저히 배제돼야 했다. 〈투란도트〉는 원작보다 한층 잔인하며 얼음처럼 냉혹하고 복수심 외의 감정은 갖지 않는 인물로 각색되었다. 극 초반에는 무대 상부의 높은 곳에서만 (음표 하나도 소리 내지 않고) 등장하며 연기는 지극히 절제돼야 한다.

낯선 문화권의 이질적 성격을 부각하면서 남성적 드라마의 선 굵은 성격을 살리기 위해 푸치니는 당시 '신음악'이었던 스트라빈스키의 원시주의적 리듬과 불협화음을 차용했다. 두 대의 실로폰과 빈번히 등장하는 공gong(서양 징) 등이 관현악에 이국적 음색을 더했다.

일반 대중은 이런 실험을 좋아하지 않을 위험이 있었다. '예술적

진보성'을 요구하는 비평가와 편안한 것을 추구하는 대중 사이에서 균형을 잘 잡아야 했다. 1918년의 '3부작'에서는 경향이 다른 세 개의 단막극을 패키지로 묶어 모두를 만족시키려 했지만 다음 작품에서는 다른 해결책을 모색해야 했다.

그 결론은 다음과 같았을 것이다. 실험적인 현대극과, 〈라 보엠〉 〈나비 부인〉 등에서 익히 선보인 감상적 드라마를 한 작품 속에 녹여넣은 '하이브리드' 극을 만들어내는 것이었다. 실험적 작품의 히로인은 황녀 '투란도트', 감상적 작품의 히로인은 시녀 '류'였다.

원래 고치의 〈투란도트〉에도 류와 상응하는 인물이 있었다. 자기 나라가 망한 뒤 투란도트 공주를 섬기는 타타르의 공주 '아델마'다. 말하자면 베르디 〈아이다〉의 히로인과 비슷한 존재다. 그러나 푸치니는 여기서 아이디어를 얻어 다른 인물을 창조했다. 사실 '새로운' 인물이라고 말하기에는 약간의 어색함이 있는데, 류에게는 앞선 푸치니의 히로인들, 즉 〈라 보엠〉의 미미, 〈나비 부인〉의 초초상 등이 복합되어 있기 때문이다.

푸치니의 비극에 눈물을 보여온 고정 팬에게 류는 절실하게 필요한 존재였다. '이름 알아내기' 에피소드는 따라서 이 하이브리드 드라마의 한 축인 류를 부각하기 위한 장치로 볼 수 있다. 투란도트 공주는 왕자의 이름을 알아내기 위해서 류를 고문하고, 류는 입을 열지 않은 채 스스로 목숨을 끊는다.

늘 작품의 소재를 놓고 결단을 내리지 못하며 진척된 작업을 취소하기도 했던 푸치니는 이번에도 똑같았다. 당뇨에 시달리며 60대에 이른 노작곡가에게 이 거대한 극은 버거웠다. 무대는 대규모여야 했고, 이국과 최신 경향의 음악적 재료를 실험해야 했고, 거대한 군중신도 있었다. 그가 18세 때 매료되었던 베르디의 〈아이다〉 세계로 돌아온 것이기도 했다. 타국의 위협적인 환경에 노출된 왕족이 있고, 부왕과 2세가 있다. 가련한 여주인공과 권력으로 그를 위협하는 또 다른 여주인공도 있다. 군중이 모인 심판 장면도 있다.

이 거대한 작업에 부딪힌 작곡가는 더 편안한 소재를 택했더라면 하고 줄곧 후회를 털어놓았다. 하지만 예전과 달리 새로운 소재를 진지하게 고민하지는 않았다. 거대하지만 제대로 잡은 방향이었다. 느리게나마 작업은 계속되었다.

〈투란도트〉 작업 결정으로부터 2년, 비아레조 이사로부터 2년이 지나 1923년이 되었다. 푸치니는 눈에 띄게 건강이 나빠졌다. 목이 아팠고 자주 쉬었다. 등도 아파왔다. 이어 목에 톡 튀어나온 결절이 느껴졌다. 의사들은 변죽 울리는 진단만 계속했고 각종 처치와 약물에도 상태는 나아지지 않았다. 작업은 지체되었다.

평소 푸치니는 (문학적으로 특별한 가치는 없는) 시를 운율에 맞춰 노트에 쓰곤 했는데, 대체로는 일상의 유머러스한 감정을 적은 것이었다. 그런데 이 시기에 푸치니는 유독 우울하게 느껴지는 시 한 편을 노트에 적는다.

친구가 없다. 외로움을 느낀다.
음악조차 나를 슬프게 한다.
죽음이 나를 찾아오면
행복하게 휴식을 찾으리라.

내 삶이여 얼마나 힘든가

많은 이들이 나를 행복한 이로 여겨도

내 성공도 지나고, 무엇이 남겠는가?

가치 없고, 사소한 것뿐이다

삶은 심연을 향해 계속된다

젊은이는 세상을 즐기겠지만

이 모든 것을 느끼는 자 누구리?

젊음은 재빨리 지나가고

눈은 영원을 살핀다.

작업을 지체시킨 요인은 하나 더 있었다. 류가 죽은 뒤, 칼라프 왕
자가 투란도트의 잔인함을 비난하다 결국 그를 '정복'하고, 사랑에
눈뜬 투란도트와 함께 2중창을 부르는 장면 때문이다. 당초 푸치니
가 "투란도트가 스스로 사랑에 눈을 뜨는 존재로 만들고 싶었다"고
밝힌 것처럼, 이 장면은 실로 중요했다. 하지만 그 이상에 비해 대
본작가들이 공급하는 텍스트는 성에 영 차지 않았다. 애써 공들여
수정하면 상세한 설명 없이 퇴짜 놓는 예전의 패턴이 다시 시작되
었다.

"전 세계가 감동해서 눈물을 흘릴 만한 것을 내놓으시오. 투란도
트의 운명을 생각하면 잠이 온단 말이요?" 실제 이 작곡가의 욕심
이자 야망이었다. 혹시 이 편지에서 대본작가들이 영감을 얻어 테
너 아리아 '잠들지 말라'를 창안한 것은 아닐까.

3월, 대본작가 시모니에게 보낸 편지에는 "마지막 2중창 외엔 모

두 완성되었다"는 점이 뚜렷이 나와 있다. 그런데도 10월 초, 2중창의 최종 대본이 나올 때까지 반년 이상이나 작업은 정지되었다. "내 목은 고문 지경"이라고 토로하는 불평은 계속 늘어났다.

아무 성과도 없는 세월은 아니었다. 이 시절에 푸치니는 일생의 가장 기쁜, 저승에서도 즐거워할 화해를 했다. 〈라 보엠〉을 초연했던 아르투로 토스카니니와의 화해였다. 두 사람은 평생 옥신각신을 거듭했다. 제1차 세계대전이 발발하자 토스카니니는 푸치니가 애국적 행동에 나서지 않는다고 화를 냈고, 이후 간신히 관계를 재개했으나 푸치니가 토스카니니의 리허설 장소에 몰래 들어갔다가 쫓겨난 사건으로 다시 사이가 틀어져 있었다.

푸치니가 곡진하고도 정중한 사과의 편지를 보내면서 두 사람은 다시 친구가 되었다. 토스카니니는 딸 완다와 함께 비아레조의 푸치니 집을 찾았다. 완다는 후일 "푸치니 씨는 대화가 오래 계속되면서 목소리가 굉장히 이상해졌다"고 회상했다. 토스카니니는 1924년 3월 스칼라 극장에서 〈투란도트〉 초연을 지휘하기로 했다.

두 번의 장례식

1924년 11월 4일, 푸치니는 여장을 꾸려 비아레조 자택을 떠난다. 여장에는 시모니로부터 받은 2중창 대본과 오선지도 들어 있었다. 그는 자택에서 역까지의 짧은 구간을, 지금 내가 걷고 있는 길을 승용차로 달렸을 것이다. 당대 최고의 인후 전문가가 있는 벨기에 수도 브뤼셀로 가는 기차를 타러 가는 것이었다.

차가 출발한 뒤 그는 3년 이상을 살았던 집을 뒤돌아보았을까? 아들 토니오가 그와 동행했고, 부인 엘비라는 등 통증과 천식으로 집에 누워 있었다. (우연히도 부부의 증상엔 공통점이 있었지만 푸치니 사후 엘비라는 4년을 더 살았다.) 표정은 자신만만했지만, 며칠 전 그는 조상들이 살던 루카 근처 산간마을 첼레에 가서 친척들과 사진을 찍었다. 그의 마음속에 스쳤던 그림자를 알 수 있을 듯하다.

그로부터 14일이 지난 11월 18일, 벨기에의 유력지 《르수아 *Le Soir*》는 푸치니가 수술을 받기 위해 브뤼셀의 외과병원에 입원했다고 보도했다. 병원 측은 부인했지만 이 크고 잘생긴 작곡가를 목격한 사람은 많았다. 병원을 나와 시내를 산책했고, 라모네 극장에서 〈나비 부인〉이 공연되는 것을 알고 들어갔다가 기침이 터져나와 도로 나오기도 했다.

닷새 후 결국 《르수아》에 인터뷰가 실렸다. 비교적 건강해 보이는 작곡가는 "치료가 잘될 걸로 생각합니다. 유일한 걱정은, 오페라 작곡을 끝내야 하는데 못 하고 있는 겁니다"라고 말했다. 예정대로라면 〈투란도트〉 초연까지는 다섯 달이 남아 있었다.

인터뷰로부터 이틀 뒤인 25일, 비아레조의 푸치니 저택에는 병원으로부터 "신께서 다행히 소원을 들어주셨다"는 반가운 전보가 도착했다. 그러나 이날 작곡가의 용태는 급격히 악화됐다. 심장의 이상 징후가 동반되었다. 그때까지의 주요 처치는 개발된 지 오래되지 않은 방사성 원소 라듐으로 목을 둘러싸는 것이었는데, 다음 날부터는 목을 완전히 고정하고 주사바늘을 삽입했다. 심약한 푸치

푸치니의 마지막 사진

후두암 치료를 위해 벨기에로 떠나기 전 푸치니는 고향인 루카 근처 첼레를 방문해 친척들과 사진을 찍었다. 벨기에 신문과의 인터뷰에서 암을 극복할 거라고 자신만만하게 이야기했지만, 결국 이 사진은 푸치니의 마지막을 기록했다.

Giacomo Puccini a Celle di Val di Roggio
per lo scoprimento di una epigrafe alla casa paterna del Maestro

GIACOMO PUCCINI

니는 크게 겁을 먹었다. 말을 할 수 없어 이후의 대화는 필담으로 진행되었다.

27일, 푸치니는 돌연 종이를 달라며 손짓으로 아들 토니오를 불렀다. 그는 "가엾은 엘비라, 끝났소"라고 적었다. 다음 날, 심장이 갑자기 멈췄고 그는 의식을 잃었다가 다시 되찾았다. 의사는 "가망이 없다"고 선언했다.

1924년 11월 29일 오전, 토니오와 의붓딸 포스카, 영국에서 달려온 시빌 셀리그먼 등이 모여 지켜보는 가운데 푸치니의 심장은 영원히 멎었다. 이윽고 '조국의 위대한 아들이자 대음악가'인 푸치니의 서거 소식이 전해졌다. "죽음은 하나." 만물의 주재자가 그에게 내린 판결이었다.

밀라노에서 소식을 들은 대본작가 아다미는 스칼라 극장에서 다른 오페라 연습을 진행하고 있던 토스카니니에게 달려갔다. 토스카니니는 아다미의 표정만 보고 바로 분장실로 달려가 의자에 주저앉더니 울음을 터뜨리기 시작했다.

벨기에는 이국의 대가를 국장으로 애도했고, 벨기에 여왕이 각별한 조의를 표했다. 이날도 라모네 극장에서는 〈라 보엠〉 공연이 열렸다. 청중은 2분간 묵념했다. 푸치니의 유해는 기차에 실려 밀라노로 향했다.

밀라노의 두 번째 장례식까지 스칼라 극장은 임시 폐관에 들어갔다. 두 번째 장례식은 비가 내리는 가운데 밀라노의 두오모에서 성대하고도 엄숙하게 열렸다. 토스카니니와 스칼라 극장 합창단, 관현악단은 푸치니의 두 번째 오페라 〈에드가〉에 나오는 장송합창(레퀴엠)과 피델리아가 연인을 떠나보내는 아리아 '오, 나의 달콤한 사랑'을 연주했다.

이유가 무엇인지 푸치니의 유해는 밀라노 토스카니니의 가족묘에 2년간 안치되었다가 이후 토레델라고의 푸치니 빌라에 있는 가족 채플로 이장되었다.

투란도트의 수수께끼를 풀다

푸치니의 갑작스러운 사망은 누구에게나 충격이었지만 특히 스칼라 극장에서 〈투란도트〉 초연을 지휘하기로 돼 있던 지휘자 토스카니니에게는 난감하기 이를 데 없는 사건이었다. 신속하게 결정을 내려야 했다. 처음엔 야심만만하고 전도유망한 오페라 작곡가 찬도나이에게 작업이 돌아갈 뻔했다. 그러나 그의 전작 〈프란체스카 다 리미니Francesca da Rimini〉가 한때 푸치니의 명성을 위협할 정도로 큰 성공을 거뒀던 전력 때문에 찬도나이는 후보에서 제외되었다. 줄리오 리코르디의 아들 티토는 토스카니니와 협의 끝에 신진 작곡가 프랑코 알파노Franco Alfano에게 이어지는 부분의 작곡을 의뢰했다. 초연은 1년 연기됐다.

1926년 4월 5일 스칼라 극장에서 작품이 초연되던 날, 토스카니니는 3막 류의 죽음 장면까지 연주를 이어나간 뒤 지휘봉을 내렸다. 그러고는 청중을 향해 돌아서서 말했다. "친애하는 고 푸치니 선생께서는 여기까지 쓰시고는 펜을 멈추고 돌아가셨습니다."

토스카니니는 퇴장했고 연주는 이어지지 않았다. 다음 날부터 그는 알파노가 마무리한 부분까지 전곡을 연주했다. 오늘날까지도 대부분의 사람이 이를 토스카니니의 돌발행동으로 여기고 있지만, 실은 토스카니니와 리코르디 출판사가 미리 합의해둔 계획이었다.

공연의 둘째 날부터 관객이 만난 전체 오페라의 내용은 다음과 같다.

• 1막

베이징의 궁전 앞. 관리가 포고문을 전한다. 투란도트 공주는 자신이 내는 세 개의 수수께끼를 풀 수 있는 사람과 결혼할 것이며, 한 문제라도 맞히지 못하면 목숨을 바쳐야 한다는 것이다. 이미 여러 사람이 도전했으나 목숨을 잃었다.

군중이 '숫돌을 돌려라Gira la cote'를 외치며 앞서 도전에 실패한 이의 처형에 설렘을 나타낸다. 이 장면은 앞서 언급한 대로 당대의 급진적 음악인 스트라빈스키의 원시주의적 수법을 떠올리게 한다. 심지어 1930년대 독일 작곡가 카를 오르프의 〈카르미나 부라나〉도 연상하게 한다.

군중 사이에서 몸종과 있던 노인이 아들과 우연히 만나 기뻐한다. 신분을 감추고 있지만 그들은 축출된 타타르 왕 티무르와 왕자 칼라프였다. 왕자를 남몰래 사랑해온 왕의 시녀 류도 기뻐한다.

군중의 함성이 크게 울리더니 투란도트 공주가 성 위에 나타나 페르시아 왕자의 사형 집행을 명한다. 칼라프는 그녀의 미모에 매혹되어 수수께끼에 도전할 결심을 한다. 티무르와 류가 극구 만류하지만 왕자는 막무가내다.

칼라프를 사랑하는 류는 아리아 '주인님, 들으소서!Signore, ascolta!'를 부른다. 칼라프는 그를 위로하며 '울지마라, 류Non piangere, Liù'라고 노래한다. 결국 칼라프는 만류하는 이들의 손을 뿌리치고 투란도트 공주의 이름을 높이 외치면서 도전의 신호로 징을 두드린다. 서정성과 극적 클라이맥스를 오가는 이 장면은 3막 아리아 '잠들지 말라'와 더불어 이 작품에서 가장 귀 기울일 만한 부분이기도 하다.

• 2막

신원을 알 수 없는 남자가 수수께끼에 도전할 모습을 군중이 지켜본다. 황제 알토움은 더 이상의 희생을 보기 싫다며 도전을 포기하라고 권하지만 칼라프는 거절한다.

투란도트는 자기가 수수께끼를 내는 이유를 아리아 '옛날 이곳에서in questa reggia'로 설명한다. 먼 옛날, 이 궁전에 쳐들어온 군대가 로우링 공주를 잡아 능욕하고 죽였기 때문에 그를 대신해 풀기 어려운 수수께끼로 남자들에게 복수한다는 것이다. 바그너 극의 소프라노를 연상케 하는 고음의 포르티시모가 펼쳐진다. 공주가 "수수께끼는 셋, 죽음은 하나"라고 외치자 칼라프는 "수수께끼는 세 가지요, 목숨은 단 하나"라고 대꾸한다.

문제가 하나하나 진행되면서 칼라프는 세 개를 모두 풀고 군중은 환호한다. 문제와 답은 각각 '어둠을 비춘 뒤 다음 날 사라지는 것', 곧 희망, '태어날 때 열병과 같이 뜨겁다가 죽을 때 차가워지는 것', 곧 피, 또 '불을 붙이는 얼음' 즉 투란도트다.

1926년 〈투란도트〉 초연 포스터

푸치니는 끝내 〈투란도트〉를 완성하지 못하고 떠났다. 미완의 작품은 이전의 걸작들 못지않게 많은 사랑을 받으며 지금까지도 전 세계 곳곳의 무대에 오르고 있다. 포스터를 보면 "죽음과 같은 공주여, 얼음과 같은 공주여"라고 노래하던 칼라프의 목소리가 들리는 듯하다.

군중은 승리한 도전자를 축복하지만, 공주는 이름도 모르는 자와 결혼할 수 없다며 황제에게 애원한다. 황제는 "약속은 신성하다"며 거절하지만, 이번에는 칼라프가 공주에게 제안을 한다. 공주가 동이 트기 전에 자기 이름을 알아내지 못하면 자신과 결혼해야 한다는 제안이다.

- 3막

관리들이 "낯선 젊은이의 이름을 알아내기 전에는 아무도 잠을 자선 안 된다"고 외친다. 칼라프가 이 소리를 들으며 "아무도 잘 수 없다! 공주 역시 잠들지 못할 것이다. 승리는 나에게"라고 노래하는 아리아 '잠들지 말라'를 부른다. 여기 핑, 팡, 퐁이 들어와서 황금과 미녀로 칼라프에게 포기하라고 유혹하지만 칼라프는 거절한다.

수수께끼를 알아맞히고 승리한 젊은이와 함께 있던 사람들이라는 누군가의 제보에 따라 티무르와 류가 공주 앞에 끌려온다. 류가 그의 이름을 아는 사람이 자신뿐이라고 하자 공주는 그를 고문한다.

류가 일체 입을 다무는 데 의아해한 공주가 "이런 고통을 감수하는 이유가 무엇이냐?"고 묻자 류는 그것은 사랑의 힘 때문이라며 '얼음장 같은 공주님의 마음도Tu che di gel sei cinta'라는 아리아를 부른 뒤 옆에 있는 병사의 단도를 낚아채 자기의 가슴을 찌른다. 칼라프와 티무르는 류의 죽음을 슬퍼하고, 군중도 동정을 보낸다.

투란도트와 함께 남은 칼라프는 공주의 얼굴을 가린 베일을 찢으며 "죽음과 같은 공주여, 얼음과 같은 공주여"라고 노래한다.

여기서부터는 알파노가 완성한 부분이다.

류의 죽음으로 사랑에 대해 알게 된 투란도트는 칼라프의 키스에 냉정하던 마음이 사라진다. 칼라프는 "나는 칼라프요. 티무르의 아들, 타르타르의 왕자"라고 자신의 이름을 밝히고, 공주도 "이제 나는 당신의 이름을 알게 되었다"라고 답한다.

장면은 바뀌어 궁전의 밖. 투란도트가 황제에게 "아버지, 저는 이 사람의 이름을 압니다"라고 말한다. 그리고 몸을 돌려 칼라프의 눈을 응시한 채 "그의 이름은 사랑이라오"라고 소개한다. 칼라프는 공주를 포옹하고, 군중은 환호한다.

알파노가 마무리한 〈투란도트〉 3막의, 공주가 굴복하고 사랑을 알아나가는 장면의 2중창은 초연 직후에도, 그 이후에도 관객과 비평가들의 귀를 충족하지 못했다. 2001년에는 리코르디 출판사의 위촉으로 작곡가 루치아노 베리오가 새로운 완성 악보를 선보였다. 이 버전 역시 알파노 버전의 설득력 있는 대안으로 자리 잡지는 못했다.

푸치니가 생전에 높이 평가했던 작곡가는 오늘날 〈로마의 소나무〉를 비롯한 교향시 '로마 3부작'으로 명성을 누리고 있는 오토리노 레스피기였다. 만약 그가 이 오페라의 마무리를 맡았다면 어떤 작품이 되었을까? 소득은 없을 상상이지만 상상 그 자체는 늘 색다른 재미를 준다.

〈투란도트〉가 초연된 지 100년 가까이 흘렀다. 푸치니 자신이 완성하지 못한 3막 후반부의 불완전함에도 불구하고 〈투란도트〉는 푸치니의 중기 3대작에 필적하거나 어떤 면에서는 이들을 능가하는 명성을 획득했다. '드라마틱하고 선 굵은 영웅 오페라'에 도전해

성공하겠다는 푸치니의 의지는 성공을 거두었다.

그러나 한 가지 빼놓을 수 없는 사실이 다시 한 번 우리의 가슴을 서늘하게 한다. 어떤 의지가 개입된 것일까. 푸치니는 결국 마지막 성공작에서도 〈라 보엠〉 〈토스카〉 〈나비 부인〉처럼 여주인공의 희생을 그리고 펜을 놓아야 했다. 류의 죽음 이후를 마무리한 것은 푸치니가 아닌 다른 사람의 손길이었다.

이제 푸치니가 왜 칼라프 왕자의 '이름 맞히기 2라운드'를 삽입했는지 그 두 번째 이유도 짐작할 만하다. 푸치니의 작품과 생애를 이해하는 사람이면 누구나 쉽게 공감하는 내용이다. 푸치니는 가엾고 억울하게 죽은 하녀 류에 자신의 하녀였던 도리아 만프레디의 모습을 투영했을 것이다. 엘비라의 근거 없는 질투에 희생되어 독약을 삼켰던 가엾은 처녀 도리아 이야기다. 이 여인 또한 〈투란도트〉의 류처럼 권력을 지닌 냉혹한 여인의 공격 앞에 무력감을 느끼고 스스로 목숨을 끊었다.

그것이 전부가 아니었다. 세상이 놀랄 만한 상세한 사실은 최근에야 알려졌다. 21세기에 들어와서도 한참의 시간이 지난 뒤에.

푸치니의 연인을 찾아라

2008년, 이탈리아인 파올로 벤베누티Paolo Benvenuti 감독의 영화 〈푸치니의 여인Puccini e la fanciulla〉이 발표되었다. 영화는 세상이 놀랄 만한 도리아 만프레디 사건의 숨은 진실을 밝히고 있었다. 형태는 극영화지만, 벤베누티 감독과 그의 스태프가 여러 해 동안 토레델라고 근처를 누비고 온갖 기록을 조사하며 사건의 핵심에 다가간 결과를 담아낸 것이었다. 간단히 말하자면, 도리아는 〈투란도트〉 속의 류와 마찬가지로 '이름을 밝히지 않기 위해' 스스로 목숨을 끊은 것이었다.

벤베누티 감독의 설명은 이렇다. 2006년 10월, 그의 스태프가 인근 마을의 피자집에서 식사를 하다가 귀가 번쩍 뜨이는 이야기를 들었다. 푸치니의 사생아라는 남자가 이 피자집에 들르곤 했다는 것이다. 그의 어머니 이름은 줄리아이며, 푸치니 생전에 호숫가에서 여인숙 겸 살롱 '살레 에밀리오'를 운영하던 여성이었다. 혼자 살았고 독립심이 강했지만 정이 많아서 누구나 호감을 갖게 만드는 여인이었다고 했다.

벤베누티 감독은 이 이야기의 진실을 추적하다가 피사 근처 치사넬로 마을에 있는 집을 방문했다. 푸치니 사생아의 딸이라고 밝힌 나디아라는 여인이 나왔다. 그의 눈은 푸치니와 꼭 닮아 있었다. 그는 벤베누티 감독에게 먼지 쌓인 트렁크를 꺼내 보여주었다. 40여 통의 편지가 나왔다. 푸치니가 보낸 편지였다. 수신인의 이름은 줄리아 만프레디Giulia Manfredi. 집주인 나디아의 할머니이자, 푸치니의 죽은 하녀 도리아 만프레디의 사촌이었다.

그렇다면 엘비라는 왜 도리아를 의심했던 걸까? 하녀 도리아는 푸치니의 의붓딸 포스카와 〈서부의 아가씨〉 대본작가 구엘포 치비니니가 침대에서 엉켜 있는 모습을 뜻하지 않게 목격했다. 포스카는 남편이 있는 몸이었다. 도리아가 자신의 부정을 누설할까 봐 두

려워진 포스카는 사람들의 주의를 돌리기 위해 도리아의 행동거지가 수상하다고 비난했다. 엘비라는 여기에 넘어갔고, 도리아를 의심한 나머지 심한 모욕을 가했다.

도리아는 사촌 줄리아와 푸치니의 관계를 잘 알고 있었지만 이를 누설할 수 없었다. 결국 자신이 비밀을 무덤에 가져가기로 마음먹고 목숨을 버렸다는 것이다. 벤베누티 감독 팀은 푸치니가 이후 자신의 아들을 낳은 줄리아에게 돈을 보냈으며, 그의 사망과 함께 송금도 끊겼다는 사실을 발견했다. 푸치니와 줄리와의 관계에서부터 도리아의 사망까지의 정황은 영화 〈푸치니의 여인〉에 상징적으로, 그러나 상세히 그려졌다.

오페라 〈투란도트〉와 도리아의 관계에 대해 푸치니가 생전 직접 밝힌 기록이나 문서는 없다. 그러나 벤베누티 감독이 파헤친 정황증거에 따르면 오늘날 다음과 같은 추정이 가능하다. 푸치니가 〈투란도트〉에 원작에는 없는 이름 알아내기 일화를 집어넣은 것은, '투란도트 극'에 병렬되는 '류 극'을 만들어 현대성과 전통, 두 마리 토끼를 모두 잡으려는 의도에 따른 것임에 의심의 여지가 없다. 그러나 한편으로 푸치니는 류의 모습을 통해 억울하게 죽은 하녀 도리아에 대한 추모를 담으려 한 것이다.

더군다나 류가 '이름을 누설하지 않기 위해' 목숨을 버린 것은 실제 목숨을 버린 도리아의 모습과 일치한다. 결국 푸치니는 사람들이 류의 죽음에 측은함과 공감의 눈물을 흘리도록 함으로써 자신이 할 수 있는 최선의 애도를 도리아에게 바친 것이다.

비아레조를 떠나면서 다시 토레델라고로 향한다. 코트를 입고 담배를 문 푸치니에게 새삼 눈인사를 건네고, 몇 걸음 멀지 않은 물가에 선다. 오른쪽을 돌아본다. 수변에 기둥을 박고 반쯤 물에 떠 있듯이 자리한 건물 벽에 '샬레 에밀리오'라는 글자가 선명하다. 이 살롱이 100년 넘도록 이곳에 같은 이름으로 있지는 않았을 것이다. 영화에 이끌려 찾아오는 이들을 의식해 예전의 살롱을 되살렸을 것이다.

지금은 호숫가에 많은 집이 지어졌지만, 푸치니 시대에는 푸치니 빌라와 호숫가의 이 살롱만 있었을 것이다. 벤베누티 감독의 영화에는 자택에 선 푸치니가 멀지 않은 살롱을 건너다 보며 줄리아가 손님들과 춤을 추는 모습을 빨려들 듯이 쳐다보는 장면이 나온다.

시간에 맞춰 푸치니 빌라에 다시 들어선다. 관리인이 나를 알아본다. 왜 또 왔냐는 듯이. 채플에 있는 푸치니 최후의 안식처 앞에 다시 서본다. '이제 모든 것을 알아요' 하고 말을 건넨다. '80년 넘게 세상이 모르고 있었네요. 이제 〈투란도트〉를 새로운 눈으로 볼 수 있게 되었어요. 그 사실에 감사해요.'

잠들어 있는 이는 말이 없다. 바로 곁에 누운 부인 엘비라도.

이제 작별할 시간이다. 토레델라고여 안녕. 가까운 거리임에도 기차를 갈아타야만 닿는 루카의 숙소로 나는 이 밤에 돌아갈 것이다. 사진 파일을 정리한 뒤 짐을 꾸릴 것이다. 그리고 내일 떠날 것이다.

푸치니의 자취가 짙게 배어든 도시와 장소 들과는 이별이지만, 내가 그의 선율과 노스텔지어에 처음 젖어들었던 지상 저편의 도시가 대신 나를 맞이할 것이다.

호숫가에 어둑하니 땅거미가 진다. 오늘은 사람의 자취조차 찾기 힘들다. 푸치니가 처음 이곳을 찾았던 1880년대에 온 것 같다. 소슬한 바람과 그윽한 물비린내, 그리고 어디선가 사랑을 구하는 물새가 내는 것일 첨벙 소리뿐.

토레델라고의 마사추콜리 호수

푸치니가 생애 대부분을 보낸 토레델라고는 푸치니에게 거주지 이상의 의미를 지닌다. 그는 바다와 가까운 마사추콜리 호수에서 물새를 사냥하는 새벽 시간을 사랑했고, 그 정경을 〈나비 부인〉 간주곡 장면에 녹여 넣었다. 호숫가에 어둑하니 땅거미가 지자, 푸치니가 처음 이곳을 찾았던 1880년대에 온 것 같다. 오감을 자극하는 소슬한 바람, 그윽한 물비린내, 그리고 물새가 날아다니는 소리…… 그의 장소를 둘러본 후 그의 음악을 다시 듣는 내 마음속의 무대는 이전과 비할 수 없이 광대하고 풍요롭다.

스칼라 극장 _ 이탈리아 오페라의 역사

스칼라 극장은 오페라의 나라 이탈리아를 대표하는 오페라 극장으로, 푸치니의 오페라 중에서 〈에드가〉〈나비 부인〉과 유작 〈투란도트〉가 초연된 곳이다. 특히 〈나비 부인〉 초연당시 청중의 야유와 소란 사건은 오늘날에도 널리 입에 오르내리고 있다. 이탈리아 오페라 팬들의 자부심뿐 아니라 '까칠한 근성'까지를 상징하는 곳이라 할 만하다.

'스칼라'는 이탈리아어로 '계단'이라는 뜻이다. 예전 산타마리아 델라 스칼라 성당이 있던 자리에 1778년 극장을 지어 이런 이름이 붙었다. 로코코 양식으로 된 건물의 내부 로비에는 이탈리아 오페라의 장려한 역사를 이뤄낸 작곡 거장들의 대리석 조각들이 나란히 서 있다. 객석 수는 2,030석. 뉴욕의 메트로폴리탄 오페라 극장, 런던의 코벤트가든 로열오페라 극장과 함께 세계 3대 오페라 극장으로 불린다. 객석 수가 아니라 그 권위를 기준으로 한 것이다. 빈 국립오페라 극장, 베를린 국립오페라 극장과 함께 '5대'로 꼽히기도 한다.

3대니 5대니 하는 수식어가 무슨 의미가 있으랴 싶지만, 오페라 극장에서의 '3대', '5대'는 상징이 아닌 실질적인 개념이다. 이 중 한 극장에서 성공을 거둔 가수는 다른 네 극장의 정규 캐스팅 허가증을 받은 것과 같기 때문이다.

19세기 스칼라 극장

이 극장은 비토리오 에마누엘레 갈레리아에 인접해 있다. 갈레리아를 북쪽으로 빠져나오면 푸치니의 고향 루카에서 멀지 않은 빈치 출신으로 밀라노에서 생의 화려한 한순간을 꽃피웠던 레오나르도 다빈치의 동상이 서 있다. 동상은 길 건너 스칼라 극장을 쳐다보고 있다.

극장을 처음 보는 사람은 실망할 수도 있다. 겨자색 극장 외관은 화려함이라곤 하나 없이 수수하다. 정면 출입구 앞의 대로에는 버스가 쉴 새 없이 지나간다. 카메라를 들이대면 공중에 걸린 전차선이 화면에 선명한 가로줄을 남긴다.

극장을 정면으로 마주선 채 뒤로 돌면 에마누엘레 갈레리아의 일부를 이루는, 열주가 늘어선 건물이 보인다. '리코르디 궁전'이라고 불렸던, 악보출판사이자 미디어그룹, 거대 공연기획사였던 '리코르디'의 터전이다.

리코르디 소속 작곡가의 오페라 공연이 스칼라 극장에서 열리는 날에는 중간 휴식 시간에 밀라노의 부호들과 유력 인사들이 이 건물의 연회실로 와서 와인을 마시며 담소를 나누기도 했다고 전해진다. 오늘날 리코르디는 다국적 기업 유니버설뮤직에 인수되었고 밀라노 사무소도 밀라노 북쪽 교외로 이전했다. 옛 리코르디 건물에서 그 영화의 자취는 찾아볼 수 없다.

현재의 스칼라 극장

꿈을 포획하는 자에게
국경은 없다

1924년 푸치니의 사망에 즈음해 오페라의 황금시대도 막을 내렸다. 오페라의 오랜 전통을 푸치니의 관 속에 넣어 순장한 것은 아니었다. 1920년대의 비슷한 시기에 라디오와 유성영화, 마이크와 확성장치를 통한 대중음악이 동시다발적으로 확산하면서 '오페라와 함께하는 저녁'의 위상이 급격히 내리막을 걷게 된 것뿐이다. 이후로 오페라는 최고의 저녁 여흥으로서의 위엄을 회복하지 못했다.

오페라는 사라지지는 않았다. 지난 세기의 오페라 극장은 여전히 수많은 도시의 도심에서 시청이나 대성당과 함께 가장 중요한 상징물로 자리했고, 그곳에서는 변함없이 공연이 열린다. 1960년대 마리아 칼라스가 부르는 〈토스카〉의 '노래에 살고 사랑에 살고'는 한 시대의 아이콘이었다. 소프라노 레나타 테발디, 테너 프랑코 코렐리, 주세페 디 스테파노, 마리오 델 모나코와 같은 한 시대의 영웅들이 오페라 무대를 빛냈다.

1970년대에는 파바로티, 도밍고, 카레라스 등 이른바 '3대 테너'의 노래가 오페라에 아무런 관심이 없던 사람들의 귓전에도 울려 퍼졌다. 1986년 이탈리아 월드컵 중계방송의 시그널 음악으로 파바로티가 부른 〈투란도트〉의 '잠들지 말라'가 사용되면서 이 노래는 동시대 대중문화의 확고한 일부가 되었다.

오페라 창작의 전통도 없어지지 않았다. 오페라의 유구한 전통을 이어 잔카를로 메노티로 대표되는 신진 작곡가들이 20세기의 극장을 빛내기도 했다. 그래도 극장에서 확성장치 없이 진행되는 오페라는 다시 '만인의 것'이 되지는 못했다.

서운하지 않다. 푸치니의 유산은 세계를 장악하고 있다. TV 오디션 쇼에서 수없이 불리는 '오, 사랑하는 나의 아버지'나 '잠들지 말라'는 일부일 뿐이다. DVD와 블루레이, 유튜브로 확산되는 실황 영상물은 내 집 거실에서 이전 세기에 없던 풍요한 체험을 가능하게 하고 있다. 2003년 5월, 서울 상암동 월드컵경기장에서 열린 장이머우 연출 〈투란도트〉는 연 인원 11만 명의 관객을 끌어모았다. 〈잔니 스키키〉가 나오는 영화 〈전망 좋은 방〉에만 푸치니 음악이 등장하는 것은 아니다. 블록버스터 〈딥 임팩트〉에서 외롭게 연구생활을 이어가는 노 천문학자가 혼자 듣는 음악은 〈라 보엠〉 3막의 2중창 '미미여, 너는 돌아오지 않고'였다. 온갖 화장품, 스타일, 명품 광고, 피겨스케이팅과 리듬체조, 싱크로나이즈드 스위밍의 배경음악에도 푸치니의 아름다운 선율과 극적인 장면은 빠지지 않고 등장한다.

본래의 푸치니가 아니라고, 변색된 푸치니라고, 이맛살을 찌푸릴 일만은 아니다. 이렇게 푸치니를 만난 이 중 제법 많은 사람이 오페라 극장을 찾아갈 것이다. 나 역시 그가 의도한 대로의 오페라 세계에 입문했던 것은 아니다. 파바로티와 도밍고, 테발디와 서덜랜드를 비롯한 수많은 가수의 유명 아리아 모음집 레코드판을 들으며, 푸치니의 설계와 다른 '조각난' 장면들로, 무대를 상상으로만 머릿속에 그려보며 죽은 지 오래된 작곡가가 던져놓은 감각의 그물에 걸려 포로가 되었다. 그 그물이 이끄는 대로 세계의 공연장을 쫓아다녔고, 그가 남긴 창작의 현장과 사랑의 장소까지 찾아갔다.

그 매혹을 더 많은 사람에게 전하고자 하는 욕망이 이 한 권의 책으로 남았다.

글을 닫으려니 여행의 기억이 떠오른다. 마르티노 성당 옆 말썽꾸러기 자코모가 다녔던 초등학교 교실을 들여다보고 싶었다. 그러나 아쉽게도, 그 도시의 어느 누구도 그 자취에 대해 알지 못했다.

로마 여행은 〈토스카〉의 흔적을 찾는 여행 못지않게 푸치니의 각별한 관심을 받았던 후배 작곡가 레스피기의 시선을 따라가는 여행이기도 했다. 교향시 '로마 3부작'에서 '영원의 도시'를 정밀하게 그려낸 레스피기는 푸치니가 관심을 가진 후배이기도 했다. 자니콜로 언덕에서 들은 뻐꾸기 소리는 (레스피기가 음악으로 묘사한 나이팅게일이 그곳에 날아오지는 않았지만) 남다른 기억으로 남을 것이다.

푸치니의 마지막 집이 있던 비아레조는 정원마다 꽃이 가득한 시가지와 아름다운 운하로 내 방랑벽을 다시금 간질이고 있다. 내게 다시 기회가 온다면, 그때는 그곳에 묵으면서 토레델라고 푸치니 페스티벌을 찾을 생각이다.

그 모든 장소로 나를 불러들인 것은 결국 100년 전 사람의 꿈이었다. 몹시도 감각적이고 향락적인 사람이었던 푸치니는, 누구의 마음속에나 있는 아련한 슬픔마저 자신만의 감각과 향락의 제국을 구성하는 데 핵심적인 요소로 이용했다.

그는 자신의 꿈으로 남을 포획하는 데 주저함이 없었고, 그러한 지상의 목표를 달성하기 위해 자신의 남다른 장기를 제쳐놓는 데도, 경쟁자와 후배의 장기를 면밀하게 연구해 자기의 것으로 가져오는 데도 주저함이 없었다.

시대와 함께 호흡하고자 한 그 모든 욕망과 투쟁은 오늘날 우리가 아는 푸치니의 총체상을 이루게 되었다. 그 모습 전체는, 지금 그가 누리는 인기 이상으로 거듭 재발견될 자격을 갖추고 있다고 믿는다. 그리하여 나는 〈잔니 스키키〉 말미에 나오는 잔니의 말투를 빌려 이 책을 닫고자 한다.

여러분, 이 글의 부족함으로 인해 나는 벌을 받아도 좋습니다. 그러나 '위대한 옛 사람' 푸치니의 관대한 허락에 힘입어 이 책과 함께 조금이나마 즐거우셨다면, 제가 한 일을 양해해주십시오.

죽음이 나를 찾아오면

행복하게 휴식을 찾으리라.

내 삶이여, 얼마나 힘든가!

많은 이들이 나를 행복한 이로 여겨도

내 성공도 지나고, 무엇이 남겠는가?

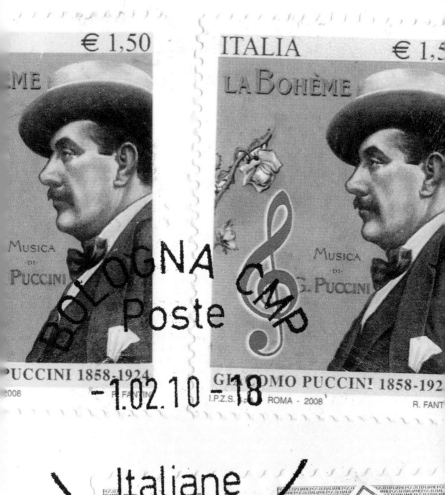

€ 1,50 ITALIA € 1,5

LA BOHÈME

ME

MUSICA
DI
PUCCINI

MUSICA
DI
G. PUCCINI

BOLOGNA CMP
Poste

- 1.02.10 -18

PUCCINI 1858-1924. GI...OMO PUCCINI 1858-192
2008 I.P.Z.S. ... ROMA - 2008 R. FANT

Italiane
Posteitaliane

€ 1,50

ITALIA

I.P.Z.S. S.p.A. - ROMA A. CIABURRO

푸치니 예술의 키워드

01 푸치니 공식

푸치니의 〈마농 레스코〉 〈라 보엠〉 〈나비 부인〉 등 사랑받는 오페라들은 대부분 플롯의 공통점을 갖는다. ① 1막에서는 밝은 분위기 속에 주인공 남녀가 사랑에 빠진다, ② 사랑에 위기가 닥치고 남자는 무책임하거나 무능력하다, ③ 긴 이별의 시간이 지나간다, ④ 남녀는 (대개 1막과 같은 장소에서) 다시 만나지만 여주인공은 병이나 자살로 삶을 마감하는 등 상황은 어둡고 비극적이다. 이러한 공식 또는 패턴을 자주 이용한 것은, 푸치니 자신이 이런 줄거리를 표현하는 데 최적화된 음악적 수법을 갖고 있었기 때문이다. 1막에서 각각의 주인공과 특징, 사건을 상징하는 선율과 모티프를 깔아놓는다. 이후 가슴 아픈 후반부에서는 1막의 모티프를 다시 불러내 그사이 흐른 시간의 길이와 아픈 현실을 실감시키며 청중의 눈물을 이끌어낸다. 이 때문에 푸치니는 '단테의 충실한 후배'라는 평가를 받았다. 토스카나 지방에서 여섯 세기 앞서 살았던 단테는 『신곡』 지옥편 등장인물 프란체스카의 입을 빌려 "괴로운 현재 속에서 행복했던 과거를 회상하는 것만큼 슬픈 것은 없습니다"라고 말한다. 푸치니가 마지막 막에서 첫 막의 동기들을 회상하며 행복했던 시기의 정감을 대조하는 기법은 이 프란체스카의 독백을 상기시킨다.

02 노스탤지어

푸치니를 만난 사람들은 그가 명랑하고 친절하다가도 순간 먼 곳을 쳐다보면서 눈물이 그렁그렁해지곤 했다고 예외 없이 회상했다. 토레델라고 마을의 친구들이나, 업무를 위해 그를 만난 지휘자와 성악가들, 사교 모임을 위해 그를 찾았던 유명인들 모두 푸치니의 눈길과 태도에서 순간적으로 발견되는 '노스탤지어' '멜랑콜리' '센티멘털리즘'에 대해 언급했다. 푸치니 자신도 "나는 멜랑콜리의 거대한 짐을 지고 태어났다"고 말했다. 순간적으로 나타났다 사라지곤 하는 그의 노스탤지어는 선천적인 것이었을 수도 있고, 아들의 성공이 눈에 보이는 순간 눈을 감았던 어머니에 대한 죄의식 때문이라는 분석도 있다. 푸치니 자신은 노스탤지어와 멜랑콜리를 짐과 부채가 아니라 동력이자 자산으로 삼았다. 내면 깊이 자리 잡은 서글픔은 그의 손에서 선율과 화음으로 소환되어 작품 주인공들의 슬픔으로 세련되게 표현되었고 세계를 매혹했다.

03 백만장자

〈라 보엠〉〈토스카〉〈나비 부인〉을 연이어 성공시킨 1904년 이후 푸치니는 전 세계의 주목을 받는 셀러브리티이자 백만장자로 풍요로운 삶을 영위했다. 뉴욕과 우루과이까지 그의 전작을 상연하는 '푸치니 페스티벌'을 열어 초호화 여객선을 포함하는 일정에 그를 초청했다. 그는 최신형 승용차를 바꾸어댔고 모터보트를 샀으며 베니스 비엔날레와 모터쇼, 에어쇼를 보러 다녔다. '홈비디오 1세대'로서 그의 개인 영상은 오늘날 유튜브를 통해 쉽게 만날 수 있다. 중세의 모습을 간직한 루카에서 자라 "나는 아주 옛날 사람"이라고 말하곤 했던 푸치니는 이 같은 재력 덕에 20세기 초 기술문명의 폭발적 발전을 한껏 누린 '얼리어답터'가 되었다. 현대 문명에 대한 그의 감수성은 동시대 음악에 대한 반감에도 불구하고 최후작 〈투란도트〉에서 스트라빈스키풍의 전위적 스타일을 받아들이도록 했다.

04 스카필리아투라

1860년대 초 이탈리아 예술계의 유력한 작가, 음악가, 비평가 들은 밀라노와 코모 호수 주변에 모여 토론을 펼치며 당대 시인 만초니와 작곡가 베르디가 대표하던 이탈리아 예술이 고답적이고 정체되어 있다고 질타했다. 이들은 '머리 헝클어진 자들'이란 뜻의 '스카필리아투라'로 불렸다. 대본작가 겸 작곡가 보이토, 작곡가 겸 지휘자 파초로 대표되던 이들은 1880년대에 베르디와 화해했고, 그의 뒤를 이을 이탈리아 오페라계의 후계자로 푸치니를 세상에 소개하는 데 큰 역할을 했다. 이들이 푸치니를 주목한 것은 그의 밀라노 음악원 은사였던 작곡가 폰키엘리의 추천이 계기가 되었지만, 푸치니의 재능 못지않게 주목한 점은 그들이 '문화 선진국'으로 간주했던 프랑스와 독일의 최신 음악 조류에 푸치니가 친화력과 깊은 지식을 갖고 있다는 점이었다.

05 새벽

푸치니의 오페라에는 예외 없이 새벽 장면이 등장한다. 미미가 집 나간 로돌포를 찾아가는 〈라 보엠〉 3막, 카바라도시가 처형을 기다리는 〈토스카〉 3막, 미 해군의 배가 기항하자 나비 부인이 밤새 앉아 남편을 기다리는 〈나비 부인〉 간주곡 장면, 칼라프가 승리를 예감하며 '잠들지 말라'를 부르는 〈투란도트〉 4막 등이 대표적이다. '3부작' 가운데 막인 〈수녀 안젤리카〉도 그렇다. 푸치니 자신에게도 새벽은 창작의 주요 시간이면서 토레델라고 마을 앞 마사추콜리 호수의 물새를 사냥하기도 했던, 오감이 가장 생생하게 깨어 있는 시간이었다. 〈토스카〉에서 들리는 로마 성당들의 종소리, 〈나비 부인〉의 동트는 장면 속 새의 지저귐 등 그는 자신의 작품에서 가장 정교한 회화적 묘사들을 새벽 장면에 녹여냈다.

06 알비나 마기 푸치니

푸치니의 모친 알비나는 1850년 열아홉 살에 음악가 집안에 시집와, 서른네 살에 남편을 잃었다. 그후 아홉 아이와 함께 억척스러운 삶을 이어나가야 했다. 거듭 말썽을 일으키는 맏아들 자코모에게 줄곧 자애로운 신뢰를 보냈고, 왕실에 탄원을 넣어 마르게리타 여왕의 장학금을 받아냈으며 밀라노 음악원의 폰키엘리 교수를 집요하게 설득해 아들의 사부가 되도록 했다. 그러나 아들이 첫 오페라 〈빌리〉로 원하던 성공을 거둔 순간, 알비나는 위암으로 병상에 누워 있었다. 어머니의 사랑에 보답할 기회를 잃은 푸치니의 상심은 컸고, 이는 평생의 트라우마로 남았다. 〈나비 부인〉〈수녀 안젤리카〉 등 모성애를 강조한 그의 오페라는 유독 처연하며 비탄으로 가득 찬 분위기로 막을 내린다.

07 리코르디 출판사

리코르디는 1808년 창업해 19세기 이탈리아 음악계를 지배한 악보 출판사이자 오페라 흥행 기업이었다. 로시니, 벨리니, 도니체티 등 19세기 전반과 중반을 지배한 오페라 작곡가들의 작품에 대해 이 회사가 제작의 책임을 맡았고, 주세페 베르디가 이 회사를 대표하는 작곡가로 자리 잡으면서 리코르디의 명성은 절정에 달했다. 이 회사의 3대 경영자 줄리오 리코르디는 1883년 폰키엘리 교수의 소개로 그해 밀라노 음악원을 졸업한 푸치니를 처음 만났으며, 이후 이 젊은 작곡가의 능력을 확신해 과감한 지원을 아끼지 않았다. 그의 신뢰와 지원은 10년 만인 1893년 〈마농 레스코〉의 성공으로 결실을 거두기 시작했다. 푸치니의 신작들은 마침 같은 해 마지막 작품 〈팔스타프〉를 내놓은 베르디의 작품들을 뒤이어 이 회사의 핵심 수입원이 되었다.

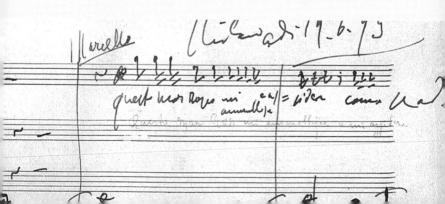

〈라 보엠〉포스터들

08 비평계

1896년 〈라 보엠〉의 성공으로 푸치니가 베르디의 뒤를 잇는 이탈리아 오페라계의 대표주 자가 될 것이 확실해지자 이탈리아의 음악비평계는 상반된 방향에서 그를 비판하기 시작 했다. 한쪽은 "푸치니의 음악이 센티멘털리즘으로 가득 차 있으며 진보가 없다"는 것이었 고, 다른 한쪽은 "그의 음악이 프랑스와 독일 작곡가들의 작품을 모방하며 지나치게 급진 적이다"는 것이었다. 양쪽의 요구를 모두 만족시키기는 불가능한 일이었기에 푸치니는 센 티멘털한 작품(〈라 보엠〉〈나비 부인〉)과 과감하고 선 굵은 작품(〈토스카〉〈서부의 아가씨〉)을 번갈아 내놓으며 비판을 최소화하고자 했다. 급기야 '3부작'에서는 상반된 경향의 단막 작 품 세 개를 내놓는 전략을 구사했고, 최후작 〈투란도트〉에서는 한 작품에 전통적 요소('류' 로 대표)와 실험적 요소('투란도트'로 대표)를 결합한 '하이브리드 오페라'를 시도했다.

09 오케스트라

푸치니는 명성을 얻은 뒤 "나는 신으로부터 무대 음악 작곡의 사명을 받았다"라고 말했다. 그러나 밀라노 음악원 재학 시절 어머니에게 보낸 편지에서는 오케스트라 음악과 교향악적 작업에 소질이 있다"는 자신감을 피력한다. 이 시대 작곡가들은 '오페라 작곡가' '관현악 / 교향악 작곡가'로 구별되는 경향이 컸다. 물론 충실한 관현악은 오페라 성공의 필수 요소 중 하나이며, 푸치니는 이에 대한 자신감을 바탕으로 미묘한 목관의 음색, 인상주의와 현대음악을 넘나드는 실험적 화음, 처절할 정도로 강력한 금관과 타악기의 '큰 음향Big Tone'으로 무대 위의 극적인 장면들을 뒷받침했다. 그러나 그가 오스트리아나 독일에서 태어났거나 한 세대 뒤에 태어났으면 어땠을까. 푸치니라는 이름은 음악사에 교향곡이나 교향시 작곡가로 남았을 수도 있다.

10 엘비라 푸치니

푸치니는 유년 시절 동급생인 나르치소 제미냐니의 부인 엘비라와 사랑의 도피행각을 펼쳤으며, 두 사람은 결국 결혼했다. 그러나 이 달콤한 도피의 결과로 엘비라는 평생 남편의 외도에 신경을 곤두세워야 했다. 푸치니의 오페라 여주인공 중 두 인물에서 엘비라를 찾아볼 수 있다. 한 사람은 애인 카바라도시가 다른 여인을 만나지 않는지 의심한 결과 비극을 부르고 마는 '토스카', 또 하나는 신분이 낮은 여인을 고문해 죽음에 이르게 만드는 '투란도트'다. 그러나 〈토스카〉에서의 질투는 원작인 사르두의 희곡에도 나타난다. 투란도트의 비정함도 그 자체보다는 류의 숭고한 희생을 강조하는 데 방점이 찍힌다. 이 작품에는 엘비라의 의심으로 인해 목숨을 버렸던 푸치니의 하녀 도리아 만프레디의 비극이 투영되어 있다.

푸치니 생애의 결정적 장면

1858 12월 22일 이탈리아 토스카나 주의 중세 고도 루카에서, 4대째 이 도시 교회음악 책임자였던 미켈레 푸치니의 다섯 째이자 장남으로 태어나다.

1864 아버지 미켈레가 사망하다.

1873 중고등 과정인 루카 음악원에 입학하다.

1876 음악의 창문을 열다

루카 음악원 지도교사인 안젤로니의 권유로 음악원 학우들과 함께 피사로 걸어가 베르디의 〈아이다〉를 보고 오페라 작곡가가 되기로 결심한다. 훗날 푸치니는 "피사에서 베르디의 〈아이다〉를 보는 순간 눈앞에 음악의 창문이 열리는 것 같았다"고 회상했다. 그러나 평생 따라다닌 '베르디의 후계자'라는 수식어와 달리 푸치니의 작품은 이탈리아적, 베르디적 선율미 외에 프랑스적 화성과 감각, 독일의 바그너를 닮은 구조적 배치 및 관현악법을 갖춘 '범유럽적'인 것이었다. 그가 〈아이다〉에서 받은 감동을 청각적이 아니라 시각적('음악의 창')으로 표현한 회상이 눈길을 끈다.

1880 밀라노 음악원에 수석으로 입학해 작곡가 바치니와 폰키엘리의 제자가 되다.

1883 오페라 공모에 도전하다

밀라노 음악원 졸업 작품으로 '교향적 기상곡'을 작곡해 인정받았다. 폰키엘리의 주선으로 코모 호반 레코와 마자니코 일대에서 출판업자 겸 오페라 흥행사 리코르디를 비롯한 이탈리아 문화계의 유력자들에게 소개되었다. 손초뇨의 단막 오페라 공모에 첫 오페라 〈빌리〉를 제출하지만 낙선했다. 손초뇨 단막 오페라 공모의 심사위원에는 푸치니의 후원자인 리코르디의 지인들이 있었다. 그러나 상상력과 재능으로 충만한 작품인데도 불구하고 푸치니의 첫 오페라는 한마디 평가도 받지 못한 채 탈락했다. 이 사실 때문에 손초뇨의 라이벌이었던 리코르디가 공모에서 이 작품을 떨어뜨려 자기 회사의 것으로 만들고자 손을 썼다는 설이 꾸준히 제기된다.

1884 〈빌리〉가 초연되다

〈빌리〉가 밀라노의 달베르메 극장에서 초연되어 호평을 받았다. 푸치니의 첫 오페라인 〈빌리〉는 단막 오페라임에도 사랑하는 연인들, 긴 이별, 암울한 재회와 파국이라는 '푸치니 공식'을 충실히 따르고 있으며, 작품 첫 부분에 깔아놓은 달콤한 선율과 동기들을 비극적인 후반부에서 차례로 끄집어낸다는 점에서도 이 공식에 지극히 충실하다. 새벽 장면이 강조된다는 점에서도 이후의 푸치니를 충분히 엿보게 한다. 즉 첫 번째 오페라부터 푸치니는 자신에게 가장 적합한 작법을 절묘하게 찾아냈던 셈이다. 이 작품은 이 20대 초반의 작곡가가 오케스트레이션(관현악법)

에 얼마나 능통했는지 감탄하게 만든다. 베르디는 이 작품에 대해 "오페라적인 것과 교향악적인 것은 다르다"라며 우려를 표시하기도 했다. 악보출판사 겸 오페라 흥행회사인 카사 리코르디와 전속 계약을 맺었다.

1884   어머니 알비나가 사망하다.
1885   유년기 동급생의 부인인 엘비라에게 피아노 레슨을 하다가 사랑의 도피행을 펼치다.
1886   도피처인 몬차에서 장남 안토니오가 태어나다.

1889 〈에드가〉가 초연되다

스칼라 극장에서 초연된 〈에드가〉는 인간미가 느껴지지 않는 정형화된 주인공들의 모습과 모순된 줄거리 때문에 오늘날 잊힌 작품이 되었지만, 〈아이다〉를 연상시키는 베르디적 특징으로 인해 베르디의 지지를 이끌어내는 성과를 거뒀다. 푸치니는 〈라 보엠〉에서 〈서부의 아가씨〉에 이르는 중기작의 대성공 이후 〈에드가〉를 이 성공작들 틈에 끼워넣어 부활시키고자 여러 차례 시도했지만 결국 성공하지 못했다.

1890   브레시아에서 〈빌리〉를 지휘한 지휘자 아르투로 토스카니니와 처음 만나다.

1891 토레델라고로 이사하다

1884년에 어머니 알비나가 위암으로 사망하자 푸치니는 낙담해 마사추콜리 호수 부근을 방황했다. 푸치니에게 어머니의 존재는 다른 어떤 작곡가보다 컸다. 방황하던 청소년 시절 어머니는 변함없이 그에게 애정과 신뢰를 보였으며, 밀라노 음악원 진학 시에는 청원을 넣어 왕실 장학금을 타냈고 폰키엘리 교수를 설득해 아들을 눈여겨보도록 했으며 첫 오페라 〈빌리〉의 작곡에도 충고를 아끼지 않았다. '희생당할 운명 속에서 목숨을 잃은 여인'은 푸치니를 평생 따라다닌 테마가 되었다. 바다와 가까운 마사추콜리 호수는 푸치니에게 거주지 이상의 의미를 지닌다. 그는 이 호수에서 물새를 사냥하는 새벽 시간을 사랑했고, 그 정경을 〈나비 부인〉 간주곡 장면에 녹여넣었다. 1891년 토레델라고로 이사를 했고, 호숫가의 오두막을 사들여 '클럽 라 보엠'으로 이름 지은 뒤 놀러오는 마을 친구들의 모습을 〈라 보엠〉 하숙집 장면에 반영하기도 했다.

1893 〈마농 레스코〉가 초연되다

토리노에서 초연된 세 번째 오페라 〈마농 레스코〉는 4개 막 장면 장면들이 연결되지 않는 에피소드로 분할되어 있다. 마스네의 〈마농〉에 나오는 장면들을 피하기 위해서였다고는 하지만, 1막에서 2막 사이의 긴 단절은 이 작품을 처음 접하는 청중을 당황스럽게 만든다. 그렇지만 푸치니는 이러한 시도에서 일종의 영감을 얻은 것으로 보인다. 다음 작품 〈라 보엠〉도 막과 막 사이가 치밀하게 연결되지 않는, '장면들의 나열'로 성공을 거둔 작품이기 때문이다. 여러 아름다운 아리아와 중창이 있지만 이 작품을 상징하는 핵심 장면은 2막과 3막 사이의 간주곡이다. 이 아름다운 간주곡은 학창 시절 푸치니가 가장 열광했던 바그너의 〈트리스탄과 이졸데〉의 '사랑의 죽음'을 연상시킨다.

1893   〈라 보엠〉 오페라화 계획을 놓고 레온카발로와 신문지상으로 논전을 펼치다. 푸치니와 대본작가 자코사 및 일리카가 〈라 보엠〉 〈토스카〉 〈나비 부인〉 등 중기 3대작을 만들어낸 '황금 트리오'를 결성하다.

1894   고향 루카의 선배 작곡가 카탈라니 사망하다. 그의 유골을 뿌리는 의식에 참여하다.

1896   〈라 보엠〉이 초연되다

네 번째 오페라 〈라 보엠〉이 토리노에서 토스카니니 지휘로 초
연된 후 전 세계에서 대성공을 거두었다. 푸치니는 이 네 번째
오페라에 이르러 자신이 습작 시절 쓴 수많은 선율을 쏟아부었
다. 3막의 4중창은 학생 시절 가곡 '사랑과 태양'에서 나왔고,
'내 이름은 미미'의 시작 선율은 초기 현악사중주 '국화'에서 땄
으며, '무제타의 왈츠'도 학생 시절 습작에 그 모습을 보이는 선
율이다. 이 작품 자체가 미숙한 젊은 예술가들의 치기와 좌충
우돌을 그린 작품인 것이 한 가지 이유이고, 그가 이 작품의 성
공에 자신의 모든 '자원'을 쏟아부은 결과일 수도 있다. 이 작품이 다음 해까지 전 세계를
휩쓴 붐은 실로 거대했으며, 이후 푸치니는 자신감에 넘쳐 "다음 작품은 나의 두 번째 〈라
보엠〉이 될 것이다"라고 말하곤 했다.

1900   〈토스카〉가 초연되다

다섯 번째 오페라 〈토스카〉는 로마 초연 직후부터 '유혈극'으로 낙인찍혔다. 세 주인공 중
한 사람이 칼에 찔려 죽고 한 사람은 총으로 처형당하며 한 사람은 성 위에서 뛰어내려 자
살하는, 푸치니와는 어울리지 않는 강렬한 작품임에도 성공을 거둔 것이다. 푸치니가 이
소재에서 실패했거나, 시도조차 하지 않았다면 〈서부의 아가씨〉〈외투〉〈투란도트〉 같은
두터운 작품은 나오지 않았을 것이다. 그 결과는 오늘날 우리가 아는 푸치니보다 못할 수
있지만, 그가 내면의 목소리에 더 귀를 기울이게 만들어 더 나은 작품 목록이 나왔을 가능
성도 배제할 수 없다.

1900   기차에서 만난 여인 코린나와 사랑에 빠지다. 런던에서 연극 〈나비 부인〉을 보고
차기 오페라에 대한 아이디어를 얻다.
1903   차량이 전복되어 큰 부상을 입다.

1904 〈나비 부인〉이 초연되다

여섯 번째 오페라 〈나비 부인〉을 스칼라 극장에서 초연했으나 참담하게 실패했다. 평판이 회복되어 5월 브레시아 공연부터 흥행에 성공했다. 〈나비 부인〉이 초연에서 실패한 이유에 대해서는 정설이 없다. 20세기 초의 이탈리아 오페라계에는 작곡가와 비평가, 안목 높은 청중 사이에 때로 응원하고 때로 적대하는 묘

한 긴장관계가 형성되어 있었다. 자부심 강한 밀라노 스칼라 극장 청중이 '계속 성공을 거두는 이 작곡가에게 경고를 보내자'는 데 공감대를 이룬 것이 초연 실패의 원인일 수 있다.

1904 엘비라와 법적으로 완전한 부부가 되고, 정부 코린나와의 관계를 청산하다.

1905 우루과이 수도 몬테비데오에서 푸치니 페스티벌이 열리다.

1906 자코사의 사망으로 푸치니-자코사-일리카의 '황금 트리오' 시대가 막을 내리다.

1907 뉴욕 메트로폴리탄 오페라 극장의 초청으로 도미하다.

1909 도리아가 자살하다

하녀 도리아 만프레디가 푸치니와의 관계에 대한 엘비라의 의심과 질타를 견디다 못해 음독 자살한 사건은 전 유럽의 황색지를 장식한 스캔들이었지만 예술사적으로도 의미 있는 흔적을 남겼다. 푸치니가 유작 〈투란도트〉의 시녀 '류'에 이 가엾은 하녀의 모습을 투영했기 때문이다. 그러나 그 구체적인 의미가 밝혀진 것은 2008년 파올로 벤베누티 감독의 영화 〈푸치니의 여인들〉이 공개되고 나서였다. 도리아는 류가 그랬듯이 '자신이 아는 이름을 누설하지 않기 위해' 스스로 목숨을 버린 것이다.

1910 〈서부의 아가씨〉가 초연되다

일곱 번째 오페라 〈서부의 아가씨〉가 미국 뉴욕 메트
로폴리탄 오페라에서 초연됐을 때 미국인은 비극적
결말을 피하고 해피엔딩에 무한한 사랑을 보낸다. 할
리우드 영화들의 대체적인 특징이기도 하다. 미국인
을 위해 쓰인 이 작품은 푸치니의 오페라 중 처음으
로 행복한 결말을 보인다. 푸치니의 고정 팬들에게는
행복하지 않은 결말이었다. 이 오페라는 푸치니의 작
품 중 열광적인 반응으로 시작해 차츰 반응이 식어간

유일한 오페라가 되었다. 중반까지 뚜렷한 인상을 남기는 아리아가 없는 점, 긴장이 절정
에 이르는 카드게임 장면에 이렇다 할 매력이 없는 점 등을 이유로 들 수 있다.

1910 영국 코벤트가든 로열오페라 극장이 푸치니 페스티벌을 개최하다.

1912 리코르디 사장이자 푸치니의 후원자였던 줄리오 리코르디가 사망하다. 평론가
파우스토 토레프랑카가 푸치니 작품을 맹공하는 『푸치니와 국제적 예술』을 발간
하다.

1913 요제피나 폰 슈텡겔 남작부인과 바이로이트 바그너 페스티벌을 관람하다.

1917 〈라 론디네〉가 초연되다

오스트리아 빈의 위촉으로 작곡했던 〈라 론디네〉를
몬테카를로에서 뒤늦게 초연했다. 동시대 인기 작곡
가들의 수법을 그 핵심만 모방해서 소화하고 자신의
고유한 색채까지 덧붙이는 데 푸치니는 탁월했다. 이
는 밀라노 음악원 재학 시절부터 가능한 한 많은 작곡
가의 악보를 연구했던 그의 탐구심이 반영된 결과다.
〈나비 부인〉에서는 드뷔시의 인상주의적 색채를, 〈잔
니 스키키〉에서는 말러와 리하르트 슈트라우스의 휘

황한 현악을, 〈투란도트〉에서는 스트라빈스키의 원시주의를 엿볼 수 있다. 〈라 론디네〉에
는 이 시대 오스트리아에서 유행한 레하르풍의 오페레타 스타일이 반영되어 있다. 세기말
의 아르누보풍 회화나 건축물을 연상시키는, 지극히 탐미적이면서도 아스라한 세계다.

1918 '3부작'이 초연되다

〈잔니 스키키〉 비롯한 '3부작'을 메트로폴리탄에서 초연했다. 전 세계에서 '3부작'을 흥행
시키고자 한 푸치니의 의도는 당대에 성공하지 못했다. 〈잔니 스키키〉만 높은 평가를 받
았을 뿐, 〈외투〉에 대한 반응은 미지근했고 〈수녀 안젤리카〉는 지루하다는 냉정한 평가를
받았기 때문이다. 영국 로열 오페라를 비롯한 대부분의 극장이 〈수녀 안젤리카〉를 제외하
고 두 작품만 공연하거나 〈잔니 스키키〉에 다른 작곡가의 짧은 작품을 더해 무대에 올리
겠다고 제안했고, 푸치니는 이에 대해 '배신' '예술적 살인'이라며 치를 떨었다. 제1차 세계
대전 직후 세계의 경제적 사정이 어려워 오페라 극장들이 '확실한' 작품만 올리고자 했던
것도 이유였다. 오늘날에는 '3부작' 중 한 작품만 제외하거나 다른 작곡가의 작품과 함께
무대에 올리는 형태를 오히려 찾아보기 힘들어졌다.

1921   토레델라고의 환경 악화로 인근 해변 비아레조로 이사하다. 〈투란도트〉 작곡을
         시작하다.

1924   피렌체에서 쇤베르크의 〈달에 홀린 피에로〉 공연을 관람하고 쇤베르크와 환담하다.
         후두암 진단을 받고 브뤼셀에서 집중치료를 받다가 11월 29일 사망하다. 푸치니
         의 사망은 자신에게도, 주변인에게도 예상되었다기보다는 갑작스러운 일이었다.
         사망 며칠 전까지도 푸치니는 브뤼셀 시가지에서 은밀한 산책을 즐겼으며 인터
         뷰에서도 건강 회복에 대한 자신감을 나타냈다.

1926 〈투란도트〉가 초연되다

〈투란도트〉가 프랑코 알파노의 가필로 완성되어 스칼라 극장에서 초연되었다. 알파노는
투란도트가 칼라프의 설득으로 사랑에 눈뜨는 2중창과 마지막 장면을 완성했다. 알파노
가 푸치니의 제자라고 설명하는 문헌이 있으나 푸치니는 제자를 두지 않았다. 알파노는

푸치니가 선택한 인물도 아니었고 푸치니와 친하지 않
았던 리코르디의 후계자 티토가 결정한 작업자였다. 푸
치니가 높이 평가했던 이탈리아 작곡계의 후배는 교향
시 '로마 3부작'으로 유명한 오토리노 레스피기였다.

1930 대본작가 포르차노의 주도로 토레델라고 야외
에서 〈라 보엠〉 공연이 열리다.

1949 토레델라고 푸치니 페스티벌이 매년 개최되기
시작하다.

1989 〈나비 부인〉을 소재로 한 뮤지컬 〈미스 사이공〉이 발표되다.

1990 영국 BBC가 멕시코 월드컵 중계방송 시그널 뮤직을 루치아노 파바로티가 노래하는
〈투란도트〉의 '잠들지 말라'로 선정하면서 유럽에 '잠들지 말라'가 크게 유행하다.

1993 〈라 보엠〉을 소재로 한 뮤지컬 〈렌트〉가 발표되다.

1994 〈나비 부인〉을 소재로 한 영화 〈M 버터플라이〉가 발표되다.

1998 중국 베이징 자금성에서 장이머우 감독의 연출과 주빈 메타 지휘로 〈투란도트〉
공연이 열리다.

2000 〈토스카〉 초연 100주년, 역사배경 200년 프로젝트로 로마에서 플라시도 도밍
고 지휘, 루치아노 파바로티 출연의 〈토스카〉 공연이 열리다.

2001 작곡가 루치아노 베리오가 〈투란도트〉 피날레 새 버전을 발표하다.

2008 영화 〈푸치니의 여인〉이 개봉되다

파올로 벤베누티 감독은 도리아 만프레디 자살사건을 취재하다가 깜짝 놀랄 사실을 알게
되었다. 푸치니 사생아의 딸이 생존해 있으며, 푸치니는 도리아의 사촌인 줄리아 만프레
디와 관계를 맺었고 도리아의 자살에는 이 사실을 감추기 위한 의도가 있었다는 것이다.
푸치니는 비밀을 가슴에 안고 죽은 가여운 여인을 〈투란도트〉의 두 번째 여주인공 '류'로
형상화했다.

2016 밀라노 스칼라 극장이 시즌 개막작으로 〈나비 부인〉 1904년 초연판을 공연하다.

푸치니 작품 포스터와 엽서

클래식 클라우드 005

푸치니

1판 1쇄 인쇄 2018년 6월 29일
1판 1쇄 발행 2018년 7월 6일

지은이 유윤종
펴낸이 김영곤
펴낸곳 (주)북이십일 아르테

문학사업본부 본부장 원미선
클래식클라우드팀 팀장 박성근
책임편집 심성미
문학마케팅2팀 도헌정 유지경 문학영업팀 권장규 오서영
홍보기획팀 팀장 이혜연 제작팀 팀장 이영민

출판등록 2000년 5월 6일 제406-2003-061호
주소 (10881) 경기도 파주시 회동길 201(문발동)
대표전화 031-955-2100 팩스 031-955-2151

ISBN 978-89-509-7598-2 04000
ISBN 978-89-509-7413-8 (세트)
아르테는 (주)북이십일의 문학 브랜드입니다.

(주)북이십일 경계를 허무는 콘텐츠 리더

아르테 채널에서 도서 정보와 다양한 영상자료, 이벤트를 만나세요!
네이버오디오클립/팟캐스트 [클래식클라우드] 김태훈의 책보다 여행
네이버포스트 post.naver.com/classic_cloud
페이스북 www.facebook.com/21classiccloud